新潮文庫

ゼロの焦点

松本清張著

新潮社版

1969

ゼロの焦点

ある夫

1

板根《いたね》禎子《ていこ》は、秋に、すすめる人があって鵜《う》原《はら》憲一《けんいち》と結婚した。

禎子は二十六歳であった。相手の鵜原は三十六歳だった。年齢の組合せは適切だが、世間的にみると、多少おそい感じがした。

「三十六まで独身だというと、今まで何かあったんじゃないかねえ」

その縁談があったとき、禎子の母は一番、それを気にした。

それはあったかもしれない。三十六までまるきり女との情事がなかったとは言いきれない。まったくなかったと聞かされたら嘘《うそ》のようだし、男としてかえってひ弱な感じがする。長い間勤めに出ていて、男の働く世界に身を置いてきた禎子はそう思った。

実際、女にまるきり交渉のない男というのは、どこか軽蔑《けいべつ》してもいいようなところをもっていた。もっていたというよりも、女が感覚で発見するのかもしれない。そんな男に清潔感というものは、滅多になかった。身体《からだ》の上でも、仕事の上でも、ある虚弱さを感じるのだ。

禎子は、相手の男にそんな女関係の過去があってもいいと思った。誰《だれ》かと一時期、同棲《どうせい》したことがあると聞くと嫌《いや》だが、それでも現在がまったくそれから切り放されていれば咎《とが》めるにあたらないと思う。要するに、過去が後腐れなく捨ててあれば、それでよかった。

禎子がもっと若かったらそうは思わなかったに違いない。それから彼女に今まで恋愛めいた経験が二三度なかったら、もっと結婚相手に、峻厳《しゅんげん》な主義をもったであろう。年齢と多少の経験が、彼女に寛大と成長を遂げさせていたといえそうである。

禎子は、会社では、女の子できれいだと言われる組にはいっていた。そんな評価は、女の友だちの間では多少の意地悪さで告げられたし、男は、もっと部分の特徴を具体的にあげてほめた。

恋愛は、ふしぎに成就《じょうじゅ》しなかった。途中で禎子の方からしりごみして手を引っこめるのだった。彼女が踏みきれなかったのは、相手が十分な男でなかったともいえるし、彼女に臆病《おくびょう》なものがあったともいえる。それなのに、ほかから縁談があったときは、たまたまその恋愛らしい気持が進行している時だったりして、それにかかずらって断わった。何もない時は、縁談に気持が乗らなかったりして、持ちだされる話は切れずにあるのだが、妙に密着のない状態で来た。

そのとき、鵜原憲一との縁談が起こった。

鵜原はA広告社の北陸地方の出張所主任ということであった。仲人《なこうど》は禎子の亡父の友人で、A社に関係のある佐伯《さえき》さんという人だった。

A社は広告取次業として、東京では有名な業者だと仲人は言った。禎子も母も、広告取次業とは、どのような業種か、さだかな知識はなかった。

佐伯氏は、新聞を広げて、禎子と母に見せた。

「ほら、こういう広告がいっぱい新聞に載っているでしょう。新聞社の経営は、やすい購読料ではとてもまかなってはゆけないので、こういう広告収入で経費を出すのです。新聞社は、いろいろな事情から、直接に広告主と取引しないで、間に代理店《エージェント》を置いているのです。それが広告取次業ですよ」

佐伯氏は説明した。

「日本で一番大きいのはD社ですが、これは、新聞のほか、雑誌、ラジオ、テレビなどの広告も扱って桁《けた》はずれです。A社は新聞だけですが、扱い高は二番か三番でしょう。社員も地方をあわせて三百人ぐらいいます。とにかく、業界では、一流ですよ。鵜原君はその社の北陸方面の出張所主任です。たいへん有望な、おとなしい男ですよ」

鵜原憲一の職業はだいたい分かった。素人《しろうと》には、電気器具の販売とか、薬品の製造のようにはっきりとのみこめないが、およその察しはついた。

学歴は大学中退だった。中退という事情は戦争が起こったためだと佐伯氏は言った。戦争が終わって二年後に中国から還《かえ》ってきた。それから二三の職業を経て、現在のA社にはいったのは六年前である。

「六年で、ともかく、地方出張所の主任になる男ですから、優秀ですよ。事務所は金《かな》沢《ざわ》ですがね」

仲人は重ねてほめた。

「そうすると、結婚しても、なんですか、その金沢に居住しなければならないわけですね？」

母はきいた。

「いや、その必要はないでしょう。鵜原君は今では月に十日ぐらいは東京に帰ってきます。東京にも仕事があるのですよ。つまり、北陸地方に工場をもっている会社は、ほとんど東京に本社がありますから、そこに仕事の交渉に来なければならないのです。それと、本店との連絡をかねて東京に帰るのです。ですから本人は家庭をもっても、東京にしたいと言っています」

佐伯氏は言った。

「でも、月のうち、二十日《はつか》も主人が出張してたんじゃ留守のほうが多うございますね」

母はそれを気にかけた。

「いや、それは近々、鵜原君を金沢から呼びかえすようになっているんですよ。もう二年になりますからね、彼が金沢に行ってから。これまで二三回、呼び戻《もど》して本店勤めにする話はあったんですが、本人が、その都度、待ってくれと言うので、のびてきたのです」

「どういうわけでしょう？」

「商売のことになりますが、はっきり言いますとね、北陸地方は田舎《いなか》だから、めぼしい広告主もなく、たいした仕事がないのですよ。それをもう少しなんとかしたいというのが鵜原君の希望でしてね。せっかく、その地方を担当したのだから成績を少しでもあげて帰りたいのが人情でしょうね。実際、彼はそのとおりに努力して、成績もわずかながらだんだんにあがっているのです」

佐伯氏はまた説明した。

「ですから、鵜原君は今度、本店のほうで呼びかえしてくれるのなら、結婚を機会に東京に帰りたいと言っています。主人の出張で留守《るす》が多いといっても、当分の間ですよ」

佐伯氏は、母の傍《そば》にならんで話を聞いている禎子にそう言って笑いかけた。

見合いは、定式《じょうしき》どおりに、歌舞伎座《かぶきざ》で行なったが、そのとき背の低い佐伯氏に連れられてきた鵜原憲一は、上背《うわぜい》があって均斉《きんせい》のとれた身体つきをしていた。三十六歳といっても、独身だからもっと若やいでみえると禎子は想像していたが、想像よりは老《ふ》けていた。顴骨《かんこつ》が少し高いせいかもしれない。しかし、虚心に見れば、色の浅黒い彼の容貌《ようぼう》は三十六歳以上でも以下でもない印象であった。

はじめて見る鵜原憲一は、あまり潑剌《はつらつ》とは言いがたかった。落ちついているというよりも、沈重な感じがした。だが、それだけともいえない、まるでそれを裏切るような明かるさが、彼の表情に、ときどき、はっとするくらいに浮かび出るのだった。禎子は鵜原憲一の複雑さをなんとなく直感した。

食事をしながら、禎子の母は、

「金沢って、いいところでございましょうね。わたしは一度も行ったことはございませんが」

と、鵜原憲一に問いかけた。

「いや、つまらんところです。年じゅう、暗いような感じがして重苦しい所です」

鵜原の答え方は、仕事だから仕方なく辛抱《しんぼう》しているのだと言ってるようだった。フォークとナイフを動かして皿《さら》に目を落としている彼の眉《まゆ》のあたりには、実際、北陸の空気をもってきたような憂鬱《ゆううつ》さが見えた。

禎子は、この縁談を承諾すると、それまで勤めていた会社を辞《や》めた。

2

結婚式は十一月の半ばに挙《あ》げた。

その期間だけ、鵜原憲一《うはらけんいち》は勤め先の会社から一週間の休暇をもらった。T会館の披《ひ》露《ろう》の宴席には、社の重役で営業部長を兼ねている人が来てくれて祝辞を言った。

「——鵜原君は有能な青年でわが社がもっとも期待をかけている一人です。こう申しあげると型どおりの祝辞に思われるかも分かりませんが、あとを聞いていただきとうございます。私はともかくも、鵜原君の上役であります。上役がみなさまの前でこう申す以上、鵜原君の月給があがるのを保証したようなものでございます。奥さまはどうぞご安心願います。私が型どおりの祝辞だけを申しあげていないゆえんであります」

こう言って客たちを微笑させた。

「新婦の方には、本夕《ほんせき》、はじめて、お目にかかりましたが、失礼ながら、なかなか理知的でお美しいのには驚嘆いたしました。鵜原君が三十六歳の今日まで、あらゆる誘惑、……があったかどうか、詳しくはぞんじませんが、今日の日あるを期して、辛抱して待った理由が、分かるようでございます。ご承知のように、わが社の業態は、広告主《スポンサー》を説得してなんとか出稿させることであります。これは、なかなか忍耐を要する仕事でありまして、鵜原君がこのお美しい夫人を得られる機会のため、今日まで独身を忍耐されたことは、わが社の仕事の影響であろうかとひそかに自負しているものでございます」

客たちは笑いながら聞いていた。うつむいている禎子《ていこ》の耳にも、それははいった。普通のこういう席に慣れた人の祝辞として、ぼんやり聞いていたのだが、ずっと後になって、別の意味で思いだされる言葉になった。

鵜原憲一には両親が死んで、なく、青山《あおやま》に兄夫婦がいた。兄はまるきり違った顔をしていて、まるく肥《こ》えていた。商事会社の課長ということだったが、酒飲みで童顔であった。妻は——つまり禎子の嫂《あね》になる人は、痩《や》せて、まなじりがいくぶんつりあがっていた。顴骨《かんこつ》の出ているところは、このほうが鵜原憲一と姉弟のように思い違いされそうだった。

鵜原は、今まで青山の兄夫婦の家にいたが、禎子と結婚するために、渋谷《しぶや》の新しいアパートを借りた。高台にあって、窓からは、東京の町が海のように沈んで見渡せた。灯《ひ》のある夜景はことに美しかった。

縁談が決まってから、挙式までの期間が少なかったせいか、禎子は鵜原憲一と二人きりで会って歩く日は一度もなかった。もっとも、それをしようにも、鵜原はたいてい金沢の方に行っていて、東京にはいなかった。禎子は、結婚前の交際ということに以前ほどの憧憬《どうけい》は持っていなかったし、鵜原からも希望がなかった。禎子は、見合いの席で瞥見《べっけん》した鵜原憲一に満足していた。

それは積極的に好きになった、という感情には距離があった。第一、鵜原憲一について禎子に分からないところがたくさんあった。こういうところに勤めていて、こんな仕事をしていて、兄夫婦と同じ家にいた——そのこと以外になんにも分かっていないのだ。だが、そういう概念だけで、なんとなく鵜原憲一が理解できそうであった。

単に鵜原だけではない、結婚する相手というものは、ぞんがい、そんな茫漠《ぼうばく》とした理解のもとに結ばれるのではなかろうか。女は、相手のその未知におそれと、魅惑を感じるのだ。そうして結婚した後は、未知の部分はしだいに正体が知れてきて、恐怖は去り、魅惑は平凡化してしまうのであろう。禎子はそう考えていた。

禎子が、新婚旅行の行先について、北陸を希望したのは、鵜原憲一の未知の一部分をすぐに知りたいという欲望が動いた結果かもしれなかった。鵜原憲一は、北陸で働いている。たしかにその土地を通過してみたい衝動があった。暗鬱《あんうつ》な空と、荒い波があると聞かされている北の海の想像の中には、その意識がひそんでいた。

それに対して、仲人の佐伯氏は、鵜原憲一の希望として、なるべく熱海《あたみ》か箱根《はこね》、遠くて関西あたりにしたい旨《むね》を伝えてきた。

「当人がね、北陸の方はどうも気がすすまないと言うのです。いつも見つけているせいでしょうね。せっかくだから、もっと花やかなところがいいと言うんですよ」

それを聞くと禎子は、なぜか鵜原憲一の眉《まゆ》のあたりに見た、憂鬱な北の国の翳《かげ》りのようなものを思いだした。

しかし、禎子は押し返した。箱根や関西では気がすすまなかった。それではというので、信州《しんしゅう》から木曾《きそ》にまわり、名古屋《なごや》へ出て帰京する案を望んだ。折から、秋で、紅葉の盛りである。

このような小さな紛争はあったが、とにかくご披露がすむと、その席から、予定どおり新宿《しんじゆく》駅発の二等車に乗った。

甲府《こうふ》に着いたのは夜がおそかった。駅に、連絡しておいた旅館の番頭が、提灯《ちようちん》をもって出迎えていた。

番頭は、待たせてある車を呼んで、二人を乗せ、ドアを外からしめて、おじぎをした。禎子はこの番頭によって、自分が人生の岐路に突きやられたように思った。

旅館は湯村《ゆむら》にあった。昼なら、富士山が正面にあるという広い庭のある部屋に通された。暗くて、近くの芝生と石が見えるだけであった。

鵜原憲一は、女中が去ると、禎子に近づいて初めて頸《くび》を腕ではさんで唇《くちびる》を吸った。それまで、汽車の中でも、ひどく落ちついて大人びていた鵜原が、急に若々しい情熱を見せた。

「女中が、すぐ来ますわ」

禎子は、いつまでも放そうとしない鵜原の唇をのがれて言った。実際女中が来たとき、鵜原は荒い息をしずめるように縁側のソファーの方へ歩いていた。

風呂《ふろ》の案内を知らせにきたとき、禎子は別々にはいると主張した。

「どうして?」

鵜原が、半分、おそれるようにきいた。

「今度だけよ」

禎子は、女中が、襖《ふすま》の陰で聞き耳を立てていそうなので、細い声で言った。瞳《め》がきれいだと言われて、その特徴の、下から見あげるような癖をつい出してしまった。

夜、おそくまで旅館のホールではレコードが鳴っていた。禎子は、あまり気のすすまなそうな鵜原を誘ってホールに行った。若い、二十二三の、会社の団体客のような数組の男女が、テンポの速い曲を踊っていた。

禎子は、壁に立ってしばらく見ていたが、鵜原に微笑して言った。

「踊りましょうか」

鵜原は思ったよりは上手であった。禎子は次々と曲の変わるごとに彼と踊りながら、自分が無意識のうちにある時間をのばしていることに気づいた。

禎子は、はじめて涙がにじんだ。

朝、食事をすませると、午前中は、車で昇仙峡《しょうせんきょう》に行った。紅葉《もみじ》見物でひどい人出であった。せまい道を車が自由にすすまなかった。

鵜原憲一は、昨日と少しも変わりはなかった。三十六歳相応の顔に沈静がただよい、身の動作に落ちつきがあった。そのかぎりでは変化はなかった。禎子は、しかし、彼が昨日までの鵜原憲一でない部分を知っていた。一夜で、未知の一角が崩れた。それは禎子も同じかもしれない。ただ、それによって、大部分を知ったつもりでいる危険は、女より男の側かも分からなかった。その証拠に、たいていの男は、安堵《あんど》した顔つきになるものだ。

鵜原憲一も、禎子に安心したような表情をみせた。なんの安心であろう？　禎子の身体《からだ》に過去がなかったことを確かめえた安心であろうか。彼の表情には、夫としての場所がしだいにひろがりつつあった。見かけは、昨日の鵜原憲一に違いはなかったが、その落ちつきには夫の傲《おご》りが出ていた。

「昇仙峡は初めてですか？」

鵜原は、渓流の上にさし出ている紅葉に目をやりながら禎子へいたわるように言った。

「ええ」

禎子がうなずくと、

「そうですか、そりゃ、よかった」

と夫は満足そうに微笑《わら》ってうなずいた。

こういう子供へでも向かっているようなものの言い方は、以前の禎子なら激しく嫌《けん》悪《お》するところだった。今は——いや、今でも反発はあったが、それは夫のかえって子供らしい傲慢《ごうまん》さを許容で抑《おさ》えていた。それは、いつのまにか禎子が妻になっていることなのだ。そこにもし、ある甘えが動いているのを意識したら、もはや、新しい夫婦は最初の感情の慣れあいをはじめたのであった。

甲府を午後に出発した。右手の窓に八《や》ヶ岳《つたけ》の長い裾《すそ》野《の》がゆっくりと動いた。鵜原憲一は肘《ひじ》を窓枠《まどわく》にもたせ、外を眺《なが》めていた。ここまで来ると外はいっそうに枯れ、林に落葉が進んでいた。鵜原の横顔は顴骨が目立ち、まなじりのあたりに細い皺《しわ》が疲れたようにあった。そうだ、この人は三十六歳なのだと禎子は思った。

いくら長らく親しくしていても、恋人の目と、夫婦の目は違うものなのだ。禎子は、いまどのような目つきをして自分が鵜原を凝視《ぎようし》していたかに気づいた。知らない間に、身体から変質してきたかと思うとこわくなった。

「なんだね?」

鵜原は、目を返して見て、
と言った。自分が彼女から見られたのに気づいたような言い方であった。

「いいえ」

禎子は頰《ほお》をあかくした。なんだね、という口吻《くちぶり》に昨夜の意味がこめられているように思えた。

汽車は信濃境《しなのさかい》を越え、富士見《ふじみ》のあたりを速力を出して走っていた。高原の傾斜に、赤や青の屋根と白い壁の家が建ちならんでいた。

「きれい」

と禎子は、小さく言った。

鵜原はちらりとその方を見たが、すぐ膝《ひざ》の上に横に折った週刊誌をひろげた。が、それを読むでもなく、ほかのことを考えているふうであった。

彼は、しばらくして週刊誌を手もとに置くと、決心したように、禎子に向かって言った。

「君は、この旅行を北陸方面にしたかったそうだね?」

くわえた煙草《たばこ》に火をつけ、その煙がしみたように目を眩《まぶ》しそうにしてきいた。

「ええ」

禎子はうなずいた。

「わがままだったのでしょうか。あちらの方を一度、見たかったものですから」

「向こうは、これほどきれいではないよ」

禎子がほめた富士見高原の景色に比較して言っているようだった。鵜原は、その言葉のあとで煙を吐いた。彼の言い方には、拒絶めいた響きがあった。いかにも見なれて飽き飽きしているから、そんな所はごめんだ、と言いたそうであった。彼が吐いた煙は、窓につきあたり、ガラスをはいあがって立ち迷った。ガラスは曇った景色を流した。

禎子は、鵜原がなぜそれほど北陸を毛嫌《けぎら》いするのであろうかと考えてみた。しかし、それは納得《なっとく》できないこともない。自分が日ごろ職場としている地方に新婚旅行でもないものだという気持であろう。鵜原は二年もそこにいるのだ。月のうち二十日が金沢、十日が東京だった。これでは、まるで、金沢に土着しているようなものだった。鵜原が新婚旅行を別な所に選びたい理由は分かりそうであった。たとえ箱根や熱海や関西が月なみでつまらないにせよ、もの寂しげな北陸の景色の反動として理解できそうであった。

だが、夫の仕事している土地を見たいという妻の希望を、鵜原憲一は考慮して、いや、考慮というよりも、なぜ、喜ばないのであろうか。まったくそのことを意識から塞《ふさ》いでみえる彼が、急に距離遠く思われた。

「君は都会に育ったから、北陸という暗鬱な幻像にあこがれているんだね」

禎子の不機嫌な表情に気がついたのであろう。鵜原憲一は、唇に微笑を浮かべて、さしのぞくようにして、言った。

「しかし、詩情なら、この信濃や木曾の山国が多いと思うんだがな。まあ、北陸の方はいつでも行ける。この次のことにしよう、ね」

鵜原は妻をなだめるように言った。禎子は、子供のとき、母にねだって別な品を貰《もら》い、すかされた時を思いだした。

左手に諏訪湖《すわこ》のひろがりが見えたとき、鵜原は立って網棚《あみだな》から二人分の荷物をおろしはじめた。禎子が手を伸ばそうとすると、

「いいよ」

と鵜原は、両手にさげた。

「すみません」

禎子は言った。それは今のわがままも詫《わ》びているつもりであったが、鵜原に通じたかどうか分からなかった。実際、わがままを実感するのにはまだ間隔があったが、そう考える自分がいとしくもあった。

上諏訪《かみすわ》の駅にも、旅館の番頭が迎えに来ていた。

「お車になさいますか？　歩いても七八分ですが」

番頭は荷物を受けとってきいた。

「そうだね、歩いても近いが、荷物があるから、まあ車にしよう」

鵜原は答えた。前に来たことのあるような言い方であった。

宿は湖岸から少し離れていた。窓の障子を開いても湖は見えず、狭い庭が鼻先にあった。庭は塀《へい》で仕切られ、隣は別な旅館であった。湖が見えるものと思っていた禎子は少し失望した。

「みなさんがそうおっしゃいます。ほんとにここから湖水が見えるとよろしいんでございますがね」

茶を注《つ》ぎながら、女中が言った。部屋は、いい室であった。

「じゃ、あとで湖の方へ出て歩いてみよう」

鵜原が言った。

女中が部屋を出ると、鵜原は禎子がすわっている横に来て屈《かが》み、接吻《せっぷん》した。唇が厚くて堅かったが、鵜原の吸いかたは、激しかった。それは昨夜の経験と同じであった。

禎子は身体が倒れそうなので困り、片手を畳の上に支えた。それでも鵜原はやめなかった。

禎子に、今まで恋愛めいた経験がないでもない。が、男の身体がこのように圧倒してくるのは、初めてであった。鵜原が開放された外では落ちついた様子でいるだけに、密閉された世界での所業は禎子をうろたえさせた。彼女は、夫がやはり三十六歳という男の年齢であることを考えずにはいられなかった。それとも、身体の愛というものはこのように激しいものであろうか。彼女には見当がつかなかった。しかし、それがうれしくない理由はなかった。——

たそがれが近づいていて、湖面の水の色は、沈んでいた。風があって、波が立ち、葉のない柳が岸辺に揺れていた。

遊覧船がまだ沖をまわっていて、拡声器の説明の声が聞こえてきた。断層のような雲の重なりが横に伸びていて、その薄い隙間《すきま》をやはり雲の裏側に沈んでゆく陽《ひ》の光線が明かるい筋にしていた。それも、しだいに白さを消しつつあった。

雲の下には低い山の稜線《りようせん》が蒼黒《あおぐろ》い色で連なっていた。

鵜原憲一は、真向かいの稜線の切れ目を指して禎子に教えた。

「あれが天竜川《てんりゆうがわ》の取り口さ。こっちの高い山が、塩尻峠《しおじりとうげ》だ。間に、穂《ほ》高《だか》と槍《やり》が見えるのだが、今日は雲があって見えない」

その塩尻峠の頂上にも、雲が低くかぶっていた。禎子は、積み重なった雲のひろがりばかりを凝視していた。雲は、諏訪湖より遥《はる》かに広い面積とくろずんだ色で湖面を圧していた。

その雲ののびた端に北陸があるのだ。光を失った雲の色が、暗鬱《あんうつ》な北の国を象徴していた。十里か二十里か知らないが、その先に低い屋根の町と、平野と、荒波の沸いている海がある。さまざまな景色を禎子は考え、そこで月に二十日間の生活を過ごしている夫の姿を想像した。

「何を見ているのだ?」

と、その夫は禎子に言った。夫は禎子の心を覗《のぞ》いているような目つきをした。

「あんまりこんなところに立っていると風邪《かぜ》をひく。さあ、宿に帰ろう。帰って一風呂浴びよう」

鵜原は自分から背中を返して歩きだした。禎子はその時は何も言わなかった。

せまいほうの浴室は明かるい照明がつき、澄んだ湯の中をとおり、タイルの底まで透いて見せた。禎子は湯の中で意地悪い明かるさに身をちぢめた。

鵜原は頭を濡《ぬ》らし、ざんばら髪のようになって額から垂《た》れさげていたが、その下の目は、いきいきと妻を見ていた。

「君は、若い身体をしているんだね」

夫は満足そうに言った。

「いやですわ。そんなこと」

禎子は隅《すみ》にしりぞいた。

「いや、本当だ。きれいだ」

夫はつけたした。

禎子は、顔をおおいながら、夫は自分の身体と比較しているのであろうかと思った。三十六歳と二十六歳の十歳の開きが気になるのか。が、夫の目にも口調《くちょう》にも、その羨望《せんぼう》らしいものは少しもなかった。禎子は、それで初めて気がついた。夫は過去の女の誰《だれ》かと比較しているのではないか。たしかにそんな言い方であった。夫のそういう過去については、禎子には未知であった。これから夫について未開のことがしだいに溶解してくるに違いないが、その部分だけが一番最後に残るのではないかと思った。

食事がすみ、茶をのんだあとで、禎子は言った。

「さっき、湖を見ていて、北陸のことを考えていましたわ」

それは、あの時、夫が自分を見ていた目を思いだし、あるいは、夫に気づかれたのではないか、と思ったからだった。

「ああ、それであっちの方角ばかり見ていたのか」

夫は軽く言った。

「それほど見たいところなら、一度、連れてってあげよう。僕《ぼく》の仕事の時でなくね」

それから膝を組みかえて言った。

「実は、今度、東京の本店に変わるようになっているのでね。そうすると金沢の方から足があらえる」

「そんな話、佐伯さんからうかがったことがありましたわ。そんなにお早く?」

禎子は目をあげた。

「そう、この旅行がすんで東京に帰ったら、辞令を貰うことになるかもしれない。まあ、そうしたら今度の金沢行きが、最後の向こうでの仕事になるだろう」

「あちら、長かったのでしょう?」

「まる二年だが、経《た》ってみると、早いね」

夫は煙草をくわえて煙を吐き、目をけむたそうにしかめた。汽車のなかで見たときと同じ顔であった。違っているのは、夫が何かほかのことを考えているような茫乎《ぼうこ》とした表情であることだった。

宴会があるのか、離れた部屋から三味線と唄声《うたごえ》とが聞こえてきた。

夫は立ちあがった。

「疲れた」

と言って禎子を見おろしていたが、急に傍《そば》に寄ると彼女の身体を抱きすくめた。

「君が好きだ」

と彼は何度も言った。

「君の唇は柔らかいね。マシマロみたいだ」

夫は、それを賞翫《しょうがん》して言った。禎子は、また過去の誰かに比較されたと思った。

東京に帰って十日の後、禎子は、金沢に出発する夫を、上野駅に見送った。

夜の駅は雑踏していた。

彼が言ったとおり、勤務変えの辞令が出て本店詰めになり、後任の人と二人連れであった。後任者は、夫より若かった。

「僕、本多《ほんだ》良雄《よしお》と申します。このたびはおめでとうございます」

彼は禎子に挨拶《あいさつ》した。結婚のことを言っているのかと思ったら、彼女はあとで夫の栄転のことだと気づいた。目のくりくりした、眉の濃い青年であった。

仕事の引継ぎや、整理などがあって、一週間もしたら帰ってくると、夫は昨夜言った。

改札間際《まぎわ》になって、夫は駅の売店で土産物の買物をした。海苔《のり》とかカステラとか、そんなものを五包みくらい手に抱えた。

「今度は最後だからね。知った先に挨拶がわりだ」

と夫は、禎子に言った。禎子は微笑《ほほえ》んでうなずいたが、それなら駅の売店なんかでなく、言ってくれれば昨日のうちにでもデパートに行って整えておくのに、と思った。

発車まで、三人はホームで立ち話をした。が、本多は気をきかせたつもりか、ウィスキーの小瓶《こびん》か何かを持って、先に車内にはいってしまった。車内は明かるい灯が満ち、ちょっとした花やかさは、女が外出前の化粧をして待っているようだった。

「おそいから気をつけてお帰り。電車からおりたらタクシーに乗るんだよ」

と夫は、こまかい気づかいをみせた。

「ええ、お早いお帰りをお待ちしていますわ」

禎子は言ってつけ加えた。

「この次、私もこの汽車に乗せてくださるわね?」

「うん」

夫は、口では笑っていたが、眉をかすかに寄せた。

「来年の夏だな。休暇のとき」

ベルが鳴り、夫は汽車の中に背中を見せてはいった。

窓から、夫も本多良雄も顔をそろえて出した。二人とも禎子に笑っていた。手を振り、その顔はやがて汽車が連れ去った。

禎子は、あたりに人が疎《まば》らになるまでそこに立って、暗い線路の行方を眺めていた。信号の赤と青の小さい灯が暗いところに、ぽつんとあった。禎子の身体に急に空隙《くうげき》ができた。ああ、これが夫婦の感情なのか、と彼女は初めて思った。

それが、夫の鵜原憲一を、禎子が見た、最後の姿であった。

失《しっ》踪《そう》

1

禎子《ていこ》は、夫の鵜《う》原憲一《はらけんいち》の出張の帰りを、アパートで、毎日退屈しながら待った。

夫は、一週間したら帰ってくると言った。一週間は短い期間ではなかった。といって、さほど待ち遠しくもなかった。退屈なのは、誰《だれ》もいないからである。朝出勤して、夕方夫が帰ってくる一日の留守と似ていた。

狭いアパートの部屋の中は、夫のものと彼女の荷とがごたごた置いてあった。それがまだ渾然《こんぜん》と交じりあっていなかった。夫の荷は夫が主張し、妻のは妻が主張しているようであった。まだ夫婦になっての密着の浅さが、意識の上で、目にそう感じさせた。

実際、鵜原憲一を彼女はまだ自分に所有していなかった。所有というのは夫の全体を知りつくすことだった。そのことになると、彼女は半分も資格がない。夫婦らしい感情は動いてきたが、夫はまだ未知数の大部分を横たえていた。

それは夫が帰ってから溶けることになろう。毎日いっしょにいる生活がはじまる。そこから未知の部分が溶解してくる。それは、彼女自身をも相手に知らせることなのだ。両方の溶解が交じりあう。そこから十年も二十年も暮らしている世間の夫婦のようになるのであろうと思った。

禎子は、一日、夫の兄の家に挨拶《あいさつ》がてらに行った。兄夫婦の家は青山の南町《みなみちょう》にあって、坂をくだったところであった。小さな塀《へい》を囲った家である。

「いらっしゃい」

日曜日なので、義兄は家にいた。童顔を笑わせて、彼の妻の横にあぐらをかいた。

「どうですか、落ちつきましたか？」

彼は五つになる子供を膝《ひざ》にのせてきいた。

「いいえ、まだですわ。なんだか荷物も置いたままで、すっかり片づきませんの」

禎子は義兄と嫂《あね》とを等分に見て言った。子供をはさんで、夫婦は、いかにもそれらしい型にはまっていた。ああ、これが夫婦なのだ。お互いが未開の部分をさらけだしている姿だった。

「そうでしょう。憲一さんがお帰りになってからが、本当の生活ですわ。新婚旅行から帰って、すぐ、おひとりではね」

嫂は禎子の顔を見まもって言った。

「憲一はいつ金沢から帰ってくるんです？」

義兄がたずねた。

「一週間と言っていましたわ。あと三日ばかりです」

「よかったですね、こちらに転勤になって。もっとも今まで何度も、東京転勤の話はあったのですけど、ご本人が断わってらしたのです」

嫂は、女中の出した茶をすすめて言った。

「東京も、これであんがい、つまらんからね」

義兄がひきとって言った。

「憲一のように、二十日が金沢で、東京が十日という暮らしは悪くない」

「羨《うらや》ましそうにおっしゃるけど、ひとり身の間だけですわ」

嫂は義兄の横顔を見た。

「それはそうだ。結婚すればね、どうしても一つ所に落ちつかなければならない」

義兄は簡単に肯定した。

「あんたなんか、今ごろになって憲一さんの生活がお羨ましいんじゃない？」

嫂は義兄に食いさがった。

「徹夜の麻雀《マージャン》の口実をなさらなくともすみますわ」

「禎子さんの前で変なことを言うな」

と義兄は眩《まぶ》しい顔つきをした。あら、と禎子は笑った。

「男にはつきあいがあるからね。しかし、それはそれとして」

と義兄はつづけた。

「男も家庭生活が長びくと、やはり外の空気がほしくなる。ある初老の男がね、これは財産もつくり、子供も大きく育ててあとの心配がなくなってからだが、家庭を捨てて家出するのだ。別な生活を求めてね。その気持は分からなくはない。外国の小説の話だがね」

「外国の小説だからそれですみますわ。そんなことをされたら、残された奥さんが惨《みじ》めだわ」

「いや、それは男の一つの願望さ。やろうたって、勇気のある奴《やつ》はいない」

「男って、心に悪魔がいるのね」

と嫂は、目を禎子に移した。

「憲一さんは大丈夫よ。おとなしいから」

「うむ、あいつは少し変わっているんだ」

と義兄は、大げさな表情で答えた。

「独身でいながら、女の問題を起こしたことがないなんて、今どき、珍しい男ですよ」

「禎子さんはご安心よ」

と嫂は、禎子に笑いかけて言った。

「それは、私たちで保証しますわ。うちのとまるで反対なの。あの人、奥さんをかわいがると思いますわ」

禎子は義兄の家を出た。

帰りに母のところに寄った。

「あと三日で帰るなら、それからそろっておいでよ」

と母は言った。

「なにかね、お便りがあったかい」

「いいえ、まだよ」

母は考えていたが、膝を寄せ、低い声できいた。

「どう、どんな人？　憲一さんて」

母は憲一が三十六歳まで独身だったということにまだ不安を持っているようだった。

「そうね、わりといい人のようだわ」

禎子は言った。どうせまだ、未開の部分の多い人だった。これまで感じたことだけしか言えなかった。

「そう。そりゃいいね。ま、とにかく、いっしょにおいでよ。それまで留守を気をつけてね」

母の言い方には、いっしょに家に来たとき、憲一をゆっくり観察しようとでも言いたそうなところがあった。

アパートに帰ってみると、憲一から絵はがきが来ていた。色つきの写真は、佐渡のおけさ踊りだった。

「事務引継ぎと挨拶のため、本多君を連れて方々をまわっている。予定よりおそくなるが、十二日には帰れると思う。荷物がそのままで乱雑で厄介《やっかい》だろうが、僕が帰るまで待ってください」

万年筆で、わりと整った字だった。鵜原憲一の文字を禎子が見たのはこれが最初であった。消印を見ると金沢局になっていた。

荷物が乱雑で厄介だろうが、帰るまで待て、というのは、片づけるなという意味であろうか。女手ひとりでは大変だから、手伝うから帰るまでそのままにしておけ、ということは文意で分かるが、それ以外の意味を、禎子はなんとなく感じた。思い過ごしかもしれなかったが、それはまだ夫をよく知っていない理由から来るように思われた。

禎子は窓によった。相変わらず窓には低いところに東京の町が海のようにひろがっていた。空の部分が多く、町はその空間に圧せられて沈んでいた。

夫が早く帰ってくればいい、とその時、願望のようなものが起こった。夫さえいっしょにいれば、つまり彼の実体がそこにあれば、思いまどうことはなさそうに思われた。

新婚旅行で感じた夫の記憶が、すでに希薄になりつつあった。夫の言葉も、それに付随した愛情めいたしぐさも、どこかぼやけていた。それは、夫がそこにいないということと同じだった。彼女は、自分の横に真空を感じた。夫についてのいっさいの経験までが、その真空の中に消え入りそうだった。

夫の出張の帰りが明日という日、禎子は夫の本箱をあけた。まだすっかり荷から出して整理していないで、そこにあるのはほんの十二三冊だった。経済書がほとんどだった。三四冊、原書がまじっていた。文学書は一冊もなかった。禎子は退屈した。

彼女は原書の一冊を出して開いた。漫然と英語を復習するような気持であった。横の経済書かと思うとそうではなく法律の本だった。それも行刑の本だった。それも行刑の本だった。これも経済書とは、ちょっと、ちぐはぐな感じであった。それに、経済書はあまり読まれたあともないのに、この行刑の原書は、三四冊がことごとく古本屋の棚《たな》にあるように手垢《てあか》でよごれていた。なかには赤鉛筆でアンダーラインが引いてあったりした。

何を勉強するつもりだったのか、禎子には見当がつかなかった。過去に鵜原憲一は司法官か弁護士になる考えだったのかもしれない。そういえば、彼女は憲一についてほとんど無知であることに気づいた。かなり、いろいろの職業を経て、現在に来た、ということは聞いたが、それが、どのようなものか知らされていなかった。知らされていないという言い方は変かもしれないが、きかないから黙っているという状態であった。なんといっても、結婚して日が少なかった。

しかし、世の夫婦の間では、妻はあんがい結婚前の夫の職業については冷淡なのではあるまいか。関心は結婚以後に重点がかかっているようである。夫の過去が、現在へ重要な投射とならないかぎり、妻は安心しているような気がした。

禎子は洋書の長たらしい単語がなじめなくて、本を閉じようとしたとき、ちょうど、裏表紙と最後のページとの間に、カードのようなものが挟《はさ》まれているのを発見した。が、それはカードでなく、二枚の写真であった。

風景といっていいかどうか、二枚とも家が主題になっていた。一枚の家は立派であり、一枚の家はそれにくらべると、見すぼらしい民家であった。立派な家は長いブロックの塀があり、植込みの木が茂り、その奥に二階建洋館の一部が木の間から覗《のぞ》いていた。それだけで近所の屋根も見えず、背景に山もなかった。ちょうど、東京の住宅地の風景の印象であった。一枚のは、あきらかに北陸地方であった。小さくて入口が狭い。庇《ひさし》が深くて、櫺子《れんじ》窓のような格子《こうし》組みが家の外側にはまっていた。季節は秋らしく、家の横に柿《かき》の木が枝をひろげてまるい実がなっていた。この家は正面から撮《と》ったのではなく、斜めにうつしたから、家の横の遠景には山が写っていた。しかし、それは全体のわずかな空間だから、山は、ほんの一部分を見せているにすぎなかった。この二枚の写真とも、人物もなく、動物も点景《てんけい》にいなかった。そしてかなり以前に撮影したものらしいが、貧しい家の写真のほうが古びていて、贅沢《ぜいたく》な家のほうがかなり新しいくらいな相違はあった。

これはいわゆる芸術写真として撮影したものであろうか。それにしては殺風景であった。それなら、家の具合がおもしろいから撮ったのか。だが、民家の方はともかくとして、一方の立派な家は何の奇も変哲もなかった。東京の住宅地なら、どこでも見られる建築物だった。この撮影者は、夫の憲一であろうと、禎子は直感した。

禎子は写真の裏を返した。裏には、DP屋《デポー》が心覚えに書いたらしく、鉛筆で立派な家のほうが35、民家のほうが21と、走り書きしてあった。

禎子は写真を元のとおりに挟み、本を本箱に返した。しかし、いつまでもその二枚の写真のことが妙に気持から離れなかった。――

翌日になっても、夫は帰ってこなかった。禎子は市場に買物に行き、支度をして待ったのだが、夕方になっても、入口のドアはひらかなかった。

金沢から来るのだから、たいてい夜汽車に乗るはずである。上野に早朝ついて、いったん家に帰るのが普通だが、夫は会社に直行したのかと思った。それなら夕方には帰るだろうと思ったが、晩になっても、姿は現われなかった。その晩、彼女はおそくまで起きていて、ひとりで寝た。

2

十四日になって、禎子は、夫の会社に電話をかけた。交換手に、鵜原は帰っていませんかと言うと、交換手は、ちょっとお待ちくださいと引っこんだが、すぐに出て、ときいた。

「どちらさまですか？」

「鵜原の家の者ですが」

禎子は言った。

「そうですか。鵜原さんはまだ出張からお帰りになりません」

交換手は返事した。

禎子はアパートの部屋に帰った。夫はまだ出張から社にも帰っていない。予定から二日遅れていた。そんなことは始終なのであろうか。禎子は会社に電話をかけて悪いことをしたと思った。

その日、一日じゅう、彼女は、落ちつかない時間を過ごした。

夕方が来た。靴音が隣近所の部屋の前から聞こえた。階段が急に賑《にぎや》かになってくる。禎子は時計を見た。六時である。いつもこの時間は帰宅する夫と家族の騒音がするのだ。

ドアが鳴った。禎子は隣の部屋かと思った。今度は、はっきりと自室のドアに、二度鳴った。禎子は走り寄って、内側からひらいた。

夫の憲一の顔ではなかった。痩《や》せた、中年の見知らぬ人が立って、帽子を手に持っていた。服装は悪くはなかった。

「奥さんですか?」

はあ、と禎子は息を吸いこんだようにこたえた。中年の男は名刺を出した。夫の会社の課長の肩書で横田英夫《よこたひでお》という文字が目を刺した。

禎子はエプロンをはずしておじぎをし、どうぞおはいりくださいと請《しょう》じた。胸に動悸《どうき》が打ち、それが指先まで伝わった。

横田課長は慇懃《いんぎん》な物腰ではいり、挨拶《あいさつ》が終わると、煙草《たばこ》をとりだしてすい、しばらく内容のない話をした。禎子は向かいあってすわり、微笑《ほほえ》んだ。雑談は重大な意味にはいるらしい前ぶれの儀礼であった。彼女は息が整わなかった。

課長は、煙草を灰皿《はいざら》に揉《も》みつぶすと、目的の話にはいった。

「ときに、ご主人から何かお便りがございましたか?」

おだやかな口吻《くちぶり》だが、禎子は、予感があたったと思った。立って、夫からの絵はがきをとりだした。紙が指から抜けて落ちそうであった。

「拝見します」

課長は断わって、読んだ。目が文字を追って動いている。禎子はそれを見つめた。

課長は手帳をとりだして、鉛筆で何か書いた。十二日に帰る、その日付を書きとったように思えた。今度は表をまわして消印を眺《なが》め、それも手帳にしるした。

「ありがとうございました」

彼は礼を言って、絵はがきを戻《もど》した。

「あの、主人の出張はまだ長いのでございますか?」

禎子の質問は探りになっていた。あるいは、相手の言葉を早く引きだしたい焦《あせ》りであった。

「それが……」

課長は、しょぼしょぼした目をした。すわった膝《ひざ》が少し動いた。

「鵜原君は、このお便りにあるとおり、十一日の晩に金沢を発《た》っているはずなんです」

禎子は息をつめ、言葉が出なかった。

「しかし、今日は、十四日ですね。まだ社に姿を出さないのです。念のために、金沢の出張所に電話をかけて問いあわせたのですが、本多君が、つまり、鵜原君の後任ですな、その男が言うには、十一日の晩に発ったはずだと言うのです」

発ったはず？　それでは、はっきり発ったという事実はないのか、と禎子は思ったが、それは黙っていた。

「私どもはまた……」

と課長はつづけた。

「鵜原君は上野に着いて、お宅にまっすぐに帰ったものと思っていました。それきり、何かの都合で、まあ、ご新居のことで、何かと片づけものがあったりして、今日まで休んでいるものとばかり、思っていました」

課長の目もとはちょっとゆるんだ。新居というところを、新婚と言いたかったに違いなかった。

「しかし、それにしても、二日も連絡がないのは妙だと思い、実は、お宅におたずねの使いを出そうと考えていたところでした。そこに、奥さんから社に、午後でしたか、お電話があったものですから、急いでもう一度、金沢に電話を入れました。本多君の返事は同じことです。鵜原君は、向こうにいないのです。それで、途中の心あたりのところ、つまり商売の方の関係先ですな、そんな方面にも、電話で問いあわせたが、どこにも行っていない。結局、私どもではなんにも分からないのです。……なるほど、それでは、奥さんのほうにもお心あたりがないわけですか？」

課長は、禎子を覗《のぞ》くようにした。

「はい、私にも何も」

禎子は、うつむいて答えたが、心では忙しく夫の行きそうなところを探した。義兄の家に寄っているかもしれないと、疑念が、ふと過ぎたが、そんなはずはないと打ち消した。

「ご親戚《しんせき》とか、お知りあいとかの先では？」

夫の知人のことも友人のことも、まだ何も知っていない。たとえ、そんなところに寄ったとしても、今日になるまで社にも連絡しないはずはなかった。そんなことは考えられなかった。

「それも心あたりがありません。ただ……」

言いかけて、やっぱり一応は義兄の家にききあわすべきだと思った。課長にそれを言うと、ぜひきいてくれと言った。

禎子は、管理所に行って電話をかりた。そこに行きつくまで、階段をおりるのが、足が浮いたようだった。

電話には嫂《あね》が出た。

「憲一がまだ出張先から帰りませんのよ。一昨日、帰るはずなんですが。会社にも帰らないって、いま課長さんが見えていますの」

禎子は管理人に分からないように、送話器を手でおおって言った。

「そちらに、お邪魔していませんかしら？」

「いいえ、ちっとも。おかしいわね」

嫂の声が答えた。

「どこか、知った人のところに寄ってるのかしら」

嫂は、課長と同じことを言った。

「それは、私には見当がつきませんの、お義兄《にい》さまがご存じないかしら？」

「そうね、すぐ会社に電話をかけて、きいてみます。でも、あまり心配しないほうがいいわよ。明日の朝あたり、ひょっこり帰るかもしれないから」

嫂の声は、それでも動揺していた。

課長が帰ったあと、義兄から電話がかかってきて、どこにも憲一がいないことを報告した。

禎子は管理所から出て、階段をあがってくる途中、ふと、洋書に挟《はさ》まった二枚の写真のことが頭に浮かんだ。少しも根拠のない連想であった。

3

翌日の昼ごろ、社から禎子に電話がかかってきた。

「もしもし。ご主人はまだお帰りになりませんか?」

向こうは、昨日の横田課長で、そう名乗ってから、きいた。

「いいえ、まだです」

「そうですか」

課長は、ちょっと声をとぎらせてから言った。

「実は、今晩、誰《だれ》かを金沢の方へやってみようと思うんです。それで、もし、ご希望でしたら、奥さんもごいっしょに行かれませんか。夜行に乗れば、朝、着くのですが」

社から人を派遣するというのは、どういうことなのか、禎子は、何か切迫したものを感じた。

「あの、憲一が何かご迷惑でもおかけしているのではないでしょうか」

「迷惑？」

「たとえば、金銭の上で……」

「いいえ、それは絶対にありません。ただ、われわれとしては、鵜原君が予定よりも三日も連絡を絶っていることが気にかかるのです。それで、金沢とは電話の上だけでなく、現地に人を行かせて確かめてみたいだけです。おそらく奥さんも、同じお気持でしょうから、お望みなら、ごいっしょにどうかと申しあげたんですが」

「私、まいります」

禎子はすぐに答えた。夫が、（十二日に帰る）というあの絵はがきをよこさなかったら、その返事は即座には出なかったであろう。夫の行方が不明になった奥には、彼自身の意志が働かずに、他《ほか》からそれが加えられたような直感があった。

先方は、今晩発《た》つ汽車の時間を言って、電話を終わった。

すぐそのあとから、追いかけるように、義兄から電話が来た。

「憲一は帰りませんか？」

「まだ、戻りませんの」

「困った奴《やつ》だな」

義兄は舌打ちしそうに言った。禎子は、会社からの今の電話を伝えた。義兄は、それで意外に重大なことになったのを悟ったらしかった。

「僕《ぼく》も行かなければならないかな、弱ったな、今は手放せない仕事を抱えているのだが」

義兄は、迷ったような声を出した。

「あら、お義兄《にい》さまはおよろしいですわ。私がまいりますから。そのうえで、一応の様子が分かってからいらしていただきますわ」

禎子が言うと、では、そうしますか、じゃ、頼みます、と義兄は電話を切った。

禎子は部屋に帰ったが、動悸《どうき》はそれほどたかぶらなかった。窓の外には、人家の海がうねっている。広い空間には、今日は薄ら寒そうな雲がおおい、雲の色はいくつもの明度に分けて壁のようにひろがっていた。禎子は、諏訪湖《すわこ》で見た北方の雲を思いだした。

支度をする時、禎子はスーツケースの底に、洋書に挟んであった二枚の写真を抜きとって入れた。——

上野駅では、痩《や》せた中年の男が、改札口のところで禎子を待ちあわせていた。

「鵜原さんの奥さんですか」

と彼は言った。憲一と同じ課の者だと言った。あまり風采《ふうさい》はあがらなかった。彼は切符を見せ、席をお取りしてあると言い、すたすたとホームを先になって歩いた。

席は、二等車の端だった。

「僕、青木《あおき》といいます。今度はご心配ですね」

と彼は、禎子に言った。

「向こうには、本多君もいることですから、もっと現地で調べると詳しいことが分かると思います。今日、金沢の警察署に本多君がききあわせたそうですが、この四五日以来、身もと不明の変死体はないということでした」

青木は、ぼそぼそと話した。

禎子は声をのんだ。身もと不明の変死体はなかった。

——彼は、禎子に安心させるために言ったに違いないが、禎子は、がくんと、胸が一度に揺れた。

もう、その辺まで事態は来ているのか。自分の知らない間に、夫の身体《からだ》に、急激な変化が起こっている。真暗な、手の届かないところに、夫が流れて行っている。禎子は、まだ自分の考えの甘かったことを悟った。それから指先がふるえるのを覚えた。禎子は目がいつまでも冴《さ》えた。青木は早くから腕を組んで眠っていた。

窓の外に闇《やみ》が走っていた。ときどき、薄い灯《ひ》が川に浮いたように流れる。星が見えるのは、山の間を抜けた時だけであった。

沼田《ぬまた》、水上《みなかみ》、大沢《おおさわ》、六日町《むいかまち》と駅名が寂しい灯の中で過ぎた。

北陸路がしだいに近づいてくる。なんとなくあこがれていた北国に、こういう気持で来ようとは、禎子は想像もしていなかった。彼女は少しも眠れなかった。

直江津《なおえつ》を発車したのは朝の暗いうちだった。青いブラインドを上げて覗くと、窓に疎《まば》らな遠い灯が凍《こお》りついていた。曇ったガラスの中を、その灯は、ゆっくりと動いていた。

4

横で身体を動かされたので、禎子は目をあけた。

「失礼」

と青木は洗面具をさげて、座席から立つところだった。禎子はそれで自分が眠っていたことを知り、車内に蒼白《あおじろ》い外光が射《さ》しているのを見た。

方々で窓の遮蔽《しゃへい》があけられていて、白いものが走っているのが斜めに見えた。禎子も紐《ひも》をひいた。音立ててブラインドがはねあがり、流動する風景がひらいた。

雪が流れていた。まだ陽《ひ》の射さない前の薄蒼い中に、雪の堆積《たいせき》はしっとりとふくれあがっていた。黒い木の線が、その中に埋ずもり、沈んだ屋根の下にとぼしい灯が洩《も》れていた。どこかでは焚火《たきび》をしていて、その火の色が鮮かだった。空は曇っているらしく、すすけた灰色が閉ざしていた。

（これが北の国だった）

禎子は目がさめたように思った。今年は東京は雪がなかった。ここに来て急に雪を見たというだけではない、樹木の相も、民家の屋根も、山脈を越して北に出なければ見られないものだった。暗い朝の光線が、その荒涼さをみせるのに適度であった。腕の時計を眺《なが》めると八時前だった。

青木が洗面から帰ってきた。彼は窓枠《まどわく》に手をかけて外を覗《のぞ》き、禎子に、

「もうすぐですな」

と言った。中年のこけた頰《ほお》にひげが汚なく伸びていた。

禎子は洗面室のよごれた鏡に向かって化粧した。車体の動揺で足に安定がなかった。

重心のとれない恰好《かっこう》が、胸がふるえているようで、不安だった。皮膚が荒れて、化粧が思うように伸びなかった。眠ったのは今朝のいつごろからだったろうか。富山《とやま》の駅の灯まではおぼろに覚えていた。

席にかえると、青木は煙草《たばこ》をすっていた。禎子は、途中からいっしょになったような親近感のないこの男に、あらためて朝の挨拶《あいさつ》をした。

くろい海が遠くに現われた。日本海は思ったよりせまい線だったが、それは向こうになだらかな山脈がのびているからだった。山の上の雪だけが、灰色の空から牙《きば》のように白く出ていた。

「能登《のと》半島です」

青木がぽつりと説明した。

あれが能登半島なのか。掌《てのひら》のようにつき出ている地図の形象が禎子の頭に浮かんだ。が、能登の山は、その形とはおよそうらはらに平板だった。輪島《わじま》、七尾《ななお》――小学校で習った記憶は、これだけの地名しか禎子にはない。

禎子は、遠いその山が少しずつ動いているのを眺めながら、ふと思いついてきいた。

「鵜原は、あの能登半島にも仕事に行っていたのでしょうか?」

青木は口から煙草をはなした。

「さあ」

と彼は皺《しわ》の多い目のふちを動かした。

「僕《ぼく》はよく事情を知りませんが、能登方面には、これという広告主《スポンサー》もないように思いますね」

だからそこに仕事にまわることはない、と青木の生気のない口吻《くちぶり》は言っていた。そうかもしれない。ただ寒々とした山のかたちを見ていると、禎子にも、日本海に突き出た半島には、心細げな漁村だけが点在しているとしか思えなかった。

海が見えなくなり、雪の上に、黒い家が多くなってきた。汽車は、一度そこでとまった。黒い毛布を頭からかぶった人たちが線路の近くの道を歩いていた。「津幡《つばた》」という駅名の文字が読まれた。

「次です。金沢は」

おりるということで、青木の顔はわずかに活気が出てきたようだった。そういえば、この男は、上野から乗って以来、始終、眠たげな顔つきばかりをしていた。車内でも身支度がはじまっていた。その慌《あわただ》しさが禎子を運命のような場所に追い立てるようだった。胸がまた騒ぎだした。この記憶は前にも似たものがあった。そうだ、新婚旅行のはじめての日、甲府の駅から宿に送りこまれる自動車の中だった。番頭がドアをしめて車が動きだしたときに味わった、あの傾斜感と似ていた。

汽車が速度を落とし、大きな駅の構内が広がってかぶさり、人を積んだ歩廊が桟橋《さんばし》のようにゆっくりとすべってきた。

青木は伸びをして先に出口に歩いた。オーバーの襟《えり》が立っているところに、煙草の灰がかかっていたが、禎子は手を出す勇気がなかった。

「やあ」

ホームにおりたところで、青木が思いがけない大きな声を出した。その背の向こうから、血色のいい男の顔が現われた。濃い眉《まゆ》と、くりくりした目に禎子は見覚えがあった。夫の鵜原憲一を最後に上野駅に送ったとき、その後任者としていっしょだった本多良雄であった。

「お疲れでしたね」

と本多良雄が禎子に向けたまるい目には微笑があった。

「昨夜は、汽車の中で、よくお寝《やす》みになれなかったでしょう?」

禎子はおじぎをした。

「こんなにお早くお迎えをいただいて、申しわけございません」

それに、と言いかけてやめた。夫のことで心配をかけている礼はあとでしたかった。

「君」

と青木が、本多に言った。

「鵜原君のことは、その後、何か分かったかい?」

大きな声だったが、本多良雄は、少し首をふっただけで、返事をしなかった。それよりも、とりあわないという恰好で、禎子に言った。

「こちらも、雪が一昨日降ったのです。吹雪《ふぶき》で大変でしたよ」

あとはゆっくり歩きだしていた。禎子はそれに細かい心づかいを感じた。

駅の前からタクシーに乗った。広場の雪はかきのけられて、脇《わき》にたまっている。鈍重な雲の裂け目から陽が洩れ、その光の下に朝の金沢の町がひろがっていた。大きな寺院の屋根が正面に見えた。

事務所は繁華街の横通りにあった。九谷焼《くたにやき》を売っている店の二階で、間借りであった。赤や金で彩《いろど》られた唐獅子《からじし》や壺《つぼ》のならんでいる、派手だが古い店の構えから、階段をあがると、十畳くらいの部屋に四つの事務机がならび、帳簿などがたてかけてあった。もとは普通の日本間だったものを一応事務所ふうに改造してあった。

「ここが鵜原さんの机でした」

本多良雄は、今は自分のものになっている窓側の机を指した。主任だからというのか、ほかの机より少し大きかった。禎子は、二年間、その上で帳簿を見たり手紙を書いたりしていた夫の姿勢を想像した。

朝が早いので、他《ほか》の社員は誰《だれ》もいない。本多と青木だけだった。青木はオーバーを着たまま、寒そうに突っ立っていた。

「引出しの中ですが」

本多は話した。

「鵜原さんの物がすっかり片づいていないのです。といっても、ほとんど社用のものばかりですが、便宜上、一応ここにまとめて入れておきました」

彼は机の一番下の引出しをあけた。禎子はのぞいて見たが、それは伝票のようなものばかりだった。

「まだこの仕事の整理ができていません。ということはですね。奥さん」

と本多は、禎子の顔に、慰めるような微笑をかけて言った。

「鵜原さんは、もう一度、ここに帰ってこられる意志のあったことです」

禎子は、本多の言葉で、おや、と思った。それでは夫は、金沢からまっすぐに東京に向かったのではなかったのか。確かに社の課長からはそう聞いたのだが。

「本多君」

と青木が空《あ》いている椅子《いす》をひきよせて斜めにすわった。

「君が鵜原君と最後に別れたのは、この事務所だったのかね？」

「それは奥さんにも聞いていただかねばならぬので、今から説明しよう」

と、本多良雄は言った。窓から射した陽が、明かるくなった。

「鵜原さんは十二月十一日の晩に発《た》つと言っていました。僕が、それは金沢発二十時二十分の上り急行《北陸》だと思いこんでいましたから、駅までお送りしようと言うと、鵜原さんは、いや、そうではない、高岡《たかおか》に用事があるから、そこへおりたいので、少し早く発つ。そして、もう一度、明日の朝、この金沢の事務所に戻《もど》って晩に発とう。送ってくれるなら、その時にしてくれ、ということでした。それで三時すぎにこの事務所を、一人で出て行かれました」

「高岡に？」

と青木は言った。

「それはなんの用事だろう？　社の仕事かね？」

「いや、高岡には社の仕事は何もないのだ。たぶん、私用だろうと思って深くはきかなかった。奥さん、高岡には鵜原さんのお知りあいでもあるのですか？」

「いいえ。私は聞いていませんが」

　禎子は答えたが、あるいはそんな知人があるのかもしれない。ただ、結婚して日の浅い自分が聞いていないだけだった。彼女は、そうした立場の、自分の頼りなさを感じた。

「そうですか」

　本多はうなずいた。禎子のその事情を知っているうなずき方であった。

「僕は鵜原さんが翌日事務所に来るものと思って待っていたのです。このとおり、わずかだが未整理の書類も残っていることです。しかし、翌日、つまり十二日ですね、午前中から待っていたのですが、いっこうに見えない。それきり、午後も来られず、翌日も来られないので、その高岡から直接に、東京に帰られたものとばかり思っていました。未整理の書類というのはたいしたものではなく、鵜原さんから聞かなくても、われわれでなんとか分かるものでした。すると、三日も経《た》って東京の本社から鵜原さんはまだ帰社しないが、どうしたのかと問いあわせの電話があったものですから、びっくりしました」

「君」

　と青木が言った。本多の説明が禎子にばかり向かっている調子のようだから、少し不満げだった。

「では、十一日に鵜原君が金沢を発って東京に向かったと君が電話で本社に報告したのは、多少訂正しなければならないわけだね。つまり十一日は高岡に用があって行ったが、十二日は一度金沢に帰ってくる予定だった。だから、正確には鵜原君は十二日の晩に東京へ出発するはずだった。それが十一日の夕方、鵜原君は高岡へ行くといって出たまま金沢に帰らないで、彼はそのまま東京に行ったものと思った。だから十一日の晩に発った、と、こう君は考えたのだね？」

「そのとおりだ。そう思うより仕方がなかったからね」

本多は青木に答える言葉になった。が、青木の質問は禎子がさっき不審を感じた点だったし、本多の返事は同時に禎子への答弁だった。

「高岡、高岡ね。鵜原君は何の用事でそんな所に行くと言ったのだろう。奥さんは心あたりはありませんか？」

青木は禎子に顔をむけた。

「いいえ、ちっとも」

禎子はふたたび否定した。

「鵜原君は、以前からよく高岡に行っていたのかい？」

青木は、本多へ目を返した。

「さあ。僕は来たばかりで知らないが、ここに前からいる連中にきくと、誰も聞いたことがないと言うのだ」

「おかしいな」

青木は首をひねった。禎子にもそれはふしぎだった。夫は任地を離れる前に、どのような用件が高岡にあったのだろう。

「鵜原君との仕事の引継ぎは完全にすんだのだな、つまり、各地のスポンサーに、君を連れてまわるということは」

青木はきいた。

「それは五日間ばかりですんだのだ。もう残っているところはない」

「いっしょに歩いているとき、鵜原君は君に何か今度のことに関係ありそうな口吻《くちぶり》はしなかったかい?」

「そんな様子は全然なかったね」

「鵜原君の家はどこかね?」

「家?」

「間借りか下宿かに違いないが、それはどこかい?」

本多の目に複雑なものが走ったが、すぐに、かき消えた。

「津幡《つばた》の方に下宿していたそうだが。ここから二里足らずの東にある田舎町だ」

禎子は金沢に着く前にとまった駅名を思いだした。あの侘《わび》しげな町に夫は下宿していたのか。禎子にはこれも初耳だった。

「下宿のほうは、もう引きあげたのだろうな？」

「それは、むろん、すんでいるだろう」

青木は、オーバーのポケットから煙草をとりだしてすった。

「こんなことを言うのは」

と彼は、禎子の方をちょっと見て言った。

「奥さんに悪いかもしれませんが、万一という場合もあります。警察に捜索願いを出されたらどうですか？　今日でもう、五日も経っているのですからね」

「それは賛成だな」

本多も言った。

「その手は打つ必要があるでしょう。なんでしたら今からでも、僕が警察署にお伴《とも》してもいいですよ」

禎子は半分、うつろな気持でうなずいた。

5

禎子は、本多良雄とならんで事務所のある九谷焼の店を出た。陽《ひ》は射《さ》していたが風が冷たかった。人の歩いている数がようやく多くなっていた。

「青木君は」

と本多は歩きながら言った。

「遠慮のない男ですから、お気を悪くされたかも分かりません。しかし、根はいい男なんです」

「いいえ、そんなこと。ご心配をかけて申しわけないと思っていますわ」

禎子は言った。それはこの本多良雄にも言っている言葉であった。

警察署は遠くなかった。

「捜索願いを出したいのですが」

本多が言ってくれた。出勤して間もない若い署員は用紙を一枚さしだした。

「これに年齢、特徴、家出当時の服装など詳しく書いてください」

なるほどそういう欄がいくつも仕切られてあった。一人の人間の行方をこの一枚の印刷した用紙が追跡する。禎子は妙な気持がした。書類と人間の関係がちぐはぐに思えてならなかった。禎子は、夫の顔の特徴、身長、目方、服装、所持金と品物、立ちまわりそうに思える場所などの欄を一つ一つ書いているうちに、夫の意識が遠のき、鵜原憲一という縁のない人間のことを描写しているような錯覚がした。

「何か家出なされるような事情がありますか?」

係官は事務的にきいた。扱いなれた何十件の一つという感情の動いていない顔だった。

「それは、ないのです。ほかに心あたりになるようなことも」

本多が禎子にかわって説明した。係官はときどき鉛筆で何かを書き入れた。

そのとき、出勤してきた警官が本多の顔を見ると、つかつかと近づいてきた。

「このあいだの方ですね。まだ、消息が分からないのですか?」

これは年配の警官だった。本多は彼を見て、頭をさげた。警部補の階級章をつけていた。

「まだなんです。あ、こちらはその方の奥さんですが」

本多は禎子に掌《て》を向けた。

「先日、お世話になった方です。管内を調べてもらいました」

本多が禎子に警官のことを紹介した。それで禎子は、ああ、調べてもらったというのは変死者のことだなと、すぐに分かった。

禎子が礼を述べると、

「ご心配ですね」

と警部補は言い、若い係官の手から、〝家出人捜索願書〟をとって読んでいた。

「もう六日目になりますね」

と彼は目をあげて言った。

「そうです」

警部補は考えるような目をしていたが、本多に向かって言った。

「これは金沢署の管内というよりも、もっと県下全般にわたって、身もと不明の変死者の有無《うむ》を調べてみましょう。それから近県の方にも。名刺はお持ちだったでしょうね？」

「名刺入れは持っていたと思います」

「奥さんにおうかがいしますが、自殺なさるような動機というか、そんな懸念《けねん》はなかったでしょうね？」

「それは少しもありません」

禎子は答えた。しかし言ってしまったこの言葉に自信のないことがあらためて分かった。夫と結婚して一カ月も経っていなかった。彼のことについて、自分がどれだけ知っていよう。未知の部分が鵜原憲一について堆積《たいせき》していた。その未開の土の中に、彼の〝動機〟が埋没しているかも分からないのだ。ただ、自分が知らないだけである。知らされた部分を答えるよりほか、しかたがなかった。

「近県といっても、富山と福井の両県だけで十分だと思います。あとは交通の不便なところだから」

警部補は意見を言った。本多は同意していた。

禎子は、なぜ本多が高岡市のことを言いださないのか少しふしぎな気がした。夫は高岡に用があって行くと言って出たというではないか。それなら一番にそのことを言うべきであった。それを少しも口に出さない。とうとう警察署の門を出るまで、本多はそれに触れなかった。

「これから鵜原さんが下宿していた家を訪ねましょう」

本多良雄は往来に出ると、禎子に言った。

「あら、下宿は津幡ではなかったのですか？」

禎子は意外だった。

「その前に下宿していた家が市内にあるのです。そこをちょっと訪ねてみましょう。

それに」

と本多は、少し声を低くした。

「奥さんにお話ししなければならないことがあるのです」

語尾が禎子の耳にのこった。彼女は秘密を感じた。

緑色に塗った小さな市内電車に二人は乗った。禎子は窓に向かい、ゆっくりと移動している市街を眺《なが》めた。古い、どっしりとした家の構えが多い。近代建築が異物のようにその間に挟《はさ》まっていた。どの屋根も瓦《かわら》の釉薬《うわぐすり》が陽を照り返して落ちついて光っていた。この町は戦災の不幸からのがれていた。

「ここです」

と本多が言った。十分間も乗っていなかった。

電車通りから横にはいると、道はゆるい下り勾配《こうばい》になっていた。その坂をおりきると、小さな橋がかかり、小川に沿った道が曲がりくねっていた。道の端は長い土塀《どべい》がつづき、小川の横にも土蔵造りの白壁が伸びていた。ここまでくると人通りは疎《まば》らだった。土蔵のために、道は日向《ひなた》と影をつくっていた。それはそのまま歩いている本多と禎子の肩に明暗を移動させた。

「実は、鵜原さんの下宿のことなんですが」

と本多は、禎子に少し間隔をおいてならびながら言いだした。

「いや、これから訪ねてゆく以前の下宿のことではありません。最近一年半ばかりおられた家のことです」

「一年半？　すると、前の下宿は半年ばかりしかいなかったのですか？」

禎子は、きき返した。

「そうらしいのです。らしいというのは、僕《ぼく》が知っているわけではなく、事務所に古くからいる連中の話ですがね。ところが、あとの下宿の家がどこだか誰にも分からないのです」

禎子は話している本多の横顔を凝視した。

「どういうことなんでしょう？」

「ご承知のように、鵜原さんは、月のうち十日は東京です。二十日間がこちらですが、その二十日間も一週間ぐらいは北陸一帯の広告主《スポンサー》を訪問してまわるのです。これがわれわれの商売のようなものです。あとの十三四日が事務所で仕事をするのですが、これは日曜日をのぞいて毎日出社します。当然、下宿からですが、それがどこから通《かよ》っているのか誰にも分かりません。鵜原さん自身は津幡からだと言っていたそうですがね。ところが、社員たちの意見では、津幡ではなさそうだというのです。というのは、社員のうちで津幡の土地の者がいましてね。それが、知っていないのです」

「鵜原は」

と禎子は、あえぐような心で言った。

「はっきり言わなかったのですか?」

「そうなんです。どうも曖昧《あいまい》なのです。しかし、仕事のほうはちゃんとなさっているから、下宿のことはそれきり問題にならなかったのですがね」

「仕事の連絡とか、そういうことで、鵜原の下宿が分からないで不便はなかったのでしょうか?」

「ふしぎにそれがなかったのですね。事務所にはちゃんといらっしゃるし、あとは出張ですからな。こういう問題が起こって、僕も困ったことだと思っています。もっとも、たとえその下宿のことが分かっていても、もう引きあげられたあとでしょうから、問題ではありませんがね。僕は青木君にはこのことは黙っていましたが」

ここでも禎子は、本多の心づかいのようなものを感じた。

「高岡に行くと言って出たのは、どうなんでしょうか?」

禎子はさっき警察署で本多が言わなかった不審を持ちだした。

「あれは理由がおかしいですね。僕は鵜原さんが嘘《うそ》を言ったような気がしてならないのです。それで警察にはわざとそれを言わなかったのですが」

禎子は、本多良雄が夫について、もっと何か知っているような直感がした。

武家屋敷のような土塀が、荒廃した風情《ふぜい》を見せて、片側に長々とつづいていた。崩れた瓦には、雪がのっている。羽織を着た通行人の男が、二人の歩いて行く姿をふり返った。

北の疑惑

1

大きな川に出て、川沿いの道を禎子《ていこ》と本多良雄とは歩いた。川から吹きあげる風が冷たかった。本多は足をゆるめ、手帳をとりだしてひろげた。

「鵜原《うはら》さんの前の下宿の住所ですが、事務所の者に聞いたのです。たしかこの辺らしいのですが」

あたりを見まわすようにして、本多は、路地を曲がった。両側は入口の低い格子《こうし》構えの家が多かった。

「これですな」

と本多が立ちどまって、禎子をふりむいた。「加藤《かとう》」という標札が古びてかかっていた。

何をする商売か、土間は狭いが奥行が深そうだった。小暗《おぐら》い奥からは背の低い老婆《ろうば》がのそのそとした歩き方で現われた。

「なんぞ御用でっしゃろか?」

白髪の老婆は畳に尻《しり》をすえて、框《かまち》の前に立っている二人を、くぼんだ目で見あげた。

「A広告社の者ですが」

本多が、老婆の耳を考えて、少し大きな声で言った。

「以前に、私の社の鵜原というものがご厄介になっていたと思いますが、お宅でしょうか?」

「へえ、鵜原はんな、一年半も前のことだすがな」

老婆は、本多の心配よりも、話が通じた。

「そう、その時はお世話になりました」

本多は礼を言ったが、老婆の目が禎子に光っているのに気づくと、彼女を紹介した。

「へえ、鵜原はんの奥さんでっか？　うちにいやはるときは鵜原はんはおひとりやったが、ええ奥さんを貰《もら》いなはったな」

禎子は挨拶《あいさつ》した。

老婆は本多に目を返した。

「それで、おうかがいするのですが」

と本多はきいた。

「鵜原さんがお宅を出るときに、移る先はどこかお聞きになりませんでしたか？」

「さあ、聞いてまへんな。鵜原はんは会社の都合でよそに引っ越すさかいに言うて出やはったまま、はがき一本くれしまへんでな」

老婆の突き出た唇《くちびる》は不服そうに動いた。

「そうですか。それはどうも」

「鵜原はんのいやはる所が分かりまへんのか？」

老婆の目が急に興味の色をおびてきたので、本多は少しあわてた。

「いや、ちょっとおたずねにあがったのです」

彼は急いで言った。

「それで鵜原さんがお宅を出るとき、荷物、たとえば布団《ふとん》のような嵩《かさ》ばったものは運送屋が取りにきたのでしょうか?」

禎子は、傍《そば》で聞いていて、本多の質問の意味が分かった。彼は、運送屋から送り先を突き止めようとしているのだ。

「そうだんな。運送屋ではなかったように思いますな。荷造りは鵜原はんが自分でしやはって、たしか、タクシーを呼んでいっしょに乗って行かはったように思いますな」

「タクシーですか」

本多は口の中で呟《つぶや》いた。

「鵜原はんはおとなしい人だしたな。出張や言うてうちには、月のうち半分もいやはりまへんでしたがな。そのかわり、女《おな》ゴはんとこに遊びに行きはることもあらへんし、酒もあがらへんし、そらおとなしい人だす。うちを出やはる頃《ころ》から出張がだんだん忙しくならはってな」

帰りがけに、老婆は愛想めいたことを言った。

二人はまた川の道を戻った。犀川《さいがわ》という名だったが、水が少なく、両岸の乾いたところに雪が雪原のように積もっていた。

「鵜原が荷物を運送屋に頼まずに、タクシーに積んだというのは、やはり移転先が、この金沢市内なのでしょうか?」

禎子は、本多にきいた。

「さあ」

本多は歩きながら首を傾けた。

「そうともかぎらないでしょう。タクシーで駅に行き、小荷物扱いで送ることだってありますす。市内ではないですね。市内だったら事務所の誰《だれ》かが知っています」

本多の言い方は鵜原の秘密をなじっているように禎子には聞こえた。そうだ、夫には確かに意識してかくしている部分がある。それは新しい妻の未知というようなものではない。いわば、もっと深部に向かったものだった。

遠いところに長い橋がかかっていた。その上の方に白山《はくさん》の雪の尾根が横にひろがっていた。灰色の雲がそのあたりだけかたよっている。禎子の目は、また諏訪湖《すわこ》からみた北の山を感じた。あのとき、夫はその山の向こう側に彼女を行かせたがらなかったのに、今こうしてやってきた。

「タクシーでは手がかりがありませんね」

と本多が、ぽつりと言った。

「駅送りとしたら、駅を調べるよりほかないようです。しかし、困ったな。一年半も前のことだし、それに、小荷物扱いか、客車便か、手荷物か分からない」

それでも彼は、とにかく駅に行ってみようと言った。禎子はそれに従った。雲の中をただよっているような気持だった。

電車の中には坊さんが三人すわって話していた。坊さんの多い町だと禎子はぼんやり思った。電車が大きな寺院の前にとまったとき、彼らはおりた。

「本願寺です。この辺は真宗が盛んな土地です」

本多は横で言った。今朝、駅についたときに見た大きな寺の屋根がこれであった。

駅の建物に行くと、荷物の受付口に二人は歩いた。係りが二人、忙しそうに仕事をしていたので、その手の空《す》くのを待った。

「なんですか?」

太った駅員が荷物を片づけてきいた。

「一年半ばかり前に発送した荷物のことをたずねにきたのですが、調べてもらったら分かりましょうか?」

本多は言った。

「一年半前?」

駅員は、きょとんとした。

「荷物がまだ着かないのですか？」

「いや、そうじゃないのです。送り先を確かめたいのです」

「誰に送ったかを調べたいのですね。所はどこです？」

「それが分からないのです。発送人は鵜原憲一というのですが」

「手荷物ですか、小荷物ですか？」

「それも、はっきりしないのです」

「もちろん、甲片はないわけですな。一年半というとだいぶ前になる。発送の年月日はいつですか？」

「正確な月日が分かっていないのです。ただ発送人の名が分かっているだけですが」

「冗談《じょうだん》じゃない」

駅員は怒った顔をした。

「宛先《あてさき》の地名も分からん、荷物の種別も分からん、日付も分からん、それでどうして一年半も前のことを、調べようがありますか」

もっともな話だから引きさがるよりほかはなかった。本多は歩きだして、煙草《たばこ》をすった。

「駅員がむくれるのは当たりまえですね。まるで頼りない話だから」

と彼は言った。

「駅から移転先を調べることはまず絶望ですね。さて、どうしたものかな」

本多は、腕時計を見た。

「もう四時すぎだ。これから警察に行ってみましょう。今朝の返事が聞けるかもしれません」

それは県下や近県の警察署に照会して、身もと不明の変死体の有無をきく用事だった。禎子は胸が暗くなった。

「そんなに早く分かるものでしょうか?」

「もしかすると分かってるかもしれません。今は警察電話ですぐ連絡がつきますから」

一刻も早くその結果を知りたいというふうに、本多は停留所の方へ歩いて行った。

今朝会った警部補が、本多と禎子を認めて、自分から受付にやってきた。この人は長身だが、四十をこしてみえた。

「だいたい、問いあわせた結果が分かりましたよ」

と警部補は言った。

「それはどうもありがとうございました」

本多も禎子も頭を下げた。

「十二月十一日以降、つまりお探しになっている方が消息を絶たれた日ですね。それから以降、県下と隣接の富山県と福井県には身もと不明の変死体は発見されていません。もちろん、現在までですが」

現在までという制約はついたが、禎子は今まで重苦しかった気分が軽くなった。

「そうですか」

本多は少し考えていた。

「それ以外の県だと、結果が分かるのはもっとおそいわけですね」

「それはお出しになった捜索願いによって全国に手配してからです。二週間以上かかるでしょうな」

「すると、この三県では、それ以来、いままで、変死者は一人もなかったのですな?」

「身もとの分からない人はいません。家族にひきとられて、はっきりした法律上の処置のすんだのは別です。本県でも、自殺が三件、傷害死が一件、福井県では焼死が一件、自殺一件、富山県では自殺二件です。なるほど、こうしてみると、わずかな期間に、不幸な死に方をする人がずいぶんあるもんですね」

警部補は、メモを見て、感嘆したように告げた。

「男が四人、女が四人と半々なのも、妙ですね」

警官は人がいいのか、目前の捜索人の該当者が死亡していないことに安心して、そんなことを言った。

「それでは、今後、心あたりの人間や変死者が発見された場合は、どうかご連絡を願います」

本多が言うと、

「この届け人の方に連絡したらいいのですね？」

と届用紙の書きこみを覗《のぞ》いてみた。それは東京の住所の禎子の名になっていた。禎子が本多の顔を見ると、彼はそれに気づいて、

「そうです。しかし、もし近い場所で発見されたら、金沢にいる僕《ぼく》のほうへご連絡願いたいのですが。奥さんはまもなく東京に帰られますから。僕の名刺は、この間さしあげましたね？」

「貰っています。では、そうしましょう」

中年の警部補はうなずいた。

警察署の門を出たところで、本多は立ちどまった。

「今のところ、われわれが心配した事実がないのは安心ですね。そんなことは絶対にないと思ったのですが……。鵜原さんはどこかに生きてらっしゃいます」

本多は、禎子を安堵《あんど》させるためか、断言した。

「そうでしょう？　死ぬ原因が何もないのですから。こっちが少しあわてすぎたかもしれません。そのうち、ひょっこり顔を出されるかもしれませんね」

しかし、それにしても夫がそんなことをする理由が分からなかった。その理由は本多も触れないし、禎子も触れるのに躊躇《ちゅうちょ》した。人は、ときに、根本的な問題に触れるのをあとまわしにするものである。

「われわれは暗い面ばかりを考えすぎるようです。そうでしょう、たとえば、たとえばですね、鵜原さんが、会社の金を持って出たとしたら、いろいろなケースが考えられます。しかしその事実はないのですからこれは消えます。それから奥さんにうかがっても、みずから失踪《しっそう》するような事情は何もない。むろん、自殺も他殺もありえない。要するに心配する原因は何もないのです」

本多は言った。それは、禎子を安心させるようでもあり、彼自身が納得するためのようでもあった。禎子にはこの論理が素直に来なかった。胸のどこかで抵抗を起こしていた。が、すぐにはそれは考えにまとめて言えなかった。

雲間から陽《ひ》が射したが、ずいぶん西の方からだった。

「今日はお疲れでしょうから、このままお宿に行かれたらいかがですか?」

本多は、夕陽の色を見て言った。

「なるべく静かな旅館をとっておいたのですが、お気に入るかどうか分かりません。ご案内しましょう」

禎子は礼を言っていっしょに歩いた。事務所に預かってある禎子の荷物はすぐ後で届けさせると彼は言った。

旅館は電車通りから少し歩いた所だが、すぐ後ろに城が見え、丘がつづいていた。

「あの城の向こう一帯が兼六園《けんろくえん》です」

本多は、責任上、禎子の部屋を検分がてらに二階に上がってきて、窓から景色を指して言った。が、五分もそこに落ちつかずに、

「それでは、僕は残した仕事がありますから、これで失礼します」

と言った。

「ほんとに、いろいろありがとうございました。お忙しいところをどうも」

禎子は座敷に手を突いて言った。

「いや、そんなこと。僕は東京では部署が違っていたから、鵜原さんとはかくべつお

親しくしたというわけではありませんが、やはり先輩ですし、それに鵜原さんをお探しするのは社の命令なのですから、その点はお気を使わないでください。どうか社用だと思ってお手伝いさせていただきたいのです」

本多は、自分で少し窮屈そうに言って帰って行った。

部屋には炬燵《こたつ》があったが、禎子はすぐそれにはいる気もせず、しめた障子をまたひらいて外を見た。暗くなりかかった中に、城の櫓《やぐら》の白壁だけが暮れ残っていた。背後の丘は松がきれいにおおっていた。

あれが兼六園なのか。禎子は、小学校で教えられ、写真でもたびたび見ていた風景を思いだしたが、旅行は嫌《きら》いでない禎子も、今度はそこに行ってみる気持は起こらなかった。

女中が茶を持ってはいってきた。

「東京からみると、ずいぶん、田舎でございましょう?」

女中は、炬燵の上の板に茶碗《ちゃわん》を置きながら、愛想を言った。

「いいえ、賑《にぎや》かな土地ですわ」

禎子は、障子をしめてすわった。

「なんですか、百万石のお城下町というので、今でも土地の人は大都会のつもりでいばっているんでございますが。そりゃ芸事も盛んな町でございましてね」

「あなたも東京の方ですの？」

「はい。渋谷にいましたが、疎開したまま、こちらにいついてしまいました」

中年の女中は話して、夕食はすぐになさいますか、ときいた。禎子はあとでいい、と言った。空腹感は少しもなかった。

一人になり、電灯の下で自分だけの影が畳に落ちているのを見ると、禎子には寂寥《せきりよう》がはじめて襲ってきた。

今までは、とにかく、誰かといた。汽車の中は青木だったし、以後は本多であった。ここに一人になってみると、彼女は急に突き放されたような気持になった。知らぬ土地に来た心細さがその半分だった。

知らぬ土地――実際そうだった。ここには夫の足跡はあるが、空漠《くうばく》として、接着感がなかった。新婚の旅に出て、途上で望見した北方の空の下への憧憬《どうけい》は虚妄《きよもう》でしかなかった。鵜原憲一と結婚したことまで現実でなく、錯覚であったような気がした。

すると禎子は、夫の失踪が、自分という新しい妻を得てから始まったのではないか、とふと思った。

2

女中が襖《ふすま》の外から声をかけた。

「お届けものでございます」

女中は禎子のスーツケースを持ってはいった。

「あら、もう届けていただきましたの？　お使いの方、まだいらっしゃるかしら？」

いたら、禎子は礼を言うつもりだったが、女中は、

「さっきご案内にみえた方でございます。まだお玄関にいらっしゃいます」

と言った。本多が自分で荷をとどけにきてくれたとは意外だった。禎子が急いで階下におりると、本多は玄関の敷石の上に立っていた。

「あら、どうも、恐れ入りました。お使いの方がみえるとばかり思っていましたのに、わざわざ、申しわけございません」

「いや、仕事がすみましたので、ついでにお寄りしたのです。何かご不自由なことがありましたら、ご遠慮なく宿の者におっしゃってください」

本多は、遠慮そうに立って言った。禎子の今夜の宿泊料は社の費用で出すことになっていた。彼の言う意味がそうだった。

「ありがとうございます。ちょっと、おあがりくださいませんか？」

禎子は目をあげたが、

「いや、ここで失礼します」

と本多は答えた。夜間の訪問を考えての挨拶《あいさつ》だった。

「でも、それでは困りますわ」

お茶も出さずに帰すわけにはゆかなかった。禎子がいっしょについて外に出ることもできず、玄関からあがった横に客用の待合室らしいのがあるのが見えたので、とにかくそこまで本多を請《しょう》じ入れた。

八畳ばかりの洋風の応接間で、クッションがならべられてあった。禎子は女中にコーヒーを頼んだ。

「どうぞ、かまわないでください」

と本多は椅子《いす》にかけると、うつむいて煙草《たばこ》をとりだして言った。

「お疲れでしょうから、すぐにお暇《いとま》します。青木君もよろしく言っておりました」

禎子は、頭を下げて、青木の、不愛想な顔を思いうかべた。

「青木君は明日の朝、東京に発《た》ちます。もっとも途中、二三カ所は寄りますが」

それが夫の行方を探す用事であることは禎子にも分かった。二三カ所というのは、社の取引先のある土地かもしれない。

「ほんとに今度は、みなさまにご迷惑をかけて申しわけありませんわ」

禎子は、あらためて、あやまった。

「いや、こんな時はお互いです。しかし、奥さんもご心配ですね。早々ですから」

本多の意味は新婚のことを言っている。禎子は頰《ほお》にかすかな熱を感じた。

「本多さん」

と禎子は言った。

「おっしゃるとおり、私は鵜原といっしょになってまだ日が浅いんです。こんなことを申しあげてよいかどうか分かりませんが、結婚前の鵜原のことは何も知らないのですわ。いえ、結婚した今でもよくぞんじません。それで、今度のことについてはまるで見当がつきません。本多さんには、お心あたりがないでしょうか。もし、鵜原が失《しっ》踪《そう》したとすると、ああ、あれが原因ではなかったかというような」

禎子は昼間、言いそびれた問題の中心に触れた。

「そのことは僕《ぼく》もよく考えたのですが」

と本多は、目を落として言った。

「何も思い当たらないのです。社の同僚にきいても鵜原さんには、悪い噂《うわさ》が少しもないのです。仕事もまじめだし、妙な遊びの話も聞きません。酒もあまりあがらないし、競馬とか麻雀《マージャン》とかの勝負ごとも好きでない。奥さんの前で失礼ですが、婦人関係の話もないのですよ。どちらかというと、仕事一方の、無趣味の人ではなかったかと思います。どうも、僕にもよく分かりません」

禎子は、本多の言うことを聞きながら、その言葉がやはり胸の中を通らずに、身体《からだ》の上を流れてゆくのを覚えた。その不満はどこからくるのか、その場ではよく分からなかった。

「鵜原はやはり、自分で行方を分からなくしたのでしょうか。それとも……」

それとも外部的な暴力でそうなったのかと、禎子は質問に意味を持たせた。

「鵜原さんがみずから失踪したと考えるのは、まだ早いでしょう。一つも原因が発見されないのですから。現に、十一日に別れるときには、もう一度、事務所に帰ってくると言って、机の中の整理もすっかりすんでいなかったのですからね」

そうだ、禎子は思いだした。鵜原は十二日に帰京すると、金沢からはがきをよこした。だから金沢を発つのは十一日のつもりだったと思われる。ところが、その日は高岡に用事があると言って行き、十二日にふたたび金沢に戻って、東京に発つと言ったという。高岡なら、東京に帰る途中である。用事があるなら、なぜ、途中下車をしなかったか。そのほうが、ふたたび金沢に引きかえして、また東京行きの汽車にあらためて乗るよりも、ずっと便利なのだ。

禎子がその疑問を言うと、本多もうなずいた。

「おっしゃるとおりです。鵜原さんがなぜ十一日に高岡に行くといって出かけたか、また翌日には金沢に戻ってくるつもりだったのか、これは、重大だと思うのです。もしかすると、これが鍵《かぎ》かもしれませんね」

「鵜原の移転先というのが」

と禎子は胸が騒いでくるのを覚えながら言った。

「その高岡ではないでしょうか？」

「僕も、それは考えました。しかし、そうではないのですよ」

と本多は答えた。

「実は、奥さんがこちらにいらっしゃる前に、高岡の方は調べたのです。今のところ、鵜原さんが高岡に下宿していたという形跡はありません。それに、奥さんがいまおっしゃったように、高岡だったら、東京への道順だから、金沢に引き返される必要はありませんからね。僕は別の土地ではないかと思っています。どうしても金沢に引き返さなければ東京行きの汽車に乗れないような」

禎子はそれを聞いて、今朝本多が、高岡に行くといったのは鵜原の嘘《うそ》である、と言った言葉に思いあたった。

そうだとしたら、なぜ、鵜原はそんな嘘をつくのか。いや、それよりも、なぜ、下宿先を彼は事務所の者にはっきりさせなかったか――すると、禎子は、さっき本多の言葉に覚えた不満の原因が明確になった。

「本多さんが、私の到着前に、早くから鵜原の変死体をお探しになっている理由が分かる気がしますわ」

禎子が言うと、本多は虚《きよ》をつかれた目つきをした。

「鵜原の居所がはっきりしないからでしょう。つまり、鵜原のそんな秘密めいた臭《にお》いが、行方不明になったと同時に、変死体に結びついたのですね？」

本多は、茶碗《ちゃわん》をとって口に当てた。それは返事を考えている余裕の時間だった。

「警察に依頼すると、一応はそこまであたることになります」

と彼は、コーヒーをのんで答えた。

「それは、奥さんの思いすごしですよ。何度も申しあげるとおり、ご心配なさることはないと思います。僕は鵜原さんがご無事だと信じていますから」

禎子は、なんとなく目をそらせた。本多の慰めとは逆に、彼女は自分の直感が正しいと思った。夫の秘密は、なんだろう。

目はクリーム色の壁に向かっていた。壁には金沢の風景写真が額になってかかげてある。禎子は自分のスーツケースに入れてある、夫の持っていた二枚の写真を思いだした。

禎子は、本多に待ってもらい、二階の部屋にあがって、ケースの中から二枚の写真をとりだした。それを持って、本多の前に戻った。

「これは鵜原の本の間に挟《はさ》まっていたものです。関係があるかどうか分かりませんが、本多さんはこの二つの家にお心あたりがありませんか?」

本多は写真を手にとって眺《なが》めた。一枚は、文化住宅めいた高級な家で、一枚は農家らしい貧弱な家だった。その背後には山の裾《すそ》が流れている。

「分かりませんね」

と本多は、首を傾《かし》げた。

「僕の見たこともない家です。これは鵜原さんが撮影されたのですか?」

「そうだと思います。カメラがありますから」

「このきれいな家は、東京にもありそうな家ですね。しかし、背景に特徴がないから、どこか見当がつかない。あんがい、地方かも分かりませんね」

禎子の思ったとおりを、本多も考えていた。

「こっちの農家らしい家は、はっきりこの地方の田舎ですね。入口が小さく、廂《ひさし》が深くて櫺《れん》子《じ》窓のような格子《こうし》組みがあるのが特徴です。しかし、どこでしょうな?」

本多は、裏をかえした。

「現像屋で焼きつけさせたものですね。ここに35と21と現像屋がメモしている。紙が新しくないところをみると最近ではないですね。鵜原さんは、どこの写真屋に現像を頼んでいらっしゃいましたか」

「私が結婚してから、そんなところを見ませんから、ぞんじません」

「そうですか。では、社の者で知っているのがいるかもしれない。きいてみましょう」

「本多さん。そのついでにきいていただきたいことがあるのです。この二軒の家を知ってらっしゃる方があるかもしれないので、分かったらどこだか教えていただきたいのですが」

「分かりました」

本多はポケットの中に写真を預かった。禎子は言わなかったが、彼も写真の家と、鵜原の知られない下宿との結びつきを考えているらしかった。

おそくなるからと、本多は立ちあがった。

「どうも、いろいろありがとうございました」

玄関に送りだして、本多に言ったとき、これからは、この人にずいぶん厄介《やっかい》をかけねばならないだろうと、禎子は思った。

部屋に戻って、禎子はしばらくぼんやりした。今朝からの緊張で急速に弛緩《しかん》がきた。いろいろなことが茫然《ぼうぜん》と遠い景色のように回転した。

夫はなぜ十一日に高岡に行くといって、いったん、事務所を出て、翌日、金沢に戻るつもりだったのか。本多はそれが鍵かもしれないと言った。すると彼がその時、〝僕は別な土地ではないかと思っています。どうしても金沢に引き返さなければ、東京行きの汽車に乗れないような〟と言った言葉が思いだされた。

禎子は、帳場に電話した。

「石川県の地図があったら、見せていただきたいのですが」

それは係りのあの女中が持ってきた。

「これからご見物でございますか？　ご旅行はおたのしみでございますね。あいにくと今は時季が悪うございますが、春から先は能登めぐりもよろしゅうございます」

禎子は微笑しただけだった。

彼女は地図をひらいた。金沢から出ている支線は少なかった。能登半島の北端に行く七尾《ななお》線があるが、これは金沢からすぐ先の津幡《つばた》から分かれる。津幡駅は準急がとまるが、金沢の近くだから、一応考慮に入れてよい線だった。それと西金沢駅から犀川《さいがわ》に沿って白山渓谷《はくさんけいこく》を南下している支線があった。さらに、金沢から河北潟《かほくがた》に向かう粟崎《あわがさき》が終点の一本と、海岸の大野湊《おおのみなと》の方へ走っている私鉄の二本がある。支線を考えるなら、まずこの四つだった。

しかし、支線以外にもある。たとえば、東京とは逆に、本線を福井方面に西へ行くとしたらどうだろう。準急の停車しない小さな駅だったら、これも金沢に近いと、そこまで普通列車で来なければならない。

それから、列車以外にはバスがある。いろいろな方面に、路線が開いているから、どれと決めることができない。たった一つの単純な金沢駅を中心に考えてみても、交通が発達した今では、夫の十一日の行先が、どこなのか、禎子は限定することができなかった。

禎子は地図にさらした目を諦《あきら》めた。

十一日に鵜原憲一は、金沢にまた戻るつもりで、どこかに行った。それきり消息が分からなくなった。事実はこれだけである。

禎子は新聞で今までたびたび読んでいるふしぎな失踪事件を考えた。ある若い学者は、大学に出勤する途中で消えてしまった。ある会社員は散歩に行くといって出たまま消息を絶った。ある少年は外で遊んでいる途中で見えなくなった。家人は、いずれも原因に心あたりがないという。全国にはこんな例が少なくないと、ある週刊誌の記事を読んだことがあった。

鵜原憲一の失踪も、その例の一つだろうか。原因は少しもない。彼がみずから行方を絶ったり、自殺する意志のなかったことは、翌日には金沢の事務所に戻ってくると言い、そのとおりに、机の中は、完全に整理してはいなかった。

だが、原因が何もないと禎子には信じきれなかった。少なくとも見えない大きな流れがある。それは、この出来事が鵜原の下宿先の不明という空間的なことと、自分と結婚してまもなく起こったという時間的なことが流れあっているのだ。

禎子は、思いつくと、東京に長距離電話を二つ、申しこんだ。

それはすぐに出た。最初は鵜原の兄夫婦の家だった。嫂《あね》の声が聞こえた。

「嫂《ねえ》さんですか？　禎子です」

「あら」

嫂の高い声が応じた。

「どうでしたの？」

「まだ分かりませんわ。こちらの社の人にも探してもらっているんですが」

「まあ、困ったわね、まるきり分からないの？」

嫂は心配そうに言った。

「ええ。警察にも捜索をお願いしているのですが。そちらにはどこからか連絡がありませんか？」

「いいえ、何も。うちの人も心配してるんですよ。いま、ちょうど家にいませんがね。なんでしたら、お義兄《にい》さまのお仕事のご都合がよろしければお願いしますわ」

「ええ。お義兄《にい》さまのお仕事のご都合がよろしければお願いしますわ」

「分かりました。そう言います。でもね禎子さん、あんまり心配しないほうがいいのよ。あとでなんだということになるかもしれないから。でも、そいじゃ困ったわね」

嫂はちぐはぐなことを言って、電話を切った。

夫の兄夫婦に電話したのは、一応の報告で、禎子の義務だった。義兄がここに来ることはやはり気持の負担になった。

次は、実家が出る番を禎子は電話機の傍《そば》で待った。

母は心配するかもしれない。しかし、彼女は鵜原憲一のことを、特に、今までのことを知る必要があった。夫の身内の側からではなく、第三者に頼んでもらうのだ。

〝新しい妻を得たことが、夫の失踪の原因ではなかろうか〟

禎子が予感しているのはこれだった。理解しにくいことだが、それを理解しなければならなかった。

3

ベルが鳴った。宿の交換台が、東京が出ました、と言った。禎子が、もしもし、と言うと、こちらは板根ですが、とこたえたのは母の声だった。電話は都内のように近く聞こえた。

「お母さま？　禎子です」

「あら」

と、母の声は言った。

「おまえ、金沢なの？　交換手さんが確かそう言ったけれど」

「ええ、そう、金沢からですわ。いま、こっちに来ています。黙ってまいりましたが」

「そりゃいいけど」

母は、思いがけない所からなので、声がどぎまぎしていた。

「憲一さんもごいっしょかえ?」

「いいえ、あたくし一人ですの」

「おや、外出かね?」

「外出じゃありません。はじめからいないのです」

母は意味を解《げ》しかねたように黙った。その沈黙の間だけが、金沢と東京の遠い距離を感じさせた。禎子は継ぐように、もしもし、と言った。

「はいはい。いったい、どうしたの?」

「憲一がね、こちらを十一日に発ったきり、消息が知れなくなったのです。それで、あたくし心配で、こちらに来て、いろいろ会社の方に事情をうかがっているのですが、まだどこに行ったとも様子が分からないのです。青山のほうには連絡しておきましたけれど」

「へえ」

母は電話口で声をのんだようだった。禎子にはそんなときの母の表情が目に浮かんだ。

「でも、そう心配かけることではなさそうですわ。ね、お母さま。あまりお気にかけないで」

「けど、おまえ、そりゃ大変じゃないか。どうしたことだろうねえ？」

母の声は少しふるえていた。

「詳しいことは、あたくしが東京に帰りましてから、お話ししますわ。それについて、ちょっと、お願いがありますの」

「どんなこと？」

「憲一のことを、できるだけ、調べていただきたいのですわ」

「そりゃ、おまえ……」

「いいえ、現在もですが、今までのこともですわ。たとえば、あたくしたち、憲一の行った学校の名と、いま勤めているA社のことぐらいしか知っていませんわ。その前のことは何一つ聞かされていませんわね」

「だって、そりゃ……」

あまり重要ではなかろう、と母は言いたそうだった。そうだ、たいていの縁談がそうなのだ。出身地、学校、現在の境遇、縁故関係、友人、ことに女性との交際関係、素行といったものが主に調べられる。しかし、学校を出てどのようなことがあったか、そんなに厳重には穿鑿《せんさく》されない。つまり、現在に重点を置くあまり、過去の履歴はさほど追及されない。結婚というものが、現在から出発して成就《じょうじゅ》するために、縁談はどこか、過去を敬遠するところがありはしないか。

「いいえ、そのことが憲一の今度の失踪《しっそう》と関係があるかどうか、まだ分かりませんわ。でも、一応きいて、知っておきたいのです」

「きくって、誰《だれ》に?」

「青山の憲一の兄が一番よく知っていると思いますが、なんだか疑っているようで、ちょっとできませんわね。それに、妙に隠しだてされても困るんです。ですから、お仲人《なこうど》してくださった佐伯さんにおききしてくださるのがいいと思いますが」

「佐伯さんだって、A社に関係があるというだけで、あまり詳しくはご存じないでしょうよ」

母は言った。しかめた顔が目に見えるようだった。

「そう。でも、分かるだけで結構よ。ご存じのことをできるだけ聞かしていただきたいの。社には憲一の履歴書が保存してあるはずですわ。それも教えていただきたいし。おかしいわね、今ごろ」

禎子は思わず言った。それは結婚前にするべき手続きなのだ。しかし、結婚の前と後とでは仲人の言葉も違ってくることはありうる。結婚の成立前では、仲人はけっして告白はしないものだ。後ではそれがあるかもしれない。前の方は日本の仲人のずるさというのではなく、一つの組立てを遂げる細工人の野望のようなものだった。

　母にも、それは通じたらしい。

「そうだね。それじゃ佐伯さんにうかがってみようね。けど、困ったね、憲一さんがそんな具合じゃ、おまえもすぐには東京に帰れないだろうしね」

　それは、そのとおりだった。この状態では、帰京の目算はつかなかった。

「いいえ、そう長くもかからないと思います。会社の方も一生懸命に手がかりを探してくださっていますから。とにかく、あたくしがこちらにいる間に、佐伯さんのお話が分かるようでしたら、速達をいただきたいと思います」

　そう口に出してしまって、禎子は、夫の消息が、永久に分からないのではないかという気が、ふとした。それは理屈では理由の言えない予感のようなものだった。

「そいで、青山のほうはどうなの？」

　と母はきいた。

「たった今、電話したところなの。義兄《あに》がいなくて、お嫂《ねえ》さまだけでしたが、話の様子では、義兄がこちらに来るようなことを言ってましたわ」

「そう。そりゃいいね。お義兄《にい》さんに、行っていただくと、おまえも心丈夫だろうから」

母はそのあと、憲一のことを二言か三言話し、こちらの電話番号を確かめてから電話を切った。その、おろおろしている声が、いつまでも禎子の耳の奥に残った。

禎子は、しばらくぼんやりした。母の声が消えると同時に、東京がずっと遠のいて、何百キロか離れている地点にひとりで身を置いている実感が、周囲から急に迫った。彼女が動かずにいるのは、まるでその気持を確かめるみたいだった。

どこかで謡《うたい》の声が聞こえていた。鼓《つづみ》が鳴っている。禎子はようやく立って障子をあけた。真黒い山が正面にあって、頂上に城の影が同じ黒さで見分けられた。疎《まば》らな灯《ひ》が勾配《こうばい》をのぼっていた。夜気の底から謡の声はつづいていた。

「ごめんください」

係りの女中が襖《ふすま》をあけてはいってきた。敷居際《しきいぎわ》に手を突いて、

「お床をとらせていただきます」

と言った。禎子は、障子をしめ、なんとなく壁際に寄って、女中の動作を見まもった。

女中は膝《ひざ》をつき、慣れた器用さで折った布団《ふとん》をのべている。中年女だが、着ている着物は派手だったし、帯の模様も大柄《おおがら》であった。後ろから眺《なが》めると、お太鼓の花卉《かき》の

縫取りの銀糸が電灯の下で光った。

禎子は眺めているうちに、視線が自分の心理の奥に突きとおってきた。視線が心の中の何かに当てられたという言い方が適切かもしれない。とにかく、そこに夜具を用意している女中の姿に、一人の女が、それも生活の体臭をもった女が浮かび出てきた。

「失礼しました。では、ごゆっくりお寝《やす》みください」

枕《まくら》もとには水さしとコップを置き、男客なみに灰皿《はいざら》を用意して、女中は襖の外に消えた。このとき、はっきりと禎子は意識した。

――夫には女がいる。自分の知らない女が。そして、自分よりずっと前から夫の傍にいる女が。……

それは確信のような直感であった。

人間は意識の下にぼんやりと感じていても、それが明瞭《めいりょう》には上に出てこないことがある。そのことが具体的な思考となるのは、外界の具象的な刺激をうけて、表面にひきだされてからではなかろうか。思索的な分析がそれからはじまる。あたかも禎子の意識の〝分析〟がそのようなかたちをとった。

新婚旅行の夜、夫は新しい妻を愛撫《あいぶ》した。それは息をつめるような困惑の時間だったが、夫は妻に熱い言葉を吐《は》いた。その記憶は禎子に残っている。言葉は禎子に誠実を誓ったものだった。君を仕合せにしてあげたいと言い、自分はこの結婚を幸福に思っていると言った。そのときの言葉に虚偽があるとは今も禎子は思っていない。

しかし、禎子のほうになんとなく密度がなかった。いや、相手の言葉の熱情的な調子にもかかわらず、密度をうけとらなかったというのが正しいかもしれない。それはどこから来たのか。

こんなこともあった。諏訪の宿だったが、浴室にはいったとき、夫は妻の身体《からだ》をいきいきした目つきで眺めて言った。

「君は、若い身体をしているんだね」

夫は満足そうな表情をし、いや、本当だ、きれいだと言いたした。

そのとき、禎子は誰かに比較されていると感じた。夫の目には確かにそんな観察的なものがあった。それが絶えず禎子の気持を不安定に揺れさせた。たとえばあとで夫から、君が好きだ、と何度も言われ、

「君の唇《くちびる》は柔らかいね。マシマロみたいだ」

とほめられたときも、はっとそのことが胸に来た。夫は自分と誰かとを比較している。比較して言っている言葉だと感じた。夫の熱い息を頰《ほお》に受けながら、密度を禎子

がうけとれなかったのは、そのせいだった。

　誰とくらべているのだろう。禎子はその時、夫の過去の女ではないかと思った。三十六歳という年齢からすれば、夫にそのような過去があったのはふしぎではない。だが、たとえ過去の人でも、現在のように比較されるのが厭《いや》だった。ただ、それがわりあい、茫漠《ぼうばく》としか感じられなかったのは、夫の全体が禎子に未知だったことの作用であった。

　しかし、今はそうではない。比較された相手が、過去の女ではないことが確信できるようだった。それは、現在、どこかにいる女なのだ。夫の生活に交渉を持っている女なのである。その交渉は、禎子が鵜原憲一と結婚する遥《はる》か以前に鵜原とはじまっていたに違いない。

　それに思いあたる個所は、切れ切れだが、はっきりとあった。夫はときどき、考えこむような目つきをした。そのはじめは、たしか新婚旅行の汽車の中だった。窓に富士見高原が見えてきて、禎子が、きれい、と小さく言ったとき、鵜原は週刊誌をひろげた。が、それは読むでもなく、ほかのことを考えているような、焦点のないまなざしをしていた。

　そんな状態は、以後もたびたび禎子は出会って気づいた。禎子が夫の傍から離れて、ふたたび戻った時、彼はよくその目つきをしていた。ひどく浮かない顔だった。何かたいそうむずかしい思索にふけっているような茫乎《ぼうこ》とした表情だった。男というものはときどきそんな様子を見せるものであろう、仕事のことを考えている瞬間がそうなのだろうと禎子は思っていた。しかし、今から思うとそれは違うのだ。夫の目は、屈託のありげな、はるかに暗い目つきだった。仕事を考えている目ではない。あれは、その女のことを考えていたのではなかろうか。禎子は、今も夫の指先に挟《はさ》まれている煙草《たばこ》の長い灰を目に浮かべていた。

その女はどこにいるのか。想像は容易であった。夫は過去二年間、A社の北陸地方主任として金沢に駐在していた。一カ月のうち、金沢が二十日間、東京が十日間の生活だった。二年間、金沢の生活が三分の二なのだ。ひとりの男に女の交渉が生まれるとすれば、この三分の二の部分だった。これは自然な考え方である。

それは禎子に立証できるのだ。結婚が決まったとき、彼女は鵜原の任地である金沢に行ってみたいと言った。一度も行ったことのない北陸の旅に心を惹《ひ》かれていたせいもあるが、そこが夫となる人の生活の場所だという理由もあったのだ。

だが、鵜原はそれを断わった。彼の申し出で新婚旅行は中央線の沿線を歩いた。これも、その車中のことだったが、

「君は、この旅行を北陸方面にしたかったそうだね？」

と夫は、禎子にきいた。それから彼は、

「向こうは、これほどきれいではないよ」

と煙草をすいながら一口に言った。煙草の煙は窓に迷うように、はいあがっていた。

「君は都会に育ったから、北陸という暗鬱《あんうつ》な幻像にあこがれているんだね。しかし、詩情ならこの信濃《しなの》や木曾《きそ》の山国が多いと思うんだがな。まあ、北陸の方はいつでも行ける。この次のことにしよう、ね」

鵜原は禎子をなだめるように言ったものだった。

鵜原はなぜ、妻を金沢方面に連れて行くのを喜ばなかったのか。今になってそれは分かるのだ。そこには彼の別の女がいたからだ。禎子にかくしておきたい生活があったのだ。

むろん、通り一ぺんの旅行では、それは暴露しないだろう。だが、心理的に鵜原がその土地に禎子を連れて行きたがらない理由が了解できそうである。

夫には女がいた。どこかで夫はその女と生活を持っていた。

どこかで——それが夫の知られざる居所なのである。あの犀川のほとりにある下宿を引き払って越した先である。どこだか誰も知らない。夫はそれを勤め先の誰にも隠していた。あきらかに夫は、禎子の知らない生活を持っていた。

——十二月十一日の午後、夫は本多と別れてどこかに行った。金沢には明日一度戻って東京に発《た》つと言った。どこに行ったか本多をはじめ誰も知らない。しかし、それは女のところに行ったのではなかろうか。いや、確かに行ったのだ。この想像はほとんど真実であろう。

布団をかぶっている禎子の目には、暗い北陸の風景の中を歩いている夫と、その未知の女の姿が見えてきた。それは大きい空と、低い家なみのある道をならんで歩いている小さい二つの人間の影だった。

夫は、どこへ失踪したのか。禎子には、そのかくれた生活の一方に夫が消えて行ったように思えてならなかった。——

地方名士

1

禎子《ていこ》は、朝八時に起きた。頭が重かった。昨夜おそくまで眠れなかったせいだと思った。洗面所では湯も出ていたが、わざと凍《こお》るような冷たい水で顔を洗った。

背中で、自分の部屋の卓上電話が鳴っている。禎子は急いで帰って、送受器をとった。

「東京からでございます」

交換台から番頭が伝えた。

母からだと思っていると、嫂《あね》の声が出た。

「禎子さん？　お早う。そちら、やっぱり同じこと？」

憲一のことである。

「ええ、まだ分かりませんの」

「そう、困ったわね、じゃ、いま、うちのと代わりますから」

嫂の少しうわずった声は、義兄《あに》の太い声と交替した。

「あ、禎子さん、どうもご苦労さん」

義兄は挨拶《あいさつ》した。

「お早うございます。いろいろご心配をかけまして」

禎子も返した。

「それで、依然として、憲一の行方は、分からないのですか?」

「はい、こちらの出張所の方も、いろいろと手をつくしてくださっているんですが」

「そうですか」

義兄は、このとき呟《つぶや》くように、憲一の奴《やつ》、どこに行ってるのだろう、と言った。いかにも勝手に遊び歩いている、というような言い方であった。

「僕《ぼく》も、そちらに見に行かなければならないんだが」

と義兄は言った。

「あいにくと危篤《きとく》をつづけていた社長が昨夜死んでね、そっちの葬儀の準備でどうしても今は行けないのです。あと三日もしたら手が抜けると思うが」

「いいえ、お義兄《にい》さま、こちらはわたくしだけで大丈夫ですわ」

禎子は言った。

「今のところ、別にどうという変わった結果は分からないのですから、どうぞ」

「そうですか、悪いが、もう少しそちらであなただけで様子を見てください」

義兄は少し安心したような声で言った。

「僕もこちらの用事がすみしだいに行きます」

その電話が切れて、禎子も正直に、ほっとした。義兄が来ると、何かと遠慮があって、気持が重くなりそうなのである。

朝食をすませたころ、時計を見ると、九時をすぎていた。宿の部屋からはおそい朝の光をうけたお城が白壁を輝かせている。坂道を人がたくさん歩いていた。出勤時らしいのである。

A広告社の事務所もたぶん、みなが出勤している時刻であろう。本多良雄も来ているに違いない。なぜ、すぐに本多のことを考えたのか分からなかった。

また電話が鳴った。

「奥さんですか？　本多です」

禎子は、あら、と口から出そうなのを抑えて、

「お早うございます。昨夜はありがとうございました」

と礼を言った。

「実は、鵜原《うはら》さんのことで、お耳に入れたいことがあるのですが」

本多はたかぶりのない声で言った。しかし、禎子はどきんとした。

「何か、何か憲一のことであったのでしょうか？」

「いいえ、そうじゃありません」

本多は答えた。

「詳しいことは、そちらにおうかがいして話します。よろしいでしょうか？」

「ええ、どうぞ」

禎子はやはり落ちつかなかった。本多は何を話しにくるのだろう。憲一の手がかりを得たとも想像されるし、そうでないとも思える。電話の前ぶれだけでは分からない。

禎子は、彼が来るまで三十分の時間が、平静ではなかった。

本多良雄は控え目な様子で禎子の部屋へはいってくると、彼女がすすめた座布団《ざぶとん》に窮屈そうにすわった。

女中が茶を運んでしりぞいたが、禎子と本多を観察するように一瞥《いちべつ》して襖《ふすま》をしめた。

昨夜も今朝も訪ねてくる本多との関係をどう思い違いしているのか。禎子はいやな気がした。

「鵜原さんの行方の手がかりにならないかと思って、この辺の主な関係先をききあわせているのですが」

本多は、挨拶がすむと言った。

「ご承知のとおり、鵜原さんはこちらがかなり長いものですから、そんなところから何かつかめないかと思いついたのです。ところが、この土地に耐火煉瓦《たいかれんが》の製造会社がありまして、うちの出張所で扱うスポンサーとしてはいいお得意なのですが、そこの社長が鵜原さんをとてもひいきにしているのです。所員の話だと、鵜原さんは社長の自宅に呼ばれていっしょに食事をすることもあったそうですがね。そんなわけで、昨日人をやったんですが、あいにくと社長が会社にいなくて、営業部長かだれかに話して帰ったのです」

本多はゆっくりと説明した。

「すると、僕が出勤してすぐ、電話がその社長からかかりましてね、話は聞いたが、それは心配なことが起こったものだ、それについて、今から思うと心あたりがなくもないから、とにかく話しにこないかと言うのです。僕はすぐに、これは、自分だけ聞くわけにはゆかないと思い、奥さんの見えていることを話したのです。すると社長は、どうぞごいっしょに来てくれというのです。まあ、どの程度それがあてになる話かどうか分かりませんが、いかがでしょう、行ってごらんになりますか？」

本多はやはり遠慮深く禎子にきいた。

「ありがとうございます。ぜひ、うかがわせていただきますわ」

禎子はすぐに言った。

本多の言うとおり、それが役立つ話かどうか分からない。しかし、それほど憲一に目をかけてくれた人ならいずれにしてもご挨拶しなければならぬ。また憲一も自宅の食事に招かれるほど親密感を持たれていたとしたら、何か一身上のことも、ある程度打ちあけているかもしれないのだ。そう考えると、先方の心あたりというのにも、期待が持てなくはないのである。禎子は目の前に、たぐりよせるべき一本の糸を感じた。

「それでは、すぐにまいりましょう」

本多も、禎子がさっそくに承知したので、勢いづいたように言った。

電車に乗ったが、小さな車内は混んでいる。禎子は本多とならんで吊皮《つりかわ》につかまっていたが、傍《そば》の彼から、これから訪問するその耐火煉瓦の社長の、予備知識を聞かされた。

「社長の名は室田儀作《むろたぎさく》といいます。まだ五十ぐらいの年配ですが、温厚な紳士です。僕自身は、こちらに赴任《ふにん》してきたばかりで詳しくないのですが、ほとんどはうちの出張所員たちの話です。室田さんはこの金沢の商工会議所の役員もしているが、そのほかにもいくつかの団体の名誉理事をしているそうです。まあ、この地方の名士なんですね。僕は赴任挨拶に一度、そのあとに一度と、二度お会いしていますが、重厚な感じの立派な人のようです。室田さんは、鵜原さんがよほど気に入っていたらしく、一年ぐらい前から広告の出稿量、つまり注文量ですが、急にそれまでの二倍にふやしてくれているのです。実際、この北陸の管内でも、室田耐火煉瓦は指折りの扱い高なんです。いわばありがたい得意先ですが、それも鵜原さんの努力が開拓したのです」

本多良雄は、憲一の仕事を賞賛することを、忘れなかった。

室田耐火煉瓦株式会社の事務所は、駅の近くにあった。三階建のきれいな建物《ビル》が陽《ひ》に白く光っていた。

本多が、受付に刺《し》を通じると、すぐに二階の社長室に来てくれということだった。

幅の広い階段をあがりながら、本多はささやいた。

「社長に会ったら、ありのままを言いましょう。そのほうが、先方もかくさずに話してくれるに違いないでしょうから」

禎子はうなずいた。

社長室をノックすると、内側からドアがひらいた。背の高い、頰《ほお》の血色のいい紳士がノッブを握って微笑しながら、片手は招くような恰好《かっこう》をした。

「どうぞ、おはいりください」

室田社長の目は、本多の後ろにいる禎子の顔に流れた。

大きな机のある部屋の半分は、応接用の卓と椅子《いす》が配置されてあった。壁の油絵も、室内の配色も、落ちついていた。

「どうもお忙しいところを」

本多は挨拶して、禎子を室田社長に紹介した。

「やあ、あなたが鵜原君の奥さんですか、さあどうぞ」

社長は椅子をすすめた。ものの言い方も低くて静かであった。

「鵜原が大変お世話になりましたそうで、ありがとうぞんじます」

禎子は短いが、妻としての礼を述べた。社長はなおも椅子をすすめ、自分でも腰をソファーに落ちつけた。

こうして正面から見ると、室田儀作は両鬢《りょうびん》に白髪《しらが》があるせいか、年齢よりは老《ふ》けてみえた。目は細く、下の皮が袋のようにたるんでいる。が、唇《くちびる》にはやはり事業を経営している者が持つ意志の表情がみえた。

「鵜原君がどこかに行かれて、まだ分からないそうですな。ご心配でしょう。まだご新婚だそうですが、東京から見えたのもご無理はありません」

室田社長は、本多から聞いたのか、そんなことを言った。それから卓上の箱から煙草《たばこ》を一本とってくわえた。その間合《まあい》も慣れていて隙《すき》がなかった。

「さきほどのお電話によると」

本多が言ってくれた。

「社長さんは、鵜原君の今度のことについて何かお心あたりがおありだそうですが、それをお聞かせ願えればと思っておうかがいしました」

「ああ、そのことですか」

社長は煙をただよわせた。

「ご参考になればと思いついたのです。鵜原君は仕事熱心な男で、私も気が合うというのか、仕事をはなれてお親しくしていました。ときどきは私の自宅にも見えました。まだ鵜原君は独身でしたからな。家内のつくる手料理もよろこんで食べていましたよ。そうそう、私の家内も鵜原さんはおとなしくていい人だとほめていましてね、鵜原君が遊びに見えるのを、歓迎していましたよ」

室田社長は、低いが熱心な声で話しだした。

「鵜原君は、二カ月ぐらい前でしたか、今度結婚するのだと、私どもに話していました。奥さんの前で失礼ですが、鵜原君は今度の結婚のお相手がたいそう気に入ったようで、家内などは見合写真を見せていただいたそうですがね」

禎子はあかくなってうつむいた。憲一はそれほど自分が気に入ったのか。やはり結婚してから自分に示した愛情は、嘘《うそ》ではなかった。それは分かったが、それならなぜ、結婚後まもなく、無断で行方を絶ったか。

「しかし」

と室田社長はつづけた。

「それから数回お見えになったが、鵜原君はしだいに、なんというか、元気がなくなりましてね。私どもは妙なことだと思っていました。そうでしょう？　東京には栄転される、美しい奥さんはお迎えになる、いわば人生の絶頂なのに、それを前にして妙に沈んだような様子は、どういうことでしょうな」

社長は煙草の灰を皿《さら》に捨てた。

「これは、私の家内も同じ意見でしてね、鵜原さんは変ですねと、言っていました。それで、よほどその事情をおたずねしようと思っているうちに、今度のお話をうかがいました。鵜原君の態度は、今度の失踪《しっそう》に関係があるかどうか分かりませんが、とにかく、ご参考までにお耳に入れておきたかったのです。それというのも、私どもは鵜原君とわりあいお親しくして、商売上の他人《ひと》ごととは思いませんでしたからな」

　禎子は頭をさげた。

「それほどまで鵜原にご好意をいただいて、本当にありがとうぞんじます」

「いやいや、しかし、奥さんは、失礼ですがご主人の今度の行動について、全然お心あたりがないのですか？」

「まったくございません」

　禎子は答えた。

　が、それは嘘だった。昨夜の考えがよみがえってくる。夫には女がいた。どこかで夫はその女と生活をたもっていた。そして、かくれた生活の一方に夫は消えた。

　この社長に見せたという夫の沈んだ表情は、なんだろう、あれは自分がときどき出会った、夫の暗い目つきと同じではないか。何かを考えているようなぼんやりした目である。その同じ顔つきを、親しかったというこの室田社長に夫は見せていた。金沢まで来て、夫の手がかりはまったくなかったが、この夫妻のところには微《かす》かな痕跡《こんせき》があった。今まで一物もなかっただけに、禎子は、空に嵐《あらし》のくる前ぶれを思わせる一点の雲を見るような思いがした。もしかすると、このことは、重要なのかもしれない。

「もう少し、鵜原君に突っこんでおききすればよかったのですが、今となっては残念です。しかし、鵜原君は精神的に何か悩んでいたのは事実のようですな。それだけに、私どもも、ちょっとききにくかったのですが」

室田社長は、しきりに、私どもも、という言葉をつかった。それは、自分と妻の二人という意味であった。そうだ、これは夫人からも直接に話を聞いたほうがいいかもしれない。女となると、もっと詳細に話してくれるものである。それに憲一を自宅によんで食事など出してくれたという夫人にもお礼を言う必要があった。

「大変いろいろと、ご心配くださすってありがとうぞんじます。もしおさしつかえございませんでしたら、奥さまにもお目にかかって、お礼を申しあげたいのでございますが、お宅におうかがいしても、よろしゅうございましょうか?」

禎子が遠慮げに言うと、室田社長はかえって目を細めて唇に微笑をのせた。

「おお、そうですか。礼に来ていただくことはともかくとして、家内にお会いくだされば、私の気づかないことを申しあげるかも分かりませんね。それではどうぞお越しください。ちょっとお待ちください、いま家内に連絡しておきます」

室田社長は禎子と本多の目の前で自宅に電話した。

「佐知子《さちこ》か。いま、鵜原君の奥さんが、ここにみえている。これからそちらに行きたいとおっしゃっているが、いいだろうね？」

結構です、という返事らしかった。

「そうか」

社長は受話器を置くと、こちらに向きなおった。

「家内はお待ち申しあげていると言っています」

社長自身が満足そうな表情であった。

「どうもありがとうございました」

本多が椅子をひいて立ちあがり、ていねいにおじぎをした。

社長は禎子をドアまで送ってくれた。

2

禎子と本多とは、室田耐火煉瓦株式会社の事務所を出た。

「室田さんはいい人ですね」

と本多は言った。

「親切で世話好きの人だから、人望があるんですよ。だからいろいろと団体の役職についている。この地方の名士ですね」

「ほんとにいいお方のようです」

禎子は答えた。

「室田さんの奥さんというのは後妻だそうですね。これもうちの出張所員の話ですが、室田さんとは十七八ぐらい年齢《とし》が違うそうです。前の奥さんは亡くなられたそうですが、室田さんはいまの奥さんをかわいがっているので評判だということです」

本多は所員から聞いた話を取り次いだ。

「それというのも、前の奥さんが長いこと胸の病気で入院しているときからの関係です。つまり、愛人だった女を奥さんにしたのですね。そもそもは、室田さんが社用で東京に出張していたときに、縁ができたというんですがね。なんでも取引先の会社の事務員をしていたということです」

広い道に向かって歩いていた。警察署の建物が遠くに見えていた。

「所員で知った者の話だと、さして美人というほどではないけれど、明かるい社交型の奥さんだそうですね。それで、土地の婦人文化団体の役員にもなっています。ひとかどの理論は言えるし、筆もたつところから、地方新聞にもときどき書くし、ラジオにも出されるのだそうです。むろん、社長夫人という肩書があるからでしょうが、奥さんも、やはり地方名士ですね」

どの地方都市にもある型で、室田夫人のことは、それほど珍しい話ではなかった。

禎子はぼんやりと聞いた。警察署の建物がだんだん近づいてくる。

「鵜原は、ずいぶん、室田さんのご夫婦にお親しくしていただいていたのですね？」

「それは鵜原さんの手腕でしょう」

本多は禎子の夫をまたほめた。

「外交というのは、それくらいに相手に食いこまないと理想ではないのですね。だから、実際に、室田耐火煉瓦の出稿量は、鵜原さんが来てから、倍近いくらいにふえているのですよ。前任者の時はそれほどでもなかったのですが」

憲一にそれほどの手腕があったのか。禎子の知っている夫はおとなしくて、どちらかといえば、陰気なほうだった。けっして明かるい社交型ではない。やはり男というものは職業については熟練者なのであろう。こういう場合の妻は、日ごろ知らされない夫の実力に少し驚嘆するのである。

警察署の建物がすぐ前にあった。禎子はさっきからそれに目を惹《ひ》かれている。予感のようなものが心をおおっていた。

「ああ、警察ですね」

本多は初めて気づいた。

「ちょうど、前を通りかかったのですから、ちょっと寄ってみましょうか？」

禎子はうなずいた。

本多は、先に立って内部にはいった。天気が曇りかけて、建物の中は暗かった。制服の警官が机にすわったり、立ったりしている。落ちつかない異質感があった。

この間の警部補の人が隅《すみ》の方で書類を見ていたが、本多が受付に取り次いでもらうと、顔をあげてこちらを眺《なが》め、それから一枚の紙を持って大股《おおまた》に歩いてきた。

「やあ」

と警部補は本多と禎子とを等分に見て言った。

「あなた方をお待ちしていたのですよ」

言葉が禎子の胸を殴《う》った。予感が当たったという気がする。唇《くちびる》が白くなるのが分かった。本多の顔も緊張していた。

「何か、分かったのですか？」

本多がきいたが、声が変わっていた。

警部補は何も答えずに、こちらへ、と言った。外来者のこないカウンターの隅であった。そのことがよけいに胸を緊迫した。

「お尋ねの方に該当するかどうか分かりませんが」

と警部補は、初めて説明にはいった。

「昨日、羽咋《はくい》の警察署から報告があったのです。これですがね」

警部補は、紙をひろげて言った。

「本県羽咋郡高浜《たかはま》町赤住《あかすみ》の海岸で、推定三十五歳くらいの男子、身もと不詳の自殺死体を発見した。推定死後四十八時間、痩《や》せがた、長顔、頭髪は七三に分けたハイカラ、やや長身。服装は茶の背広、上着裏のネームは剝《は》ぎとられている。遺書なく、所持品その他、身もとを知るにたる遺留品なし。二つ折の皮紙入に二千三百六十円あり。……だいたい、こういうことですがね。いかがですか、お心あたりがありますか？」

警部補は禎子を見た。

年齢も、頭髪も、顔のかたちも背の高さも似ている。たしか財布《さいふ》も二つ折の皮製であった。ただ洋服の色が違っていた。夫は鼠色《ねずみいろ》の背広であった。

「これは簡単な報告ですがね、詳しいことは羽咋警察署においでになれば分かります。どうなさいますか？」

禎子は、考えている。しかし、この思考は平静ではない。あまりに、特徴がよく似ている。違っている洋服の色も、弱い根拠であった。

本多の目にも動揺があった。どうしますか、と言っている。

「その現場というのはどこでしょうか？　僕はこの地方の地理を知らないのですが」

警部補は、石川県地図を、もちだして広げた。

「ここです」

と指を一点に押さえた。

それは能登半島が日本海に拳《こぶし》のように突き出ている西側にあった。拳にたとえれば手の甲の部分にあたる。

見るからに寂しげな海岸線がはい、寒々とした土地が想像された。

禎子はぎょっとした。この羽咋という町に来る汽車は、金沢から分かれている支線であった。

憲一は十一日の午後、明日は金沢に戻るといってどこかに消えた。十一日のうちには金沢に帰れない条件として、地図で支線を調べたが、その一つがこの能登の七尾線であった。まさにぴったりと合致していた。

禎子の心を決定的に動かしたのはこれだった。

「とにかく、現地へ行ってみます」

禎子は返事した。

「そうなさいますか、まあ、どちらとも分かりませんが、ご安心のためにいらしたほうがいでしょう」

警部補は半分は慰めるように言った。

警察署を出ると、曇った空は、いまにも雨が降りだしそうだった。

「そうですか、向こうにいらっしゃいますか」

本多は禎子に言った。

「そうします。確かめたほうが落ちつきます」

禎子が答えると、

「洋服の色が違うようですな、僕が見たのはたしか、鼠色だったが」

と本多は呟《つぶや》いた。それは禎子を安心させるつもりのように聞こえた。

「では、どうします? 室田さんの奥さんを訪ねて行く件は?」

本多は気を変えたようにきいた。そうだ、それもあった。現地に行くことも重大だが、待ってくれている先方のことも気にかかった。

「うかがいますわ。能登は、そのあとにします」

「それがいいでしょう」

本多は賛成した。

二人は室田社長にもらった名刺の自宅地名を運転手に告げてタクシーを走らせた。

車の中では、禎子も黙り、本多も黙っていた。発見された自殺者のことが胸いっぱいに迫っていた。本多は目を前方に向けて、流れてくる道路を凝視していた。彼ものことを考えつづけているに違いなかった。

車は市街の南側にある高台を登った。

きれいな住宅街であった。

「ここです」

車がとまり、運転手が振り返った。

禎子はおりて、すぐ前の家を見あげた。長いブロックの塀《へい》があり、和洋折衷《わようせっちゅう》の瀟洒《しょうしゃ》とした文化住宅だった。

はてな、と禎子は思った。門標を見ると、

〝室田〟とある。

禎子はもう一度、その家を見あげた。見たことのある家の恰好《かっこう》である。

本多が金を払って近づいてきた。タクシーは動きだしている。

あっ、と声を立てるところだった。その家は憲一の本の間から出てきた写真の一枚の建物と同じであることに気がついた。

海沿いの墓場

1

おだやかな陽《ひ》が、玄関のブザーを押している本多の背中にあたっていた。

その明かるい陽は、このきれいな家の白い壁にも、庭の植込みの木にもおりていた。棕櫚《しゅろ》があり、ヒマラヤ杉があり、梅があり、籬《まがき》には、枯れた薔薇《ばら》の蔓《つる》がはっている。小さな葉の上に、冬の光が弱々しくたまっていた。

そうだ。この窓もあったし、棕櫚やヒマラヤ杉もたしかに写真の構図にあった。本の間にしまいこまれていた二枚の写真の一つが、いま、実景として禎子と遭遇《そうぐう》していた。

あの東京の閑静な住宅地にもありそうな写真の瀟洒《しょうしゃ》な家が、金沢の小高い丘に建っている、室田氏の自宅だった。夫はたびたびここを訪れているというから、彼が写真を撮《と》ったのに間違いはない。だが、なぜだろう。ただ家をうつしてみただけだろうか。

それとも別な理由があってのことか。

考えている禎子の目に、玄関のドアがひらくのが見えた。若い女中が、禎子と本多とを見くらべた。

「どうぞ」

と、すぐに請《しょう》じ入れたのは、主人から聞いていたのであろう。

通された応接間は、内庭に向かって大きなガラス戸があり、白い紗《しゃ》のカーテンを濾《こ》して流れこんできている光線と、部屋を暖めているガスストーブとで、春の空気であった。室内の調度はほどよい暖色に統一され、趣味はけっして悪くはなかった。

女中が紅茶を持ってきて置いたが、禎子はこの女中の目がなんとなく自分に注がれているのを感じた。東京からの女客を珍しがっているのか、ちょっとした好奇の対象にされたみたいだった。

女主人はまもなく現われた。禎子は夫人が想像した以上に若いのに少し驚いた。臙《えん》脂《じ》がかった着物に、淡い色の茶羽織を着て、白い襟《えり》を強くきわだたせた着つけは、和服のよく似合うひとだとすぐに思った。夫人は細い顔をし、背がすらりと高かった。

「主人から電話がありましたので、お待ちしていました」

夫人は微笑して言った。

「佐知子と申します」

禎子と本多とは、それぞれ挨拶《あいさつ》した。

「どうぞ」

夫人は椅子《いす》をすすめ、自分も静かにすわった。長身なだけにきれいな姿勢だった。それほど美人ではないが、皮膚が白く、感じのいい容貌《ようぼう》であった。笑うと、細まった目もとに親しみのある愛嬌《あいきょう》が出た。

「ただいま、社長さんをお訪ねいたしましたが、鵜原がたいへんお世話になりましたそうで、ありがとうぞんじました。それに、今日はまた突然おうかがいして申しわけございません」

禎子はていねいに礼を述べた。

「驚きましたわ」

夫人はうけて答えた。

「鵜原さんが失踪《しっそう》なさるなんて夢みたいですわ。室田から聞いたとき、とても、信じられませんでした。奥さまも、本当にご心配でしょう」

「はい。ありがとうぞんじます」

本多が、このとき、夫人に向かって言った。

「鵜原が公私ともたいへんお世話になっていたことは私からもお礼を申しあげます。つきましては、いかがでしょう、鵜原の様子に変わったことがなかったか、お気づきの点がありましたら教えていただきたいのですが」

「はい、そのことは」

と夫人は、本多に目を移して言った。

「主人からも言われましたが、最近、どことなく沈んでおられたのは確かでございます。それが、一方では、東京で結婚なさって、本社に転勤のお話が決まりそうだとうかがっているときなので、ちょっと変だなとは思いました。もっとも、沈んでいらしたといっても、あとから考えてそうなので、特別に目立つほどではございませんが」

「鵜原が、何か特に奥さまに申しあげたようなことはございませんか」

禎子がきいた。

それは夫がこの家庭を、ときには、訪問した、と室田の口から聞いていたからであった。

「鵜原さんは、よく私の家に、遊びにきていただきました。主人がとても気に入っていましたから」

夫人は禎子の心を知って、引きとるように言った。

「それで、主人の留守の時は、十五分ぐらいはこの応接間で私と話してお帰りになることがございましたが、そうですね、別に打ちあけたお話はうけたまわらなかったと思います。主人といっしょにお目にかかる際が、どうしても長い時間いていただいたし、そのときが本当のお話ができたように思います。そうそう、奥さまがたいへんおきれいな方だと喜んで話してらしたのも、そんな場合ですわ」

禎子は顔をうつむけた。夫人の目が自分の上に強く注いでいることが分かった。家内にきけば何か分かるかもしれない、と言った室田の言葉にもかかわらず、夫人に会ってもそれ以上の新しいことは聞かれなかった。それに初対面の礼儀が内容の中にはいって行くのを互いに遠慮しているようだった。

たとえば、鵜原の生活をこの夫人はどの程度に知っているかをきいてみたい。それは禎子がぼんやりと考えている夫の横にいる女の影のことだった。

あるいは夫人には分からないかもしれない。しかし、禎子がこの金沢に来て会った人の中で、もっとも夫の鵜原憲一の生活を知っているのは、この室田夫妻なのである。もっと突っこんできけば、暗示になるようなデータがとれるかもしれなかった。

が、禎子には、この夫人にそのことをたずねる勇気はなかった。夫は沈んでいた、という、きわめて抽象的な示唆《しさ》で満足するよりほかなかった。

女中が、外国品らしいウィスキーの瓶《びん》にグラスを三つと、チーズを盛ったのを盆にのせて運んできた。

「いかがですか」

夫人のすすめに、禎子は恐縮しながら辞退したが、本多は遠慮がちにそれを受けた。

グラスに唇をあてながら、

「ほんとうにおきれいですわ」

と室田夫人は、また禎子を眺《なが》めてほめた。

「鵜原さんも、こんなお美しい奥さんをおいてどこにいらしたのでしょうねえ？」

夫人は鵜原憲一を非難するように言った。

「あ、そうそう」

と、本多はウィスキーのグラスを置いて、思いついたように言った。

「鵜原はどこに下宿していたか、奥さんは鵜原からお聞きになりませんでしたか？」

それは適切な質問だったが、妻である禎子の口からは言えないことだった。

「あら」

と夫人は、目をみはった。

「金沢ではございませんでしたの？」

禎子は思わずあかくなった。妻としてのはじらいが全身にのぼった。

「いや、初めは金沢だったんです」

本多が、言いにくそうに話した。

「それが、一年半前に金沢の下宿をひき払ってどこかに越したのです。事務所の者にもよく分からないので、今度、こんなことになって困っているわけです」

「初めてうかがいましたわ」

夫人は、驚きを抑えたように平静に言った。それは鵜原の妻禎子への礼儀だった。それが分かるだけに禎子はかなしかった。

「私は、金沢にいらっしゃるとばかり思っていましたから、鵜原さんからは、なんにもうかがいませんでした」

夫人は気の毒そうに言った。

この室田夫妻も夫の所在は知っていなかった。仕事の面は几帳面《きちようめん》だっただけに、それから地方への出張が多い仕事だけに、誰《だれ》もがそのことを問題としなかったのだ。

禎子は暇《いとま》を告げるために椅子をひいた。

「あまりご心配にならないほうがよろしいですわ」

挨拶のあと、夫人は言った。柔和な目は、年下の禎子を心から慰めているようだった。

「そのうち、きっと無事にお帰りになることと信じてますのよ」

廊下に出ると、急に空気が冷えて感じられた。夫人は後《うし》ろから送ってくれた。

禎子は、玄関におりてから正面の夫人に向かい、思いきって言った。

「鵜原がお宅を写真に撮《と》っているんです。今日、うかがってなんだか、なつかしく思いましたわ」

立ち姿のきれいな夫人は、微笑のまま、いぶかしげな目つきをした。

「ぞんじませんでしたわ」

と、やさしくこたえた。

「でも、そうおっしゃられると、もう先《せん》に、鵜原さんがこの家をたいそうほめてくださって、自分もこんな家を建てたいと言われたことがありましたわ。その折のご参考に、外から写真に撮られたのかも分かりませんね」

禎子はそこで最後の別れの挨拶をした。夫人の立っている横には、鉢《はち》植《う》えの万年青《おもと》が葉を広げ、その深い蒼《あお》い色に冬の冷たさが滲《し》みこんでいるようだった。

室田家を出ると、禎子と本多とは、勾配《こうばい》になっている道路をくだった。

この丘陵地帯は、後ろの方に雪をかぶった白山連峰が見え、前に金沢市街を俯瞰《ふかん》して平野がひろがっていた。雲が出て、陽が翳《かげ》っていたが、その薄陽の下に、遠くの内《うち》灘《なだ》あたりの海がわずかに見え、能登の淡い山が帯のように突き出ていた。

「室田さんのところも、たいした収穫はありませんでしたね」

本多は両手をオーバーのポケットに入れ、靴音《くつおと》をこつこつとたてて坂をくだりながら言った。

「そうですね」

禎子は、遠くの景色を眺めるともなく見ながら歩いていた。

「鵜原さんの下宿のことはやはり知っていなかった。先方には意外だったようですね」

本多は言って、気づいたように、

「奥さんの前で、あんな質問をして失礼しました」

と、あやまるように言った。

「いいえ、かえってよかったと思いますわ」

禎子はさえぎった。本多の心づかいがうれしかった。一足先を歩いている本多のまるい肩に彼の善良さが出ているようだった。夫が上野駅から発《た》つ時、この人は見送りの自分に結婚の祝いをのべ、気をきかしたつもりか、ウィスキーの小瓶か何かを持って、先に車内にはいってしまった。そんな姿までが思いだされた。

「私もききたいと思ってたところでした。でも、ちょっと言えなかったので、本多さんがたずねてくだすったのは助かりましたわ」

禎子は言って、夫がこの世界の誰からの目も届かない所にかくれていた実感が、あらためて胸に来た。

「親しくしていたという室田さん夫妻も知らないというと、鵜原さんは一体全体、どこにいたんでしょうね」

本多は禎子にだけではなく、自分の疑問を吐いているような口吻《くちぶり》であった。禎子は返事をしなかった。黙っていることが、この場合の彼女の一種の返答であった。

「それはそうと、奥さんは、室田さんの奥さんにあの写真のことをきいていましたね」

本多は、禎子がならんでくるのを待って言った。

「僕も横で聞いていて、あっと思いましたよ。昨夜見せていただいた写真の建物に、室田家がそっくりなのを思いだしたのです。僕はぼんやりしていましたが、さすがに奥さんは早くから気づいておられたようですね」

「あのお家を見たときからです。だって、あの写真のとおりですもの」

禎子は言った。

「それだけ奥さんのほうが、やはり僕なんかより真剣なのですね」

本多は、また普通に歩きだした。

「しかし、室田夫人の話では、なんでもなかったようですね。つまり特別な意味です」

特別な意味はなかった。夫人の説明では確かにそうだった。が、意味はその写真の保存の仕方にあるのではなかろうか。法律関係の洋書の間にそれは秘められたように挟《はさ》まれてあった。それも、もう一枚の農家の写真といっしょだった。意味をいうならば、この二枚の組合せのちぐはぐにあった。

室田家のきれいな家が、夫の将来の夢の参考にうつされたというなら、あのみすぼらしい農家はどのような夢のために撮影されたのであろう。それも、二枚が一組のように本の間にひそませてあった。まるきり正反対の家屋がいかなる意味で夫の心の中に同居していたのであろうか。

本多がどんな意見を持っているか、禎子はきいてみたくなった。

「ああ、あの農家のような写真ですね」

本多は、それを覚えていた。

「よくわかりませんが、鵜原さんが、この辺の出張のときあの農家に地方色《ローカルカラー》が出ているので、珍しがって撮ったのではないでしょうか。だからそれが珍しい赴任早々のときだと思います。あの写真がわりに古びているのも、そのせいでしょうね」

本多の推察は一応説明ができあがっていた。

そうだろうか。そんな単純なものだろうか。夫の憲一はほかにも自分の撮った風景写真などをアルバムに貼《は》っている。それならあの二枚の写真も、なぜアルバムの中に入れないで、本の間にひっそりと挟んでいたのか。

が、禎子はこの疑問まで本多に言いだす勇気はなかった。彼は、やはり夫の同僚であった。そのことはわきまえねばならぬのだ。夫の秘密は自分だけのことにして、外へは広げたくなかった。それは禎子が、自覚しないでも、完全に鵜原憲一の妻であることの意識であった。

「ところで、これからどうなさいますか?」

本多は不意に立ちどまるようにして禎子を見た。その意味は彼女にはすぐ通じた。能登の海岸に横たわっている死体は、そのまま、禎子の胸に先刻から絶えず横たわり、本多にもおそらくそれが心にかかっていることに違いなかった。

「私、これから現場にまいりますわ」

禎子は答えた。坂をくだって、さっきの位置では見えた能登の細長い山影は没していた。

本多は腕時計を見た。

「ああ、もう十二時を過ぎていますね。これから向こうにいらっしゃると、帰りがずいぶん、おそくなりますが」

「でも、行かないわけにはまいりません」

「もちろんです。一刻でも早く、確認する必要があります」

本多は強く言った。

「ただ僕はそれが鵜原さんでないことを祈っています」

「ありがとうぞんじます」

「奥さん、僕は奥さんがどんなにおそくなられても、その結果を宿でお待ちしていますよ」

本多良雄はそう言って、禎子の顔を瞬間だが凝視した。

その視線の意外な強さに、禎子はかすかな狼狽《ろうばい》を覚え、目をそらした。

坂の下からは三四人の男女が寒そうに肩をすくめながら登ってくるところであった。

電車の走る音が近くで聞こえた。

2

禎子は、金沢を、十三時五分の輪島行きの列車で発《た》った。

車内は狭くて粗末であった。禎子はひとりで窓ぎわにすわったが、前には土地の青年が二人腰かけて、津幡の駅におりるまで映画の話をしていた。

汽車は本線から分かれて、小さい駅に頻繁《ひんぱん》にとまりながら走った。湖のような水がみえたり、山が近づいたりした。それは地図の上に描かれた拳《こぶし》のような半島をはいあがっているのだった。

羽咋《はくい》の駅には一時間ばかりで着いた。この駅から乗りかえて、さらに小さい電車に移り、能登高浜《のとたかはま》まで行くには一時間以上を要した。この間、海が見えたり隠れたりした。

禎子は、景色に飽くと、金沢で買ってきた地方新聞を漫然と広げた。見るともなく見ていると、金沢市婦人連合会幹事会開催の見出しが目についた。記事はその決議事項を報じ出席幹事の名をならべていたが、その中に室田佐知子の名前が三番目についていた。

室田佐知子の上背《うわぜい》のある、すらりとした和服姿と細い顔とが禎子の目に浮かんだ。夫人は柔和な笑顔をつくるひとだった。

会社の社長夫人といえば、十分に地方の名流婦人に違いなかった。室田夫人は金沢地方では花々しい存在のようだった。禎子は、夫人の活躍ぶりを見る思いで、その小さな記事を二度くり返して読んだ。

能登高浜駅におりたときは四時を過ぎていた。冬の短い日脚は、もう空にたそがれがただよいはじめていた。

禎子は高浜の警察分署を訪ねた。駐在所を少し大きくしたような建物だった。

「金沢署から連絡を受けていましたから、お待ちしていました」

年老いた巡査部長が出てきて、禎子に言った。

「死体は、仮《かり》埋葬してあります。写真が撮《と》ってありますが、どうですか、ごらんになりますか？　それとも遺留品を先にお目にかけましょうか？」

「写真を見せていただきます」

禎子はそれを望んだ。

巡査は保管の死体写真を出した。禎子は胸が苦しく、目をつむった。

「これです」

という巡査の声に、目を思いきって、ぱっとあけた。

見も知らぬ他人の顔が視界にうつった。それは汚ならしい首の拡大であった。鼻と口に黒い斑点《はんてん》がついていた。

禎子は黙って顔を振り、ハンカチで口をおおった。胸が悪くなり、額にうすい汗が出ていた。

「違ってましたか、それは結構でした」

老巡査は、禎子に笑ってくれた。彼は素早く写真を裏返して片づけた。

「わざわざ遠くから見えても、こればかりは違っていたほうがよろしいですな」

巡査は、にこにこして言った。

「この人などは断崖《だんがい》の上で薬をのんで死んでたのですがね。この近くの海岸は絶壁になっていて、一年のうちには三四件くらいは投身自殺があります。東尋坊《とうじんぼう》も自殺の名所として騒がれたことがありますが、人間という奴《やつ》は崖《がけ》から身投げするのが好きなようですな。わたしなぞは高いところから下を覗《のぞ》いただけでも恐ろしくて、死ぬ気が起こりませんがね」

禎子はうなずいただけで、言葉が咽喉《のど》につかえて出なかった。

「つい最近も、投身自殺騒ぎが、この写真の人と同じ場所で起こりましたがね。もっとも、これはすぐに身もとが分かって引取人が来ました。これなどはよいほうで、いつまでも身もとが分からないのは、困りものです。当人は身もとが知れないのを望んでいるでしょうが、われわれからみると、いつまでも仏が浮かばれないようで、後味が悪いです」

禎子はお茶を一ぱいようやく飲みおえて、警察分署を出た。

高浜は漁村の町で、歩いていて魚の臭《にお》いが鼻に匂《にお》ってきた。禎子は、土地の人に、断崖のある海岸はどこかときくと、赤住《あかすみ》だと答えた。そこまではバスで二十分ぐらいだとも教えた。

禎子はそのバスに乗った。一方は海で、一方は丘陵の間をバスはうねうねと走った。丘陵地帯は段々畑になっていて、土が貧しそうな色をしていた。

赤住は十五六軒ばかりの半農半漁の部落であった。禎子が歩くと、おかみさんたちが好奇の目を光らせて、いつまでも見送った。

禎子は断崖への道を歩いた。それは十分とはかからなかった。閉ざされた雲の中に陽《ひ》が沈みかけ、荒涼とした海にわずかな色彩を投げていた。

断崖の上に立つと、寒い風が正面から吹きつけて禎子の顔を叩《たた》いた。髪が乱れたが、彼女はそのままにして海と向かいあっていた。

その辺は岩と枯れた草地で、海は遥《はる》か下の方で怒濤《どとう》を鳴らしていた。雲は垂れさがり、灰青色の海は白い波頭を一めんに立ててうねっていた。陽のあるところだけ、鈍《にぶ》い光が溜《とど》まっていた。

なぜここに自分が立っているか、禎子には合理的な説明ができない。とにかく、海が鳴っているという断崖の上に立ってみたかったのだ。北陸の暗鬱《あんうつ》な雲とくろい海とは、前から持っていた彼女の憧憬《どうけい》であった。

禎子は暗い海の凝視をつづけているうちに、夫の死がこの海の中にあるような気がしてきた。あの泡立《あわだ》っている波の下に、夫はひっそりと横たわっているのではなかろうか。海の暗い色が自然にその錯覚を起こさせた。

たった一人で、このような場所に佇《たたず》んで、北の海を眺めている自分はいったいなんだろう。消えた夫を探し求めて彷徨《ほうこう》している可哀想な妻だった。頼りなげな、あわれな若い妻がここにいる。——

陽は沈みきった。鈍重な雲は、いよいよ暗くなり、海原《うなばら》は急速に黒さを増した。潮《しお》騒《さい》が高まり、その上を風の音が渡った。

禎子の全身は冷え、足も手も凍っていた。しかし、そのことは意識になく、思いがけなく、学生時代に読んだ外国の詩の一節が浮かんだ。

しかし、ごらん、空の乱れ
波が──騒《さざ》めいている。
さながら塔がわずかに沈んで、
どんよりとした潮を押しやったかのよう──
あたかも塔の頂きが膜のような空に
かすかに裂け目をつくったかのよう。
いまや波は赤く光る……
時間は微《かす》かにひくく息づいている──
この世のものとも思われぬ呻吟《しんぎん》のなかに。
禎子は心の中でこれをくり返した。目は昏《く》れてゆく海の変化を見つめたままだった。
「In her tomb by the sounding sea!」
不意に、詩文の一句が口をついて出た。禎子は、涙を流した。
海沿いの墓のなか
海ぎわの墓のなか──

3

汽車は夜の金沢駅に着いた。ホームには寒い風が吹いている。吐きだされた乗客は肩をすくめ、ぞろぞろと改札口の方へ進んでいた。禎子は列車の後部に乗っていたので、動いている群衆の後ろから歩いていた。まだ能登海岸の潮の匂《にお》いが、身体《からだ》のどこかについていているみたいだった。

電気時計が九時三十分を指していた。文字盤に暖かそうな灯《ひ》がはいっている。その下に改札口が見え、人々の列はそこでいったん、すぼまり、駅前の広場に広がって散っていた。

禎子の目が、その群衆の一つをつかまえた。おや、と目をみはったのは見覚えのある後ろ姿を見たからである。思わず立ちどまり、確かめようとしたが、それは、人々の肩に重なり、広場の向こうに流れて行った。

義兄《あに》ではないか、と思った。夫の憲一の実兄の鵜原宗太郎《うはらそうたろう》の丸こい首と、広い肩幅とにそれはいかにも似ていた。禎子は急ぎ足になって改札口を出たとき、

「お帰んなさい」

と、歩《あゆ》み寄っておじぎをする人が正面に向きあった。

「あら」

見ると、本多良雄が遠慮そうにそこに立っていた。禎子が、ふたたび、視線を探し

ている方向に走らせたときは、その人物の姿は大勢の人々の間に消えていた。

「お迎えに、わざわざ来てくださったのですか?」

禎子は、本多に目を戻した。彼のオーバーの肩に、遠くのネオンが侘《わ》びしげに光っていた。

「たぶん、この汽車だと思ったものですから。能登の結果が一刻も早くうかがいたかったのです」

本多は少し目を伏せ、言いわけめいたように言った。

「それはどうも申しわけございません」

禎子はおじぎをしたが、心はまださっきの姿に惹《ひ》かれていた。

義兄によく似ていたが、それは錯覚だったかもしれない。一瞬の目の迷いであろう。義兄がこんなところに、今ごろ現われるはずがない。

「いかがでした?」

本多は気づかわしげにきいた。能登の変死体の実検のことだった。禎子は本来の気持にかえった。

「違っていましたわ。まったく別な人でした」

写真の他人の顔を思いだして言った。

「違ってましたか」

本多は、ほっと安堵《あんど》するように肩を落とした。

「よかったですね、安心しました」

「ほんとにご心配かけました。わざわざここまで来てくださったりして」

「いや、そんなこと……」

人々が散って、禎子と本多とだけがそこに取り残された。風が足もとから吹いた。

「どこかで、お茶でものみましょうか?」

本多が言った。禎子も熱いものがのみたかったので、本多のあとについて駅前の簡素な食堂にはいった。

「お疲れだったでしょう」

ビニールをかけた卓に向かいあい、本多は指を組みあわせていたわった。目が正面から禎子を見ていた。禎子は室田家の帰りの坂道で示した彼の複雑な目の表情を思いだして、それを避けた。

「大変なところでしたわ」

禎子は普通の答え方をした。

「なにしろ、この県でも一番ひらけていない地方だそうですからね」

本多は言った。

「でも、行ってみてよかったと思いますわ」

「それはそうです。ご主人でなかったと確認する必要はあります」

「ええ、それもありました。でも、それとは切りはなして、あんな北国らしい海の風景を見たのがうれしゅうございました。もう、二度とまいるようなことはありませんもの」

この言葉は、少し不謹慎に聞こえそうだった。本多は少し黙っていたが、

「やはり、ご安心なさったからですな。そういうお気持になられたのも。しかし、何よりでした」

と言った。

紅茶が運ばれてきた。熱いし、その甘味が禎子の舌にしみこんだ。寒々とした日本海の空気の塩辛《しおから》さが、唇《くちびる》のどこかにまだ残っている。

「あの、食事はまだじゃないですか?」

本多が顔をあげてきいた。

そう言われて、禎子は朝から食事らしいものを胃に入れてないことに気づいた。能登の田舎では、食べるものがなかったし、往復の汽車の中でも、食欲は起こらなかっ

た。

「はあ、でも、そうほしくはありませんから」

禎子が言うと、

「そりゃ身体に毒ですよ。なんでしたら、どこか、うまいものを食べさせる家に行きませんか」

本多は控え目に言った。が、熱心な目つきだった。

「ありがとうございます」

禎子は一応、礼を言った。

「でも、宿に帰って食べますわ」

そうですか、と言ったきり、本多は二度とそれをすすめなかった。失望が微《かす》かに出ていた。

わざわざこんな時刻に駅まで迎えに来てくれた態度といい、瞬間に見せる彼の目の表情といい、禎子は本多の気持が、何なのか感じてきた。それは今の場合、もの憂《う》く、わずらわしかった。食事をすることぐらいなんでもないが、自分がそのわずらわしさに絡《から》まれて行きそうだった。

その食堂を出てから、二人はそこで別れた。おそいので、禎子はタクシーに乗ったが、寒い風に向かいながら、本多は見送ってくれた。禎子は、すまない気持がした。

旅館に帰ると、さすがに身体がくたくたになった。

湯を浴び、おそい食事をすますと、すぐに床にはいったが、疲れているのに、いつまでも目がさえていた。

翌日は、また警察に行ったが、何の収穫もなかった。

次の日の夜のことである。卓上の電話が鳴った。

「東京からでございます」

と交換手の声が告げた。

「もしもし、ああ禎子かい?」

母の声だった。禎子は実家の電話のある場所がそこに浮かんだ。

「どうなの、いったい?」

「まだ、はっきりしませんわ」

禎子は母の声を少しでも高く聞きたいために、受話器を耳に強く押しあてた。

「そう、困るわね」

「そちらにも情報がはいりませんの?」

「なにもはいってこないよ。そうそう、あんたから頼まれた憲一さんの前歴のことね、今日、佐伯さんから知らせてきましたよ」

「そう？」

「ここに書きつけておいたからね、言いますよ。学校を中退してからね、すぐにR商事会社にはいっています。十七年に在社のまま召集をうけて中国に渡り、終戦となって二年後に内地に帰還しています。その翌年、R商事会社を辞職、とあります。それから、二十五年に警視庁巡査となって立川《たちかわ》署に配属……」

「え？」

禎子は、思わず聞きとがめた。

「巡査になったことがあるの？」

「そう、あたしもおどろいたわ。そんなところ、ちっとも見えないわね」

夫の鵜原憲一が立川署の巡査をしていた。——禎子の目には、アパートの押入れに未整理のまま積んである書籍の古びた背文字が浮かんだ。それは法律書だった。

「それからね、巡査は一年半で辞《や》めて、A社に入社した、ということよ。これは佐伯さんが調べて教えてくださったので、間違いはなさそうね……」

「もしもし」

と母はつづけて言った。

「それからね、あたしがきいたんだけど、憲一さんには、自分の知るかぎり、女関係はないと佐伯さんがおっしゃってたわ。これも佐伯さんだから、嘘《うそ》を言って体裁《ていさい》をつくっているとは思えないわ」

「そう」

禎子は、佐伯ならそうだろうと思った。

「もしもし」

時間が気になるのか、母の声は性急になった。

「あんた、いつまでそっちにいるの？」

「そうね、こんな状態で、はっきりしないようだったら、一日二日のうちに、一応東京へ帰ろうかと思っています」

「そうね、それがいいね。東京で、様子を見てらっしゃいよ」

母は、娘を呼びたがっていた。

「ええ、そうします」

「どう？　そっちは寒いそうだけど、風邪《かぜ》でもひかないかい？」

「大丈夫です」

では、帰るのを待っているよ、と言って母は電話を切った。

夫の経歴がはっきりした。意外だったのはただ一つ、巡査を一年半ばかりしていたことだった。夫はそれについて一言《ひとこと》も触れなかった。その履歴をあまり好んでいないためのようだった。

しかし、いまだに持っているあの古い蔵書を見ると、憲一はかつては警察官として身をたてるつもりがあったのではなかろうか。巡査からだんだんに進んで、ずっと上の階級を目標に勉強していたようでもある。そこに到達するまでには、いろいろな試験制度があるのであろう。夫の法律書が、その参考書だったような気がした。

憲一はその志望をどうして放棄したのか。警察にいるよりも、A社に入社したほうが将来が開けると考えなおしたからだろうか。あるいは誰《だれ》かにすすめられて、そういう気になったかもしれない。とにかく、入社して六年ぐらいで、地方主任として、一区画をまかされていたのだから、A社にはいったのは不成功ではなかった。

禎子は、ふと義兄《あに》の家に電話してみる気になった。駅で義兄に似た人をみかけたことや東京の母から電話があったことや、夫の履歴が分かったことなどが総合して、そういう気持を起こさせた。

東京への電話は市内電話のようにすぐに出た。先方の女中がすぐに嫂《あね》にかわった。

「あら、禎子さん、今晩は。よく電話をくれたわね」

嫂の声はあいかわらず賑《にぎや》かだった。

「どう？　憲一の様子、分かったの？」

「まだ、はっきりしませんわ」

禎子が答えると、

「まだだって？　へえ、もう何日になるの？」

と嫂はきいた。禎子が答えると、

「もうそんなに長いのかね。憲一さんはいったいどこに行ってるのかねえ」

嫂はそんなことを言った。生死不明ということは考えていないみたいだった。受話器の奥で子供の騒ぐ声が聞こえた。

「お義兄《にい》さま、いらっしゃいますか」

禎子はきいた。

「あ、うちはね、いま、京都へ出張中なのよ、二日前から。ああ、そうそう、用事が早く片づいたら、そっちへまわるかもしれないと言ってたわ」

嫂の声は弾《はず》んでいた。

禎子は、それでは、一昨日《おととい》の夜、駅で見かけたのは、やはり義兄ではなかったのだと思った。二日前に京都に出張したというのだから、京都に発ったという夜にこっちに来られるはずはなかった。

「本当に、そっちへ行くといいわね」

嫂は明かるい声で言った。

「そうですわ。そうしてくださると助かりますけれど」

禎子は答えた。

「あなたひとりじゃ心細いでしょ。うちのが行ったら力になれるわね。そっちにまわってくれるといいけど、会社も忙しいしね」

電話は、それから二三の会話を交わしてすんだ。

その夜は、禎子は、疲れて眠った。

翌朝、禎子はふだんよりはおそく起きて、朝食をすませ、窓からぼんやりお城の方を眺《なが》めていると、電話が鳴った。

本多からだと思って受話器をとると、

「禎子さんですか」

と、義兄の鵜原宗太郎の声がいきなり流れてきた。

「あ、お義兄さま?」

禎子は声をあげた。

「お早う。いま、金沢に着きました。京都からまわってね。禎子さんの宿を、A社の出張所に電話して教えてもらいましたよ」

「そうですか、それは」

「今からそっちに行ってもいいですか?」

「どうぞ。お待ちしていますわ」

電話がすんだのち、禎子は、にわかに気ぜわしくなった。義兄が来ることは、当然だった。むしろおそいくらいである。しかし、いざ義兄にこられると、自分ひとりだけの今までとは違って、急に義兄の場所をつくらねばならぬ緊張と気持の負担がきた。

三十分ばかりすると、鵜原宗太郎は女中に案内されて禎子の部屋にずんぐりと太った身体を現わした。

女中が彼の鞄《かばん》を運び入れた。

義兄は、にこにこと笑いかけ、オーバーを女中に脱《ぬ》がせ、よいしょ、と懸け声をかけて座敷にすわった。

「よくいらっしゃいました。お義兄さま、お忙しいところを恐れ入りましたわ」

禎子が挨拶《あいさつ》すると、義兄は、丸こい膝《ひざ》をそろえてそれにこたえた。

「もっと、早く来るはずでしたがね、どうも会社のほうが忙しくて。ちょうど、京都まで出張があったから、急いで用事を片づけ、こっちへ来たのです。今、着いたばかりですよ」

義兄の顔には薄い髭《ひげ》が伸び、旅疲れの様子が見えた。

それでは十七日の夜、駅で見かけたのは、やはり違った人だったのか、と禎子は思った。

「お疲れのところを申しわけございません」

「禎子さんこそ大変だったでしょう」

義兄は煙草《たばこ》を出し、ライターを鳴らした。

「ところで、憲一の様子は、その後、どうなんです？」

「やはり分かりませんの。こちらの本多さんもいろいろと心配して探してくださってるんですけど」

「本多さんって、誰です？」

義兄は煙を吐いてきいた。

「憲一の後任の方ですわ。東京から赴任されたばかりです」

「ああ、そう」

「そうでした、申しおくれましたけど、昨夜、お嫂《ねえ》さまにお電話いたしました。そのとき、お義兄さまが京都にご出張なすっていることをうかがいましたわ。それから、都合によっては、こちらにおまわりになるかもしれないということも」

「そうですか」

義兄は煙がしみるのか、眩《まぶ》しそうな目つきをした。そんな表情は、夫によく似ていた。

「しかし」

と義兄は、憲一のことに戻して言った。

「全然、手がかりもないのですか？」

「ございません。実は、本多さんとも相談して、警察署に捜索願いを出しているんですけれど、その方面にも手がかりがございません。実は、一昨日も田舎の方に身もとの分からない自殺者があると聞きましたので、まいりましたが、幸いそれは違っていました」

「自殺ですって？」

義兄は、初めて声を大きくした。

「そんなことは考えられませんよ。憲一が自殺する理由がないじゃありませんか。あいつがそんなことをするわけがありません」

義兄は、目までできつくした。

「生きていますよ。あいつは、どこかに、生きていますよ」

義兄の行動

1

鵜原宗太郎は、禎子の前にすわり、快活な顔をして、弟の憲一の生存を主張した。

自殺なんて考えられませんよ、憲一が自殺する理由がないじゃありませんか、あいつがそんなことをするわけがありません、と鵜原宗太郎がこともなげに言っても、禎子が納得《なつとく》できる理由にはならなかった。

「生きていますよ。あいつは、どこかに、生きていますよ」

と力をこめた言い方をしても、内容がなかった。義兄の口吻《くちぶり》では、弟だから生きている、とでも言っているようながむしゃらなものがあった。

その信じ方は、肉親の情愛から出ているだけとしか思えない。がんこな老人のように、論理がなかった。禎子が黙って待っていても、あとの説明がないのである。

女中が茶を持ってきて去った。

「でも、憲一がいまだに姿を出さないのは」

禎子は顔をあげて言った。

「どういう理由か、お義兄《にい》さまに、お心あたりございませんの?」

義兄は、すぐには口をひらかないで、腕をのばして熱い茶碗《ちゃわん》を握った。それから唇《くちびる》をすぼめて湯気《ゆげ》を吹いた。

「別にないが」

義兄は答えた。

「しかし、あいつは子供のときからのんきな奴《やつ》だったからね。禎子さんを奥さんに貰わない前も、思い立つと、僕《ぼく》たちにはなにも言わないで九州をまわったりするようなくせがありました。今度も、どこかで遊んでいて、ひょいと出てくるんじゃないかな」

義兄は、茶を音立てて啜《すす》った。

禎子は黙った。義兄はなんのために金沢に来たのであろう、憲一のことが心配で、様子を見にきたのではなかったか。憲一の安否など、まるで問題にもしていないような口吻では、ただ、出張の帰りに、遊びに寄ってみたというにすぎない。それとも、禎子を安心させるために、安易な言葉を吐いているのか。慰めにもならない空《むな》しい親切だった。

「こっちの会社では、どんなふうに考えているんですか?」

義兄は、禎子の冴《さ》えない顔色をうかがうようにしてきいた。やはり気になるらしかった。

「これというきめ手がないので、わけが分からず迷っている状態ですわ」

禎子は答えた。

「東京へ帰る日の前の晩に行方を絶ったんですから、まるで謎《なぞ》に包まれたように、会社の人も、途方にくれています。本多さんにも、いろいろご迷惑をおかけしていますす」

義兄の言うように、気まぐれに憲一が姿をかくしたのなら、こんな迷惑な話はない。正面から言えないけれど、こんな表現で、義兄の、内容のない話し方に抵抗した。

鵜原宗太郎は、黙って煙草《たばこ》をすった。快活だった表情が、すこし曇っていた。禎子は、自分の言葉がやはり彼にこたえたのだと思った。

「とにかく」

と義兄は、眉《まゆ》をしかめて言った。

「困った奴です。新婚早々の禎子さんに心配をかけて」

義兄も、言いようがないらしかった。

「いいえ、わたくしのことは少しもお気にかけないでくださいませ。それよりも、実際に気になるのは憲一の安否ですわ。お義兄さまから、自殺する理由がないとうかがいましたから、それは安心なんですけれど、別な心配がございますわ」

禎子は、鵜原宗太郎が、ちらりと目をうごかすのを見た。

「別な心配？　なんですか？」

義兄はきいた。

「誰《だれ》かに危害を加えられたのではないかということですわ。全然、消息がないところをみると、そんな不吉な想像が起こるんです」

吸殻《すいがら》を灰皿《はいざら》に突っこんで、義兄は笑った。

「そりゃ、ばかげた想像だな。だって、その理由がないですよ」

またしても理由がない、と彼は言った。

「他殺となると、怨恨《えんこん》か金銭関係ですね。憲一は他人から恨まれるような男ではありません。僕は兄貴だからよくあいつの性格が分かっているが、しごく、気の弱い性質《たち》ですよ。そりゃ、僕なんかより、ずっと気が弱いな」

憲一の性格の弱さを、義兄は強調した。

「だから、怨恨ということは考えられません。次は金ですが、憲一はそのとき、会社の金でも預かっていたのですか?」

「いいえ、それはなかったそうです」

「じゃ、たいした金を持っていたわけじゃない。金を目当てに殺されたとは、絶対に思えない。こう考えると、禎子さんの心配はまったく杞憂《きゆう》ですよ」

義兄は、説得に努めた。

「わたくしも、そう考えたいのです。でも、警察のほうから身もと不明の、似た変死人があると聞けば、胸がつぶれる思いで能登の田舎にとんで行ったりするのです」

「能登へ?」

義兄は目をみはった。

「能登へ行ったんですか?」

と、禎子を見つめた。

「はい。三十五六の男子の自殺死体があると連絡をうけたので見に行ったのです。それは、まったく赤の他人でしたが、特徴を聞いたときは憲一ではないかと思いましたわ」

「いつですか?」

「十七日でした。こちらにはおそく帰ってきました。とても不便な海岸でしたわ」

「どこです?」

「能登の西海岸で、高浜という町のはずれでした。羽咋《はくい》という駅で乗りかえ、おりてからも、バスに乗るんですの」

義兄は、それに反応を示さずに、新しい煙草をとりだし、落ちついて火をつけた。

「すこし、神経過敏のようですね。そう気を使っちゃ、たまらない」

彼は意見を言った。

「禎子さんも、そろそろ東京に帰ってはどうですか。こっちにいて神経を使うよりも、東京で待っていたほうがいいと思いますが」

「ええ、母も電話でそう言っていました」

「そうでしょう。お母さまの所や、うちの女房の所にでも遊びにいらして、気をまぎらしたほうがいいんじゃないですか」

「そうですね。そうも考えているんですが」

「そうなさい、それがいい」

と、義兄はすすめた。

禎子は、彼の顔を見た。

「お義兄さまは、どうなさいます？」

「僕ですか？」

義兄の表情には、迷いに似たものが走った。

「僕は、まあせっかく来たのだから、憲一のことをちょっと調べてみようと思うんです。しかし、会社の勤めもあることだし、そう長くはいられません」

調べる？　義兄はどんな方法で調べるというのであろうか。禎子はそれをききたかったが、すぐには言えなかった。素直に質問できない躊躇《ちゆうちよ》は、この義兄の様子のどこかに、禎子をはばからせるものが感じられたせいである。床の間の電話が鳴った。

「本多さんがお見えになりました」

と、帳場の声は取り次いだ。

「会社の本多さんが来られたそうです。憲一の後任の方で、今度のことで憲一を心配してくださってるんです。お通ししましょうか？」

禎子は、送受器を持ったまま、義兄にきいた。

「そう。ちょうどいい、僕もお目にかかってお礼を言いたいですね」

義兄は、腰をあげて、座布団《ざぶとん》を直した。

本多良雄は、あいかわらず遠慮深げに部屋にはいってきた。彼はそこに客がいるのを初めて見て、とまどった顔をした。

「鵜原の兄でございます」

禎子は紹介した。

本多は、それで、ていねいに膝《ひざ》を折って、義兄に挨拶《あいさつ》した。

「どうも、いろいろとご心配をかけまして」

鵜原宗太郎も、畳の上に肘《ひじ》を張って手を突き、弟の礼を述べた。

「いつ、こちらにお着きになりましたか?」

本多は、義兄と向かいあった。

「今朝の急行です。そうそう、電話でおたくの事務所にききあわせ、社員の方に、禎子さんの宿を教えてもらいました」

義兄は、軽く頭をさげた。

「いえ、どうも。しかし、お疲れでしょう。東京から直行ですか?」

「いえ、京都へ出張があったものですから、そこからこちらへまわりました」

「はあ、それは。朝早く着くので大変でしょう」

「ええ、しかし、おりてから朝の金沢の町を見て気に入りましたよ。しばらく歩いて見物したんですが、いかにも北国の大城下町の感じでしたな」

義兄は、煙草をくわえて、本多に微笑を投げた。

「え……？」

本多は一瞬、何かをきき返そうとしたが、禎子の方をちらりと見て黙った。それから彼もうつむいて、ポケットから煙草をとりだした。

男同士の会話は、二三あったが、儀礼的でとりとめがなかった。初対面というぎごちなさは雰囲気《ふんいき》に隠しようがなかった。そのせいかどうか、義兄は本多に憲一のことを詳しく問うでもなく、先に立ちあがった。

「禎子さん、僕は用事があるので、いずれ夕方にでも来ます」

義兄は、そう言って、本多にも挨拶して出て行った。禎子は玄関までついていって見送った。

「あの本多という人、まじめなんですか？」

義兄は、途中で、低い声で禎子にきいた。

禎子は義兄の質問の意味を知り、早く東京に帰らねばいけないと、思った。

「じゃ、また」

義兄は肩をすこし振るような歩き方をして道の向こうに行った。

その後ろ姿を見たとき、禎子は先夜、能登の帰りに、金沢駅で目撃した義兄に似た姿を思いだした。人ごみですぐに分からなくなったけれど、どう考えても似ていた。しかし、義兄は、今朝、京都から来たのだから、それは錯覚である。

部屋に帰ると、本多がもじもじしていた。

「僕がうかがったのが、お義兄さんに悪かったんじゃないですか?」

彼は言った。眩《まぶ》しそうな目をしていた。

「いいえ、そんなことございませんわ。義兄《あに》はお世話になっていることを感謝していましたわ。どうぞ、そんなご遠慮はなさらずに」

本多は、そうですか、と言ったが、まだ気になるらしかった。

本多は、今朝の訪問の要件を話した。本社の方から連絡があって、鵜原憲一から何の消息もないのを、あらためて通知してきた、ということだった。

「お義兄さんが、こちらに見えたのは、何か心あたりがあってのことでしょうか?」

そのあとで本多はきいた。

「いえ、別にはっきりした考えもなさそうですの」

禎子は、義兄の言った言葉をわざと隠した。

「そうですか」

本多は、しばらく黙っていたが、思いきって言った。

「お義兄さんは、本当に今朝、お着きになったのでしょうか？」

「え？」

禎子は、思わず本多の顔を見返した。

「いや、ちょっと妙なことをお義兄さんはおっしゃったものですから」

本多は、少し顔をあからめた。

「どういうことですかしら？」

禎子は、さりげなく追及した。

「金沢に着いてからすぐに、町を見物がてらに歩いたとおっしゃってたでしょう。それが妙なんです」

本多は話しだした。

「京都から直行で朝着く急行列車は、一本しかないのです。京都を二十三時五十分に発《た》つ《日本海》で、金沢は五時五十六分です。まだ金沢は真暗ですよ」

禎子は、あっと思った。

確かに義兄は京都から急行に乗ってきたと話した。未明の町を見物して歩いたという言い方はおかしい。まるで朝陽《あさひ》の輝く市街を見物したような話しぶりであった。

義兄は、京都から来たのではない、と禎子は、直感した。おそらく、京都からの急行は、金沢に朝着くと、誰かに聞いていたので、うっかり、冬季の今は未明だとは気づかずに言ったのであろう。確かに、あれは作り話である。

禎子は、たちまち、先夜、義兄に似た姿を、金沢駅の人ごみの中で見たのを思いだした。今になって思い当たったが、あの人ごみは、能登輪島から来た列車の客ばかりであった。禎子が乗ってきたと同様に、義兄の鵜原宗太郎も同じ列車の、違う車両にいたのではあるまいか。

「本多さん、先夜、私が着いた時刻に、京都か、東京か、どちらかを発った列車が着きますの?」

禎子はきいた。

本多はふしぎそうな顔をしていたが、それでも、ポケットから小型の時刻表をとりだした。

「そうですね、あれは二十一時二十八分でしたね、ええと……」

本多は、ページを二三度ひっくり返していたが、

「ありませんね。上野から来るのは十九時十二分で、京都から来るのは十八時六分です。あの時刻前後に着く列車はありません」

義兄の鵜原宗太郎について、もっと妙なことが、その夕方、本多から禎子に報告された。

「今日、お義兄さんを町で見かけましたよ」

本多は、禎子のところにきて言った。

「お義兄さんは、僕にお気づきにならなかったのですがね。それが、妙な店から出てこられたんです」

「妙な店?」

禎子は聞きとがめた。

「いや、こっちに住んでいる人なら普通ですがね。それが、クリーニング屋ですよ」

クリーニング屋? 禎子にも意外だった。

「ところが、その店から、あまり離れていない場所に、もう一軒、クリーニング店があるんです。なんだか悪いようでしたが、僕が、じっと見ていると、お義兄さんはそ

の店にもおはいりになったんです。そこも、すぐに出てこられましたがね」

「あの調子じゃ、全市のクリーニング屋をまわってらっしゃるかも分かりませんよ」

「………………」

禎子は息をつめた。口がきけなかった。

2

義兄の鵜原宗太郎が、金沢市内のクリーニング屋をまわっている。本多の口からそれを聞いたとき、禎子はわけの分からない動揺が起きた。

「クリーニング屋なんかに、どんな御用があるのでしょう？」

禎子は本多の顔を見た。

「分かりません」

本多もふしぎそうな表情をしていた。

「奥さんにも、お心あたりはありませんか？」

「全然ありませんわ」

本多が、心あたりはないか、ときいた気持は、禎子にはおよそ分かった。憲一と、その兄と、妻という一つの家族共同体の内には、外部から窺知《きち》できない特殊事情がある。義兄がクリーニング屋を訪ねて歩いているというとっぴな行動も、本多は遠慮がちにそのことに結びつけてみているのだ。

「東京ならともかく、金沢に着いたばかりの義兄が、いきなり金沢市内のクリーニング屋に用事があるというのは、どういうわけでしょう?」

それは、義兄がクリーニング屋に用事があるわけではないのだ。憲一とクリーニング屋との間の何かを、義兄が調べているということなのであろう。

「鵜原さんのことをクリーニング屋できいていらっしゃるんじゃないでしょうか」

本多も同じ意見を言った。

「そうだと思います。憲一はこちらが長うございましたからね」

憲一は二年間、金沢に在勤した。独身の彼は、洗濯《せんたく》ものをクリーニング屋に出していたに違いない。しかし、義兄は、その夫の洗濯物について、何を調べようというのか。

もし、それだったら、禎子にもそのことを話すはずである。それを、ひとりでこそこそと調べて歩いているのは、いかなる理由からか。

「こんなことを申しあげるのは、どうかと思いますが」

本多は、頰《ほお》を少しあかくして窮屈そうに言った。

「お義兄さんは、鵜原さんの今度の失踪《しっそう》について、ある程度、事情をご存じなんじゃありませんか？」

禎子は、はっとした。言われてみると、その考えは当たっているような気がした。義兄は容易に東京から離れなかった。仕事が多忙だという理由で、実弟が消息不明になったこの金沢にすぐに来ることもなかった。今までは、それは彼の楽観からだと思っていたけれど、その楽観でさえ、何か彼だけの特別な根拠があってのことだと思われる。

その証拠に、義兄が金沢に来てから、たいそう動きすぎるような気がする。京都の出張先からまわってきたというけれど、実は、内密に能登方面に行った形跡があるのだ。もし、それが、こちらの考えるような真実だとしたら、なぜ、その行動を禎子にかくしておかねばならないか。

彼は憲一の兄である。兄だけが、弟の秘密の一部を知っているのではなかろうか。そして、それは弟の妻である禎子に話したくないことではないか。

禎子は黙って考えた末、

「私には、よく分かりませんが、あるいはそうかもしれません」

と、うつむいて低い声で言った。

「奥さん」

本多は呼びかけるように言った。

「出すぎたことをするようで、僕は遠慮していたんですが、お義兄さんがクリーニング屋にどんな用事で行かれたか、そのクリーニング屋にききに行ってみたら、いかがでしょうか?」

禎子は顔をあげた。

「いや」

本多は、すこし口ごもったが、

「これはお義兄さんに不信を買うかもしれませんが、しかし、このさい、それは重要なことじゃないかと思うんです。お義兄さんがクリーニング屋に行かれたのは、鵜原さんに関係あることだとしたら、われわれも、それを知っておきたいのです。ただ、お義兄さんがなんらかの都合でこちらに話していただけないのですから、内密にクリーニング屋で知るほかありませんね」

と、熱心に言った。

それは、そのとおりだった。本多が熱心になるのも、義兄のクリーニング屋での用事が、夫の失踪の手がかりに関連がありそうだったからだ。

「ええ、それでは、これからお供をしますわ」

禎子が決心を言うと、

「そうですか」

本多は、どこか安心したような表情をした。

禎子は、別室で外出の身支度をしながら、本多も自分と同じ疑念を義兄にかけているのだと思った。そういえば、本多は初めて義兄に会ったときから、あまり好感をもっていないらしい。それは義兄も同じなのだ。

（あの本多という人、まじめなんですか？）

と、廊下でこっそりと禎子にきいたりした。

そのとき禎子は嫌《いや》な気持になった。義兄の質問の意味を直覚して、義兄の探るような目を感じた。早く東京に引きあげなければいけない、と心が叫んだのだ。

それは同時に、禎子のひけめを意味した。それだけの特別の目を本多は禎子に対して持っている。彼は自制しているけれど、ときどきそれがひらめき出て、禎子を当惑させた。気づいたり、当惑したりすることが、意識の上で義兄に負い目になっている。

義兄のそんな目つきを、敏感に本多もうけとったのであろう。彼も、義兄を好んでいないようだった。

二人は宿を出た。もう、夜になっていた。やはり、緑色の小さな電車に乗って行く。妙なことに、この電車も、禎子には日常生活の中に溶けこんでしまった。

下り坂の途中にある停留所で、本多が禎子をうながしておりた。

「ここから見たんですよ」

と本多が、辻《つじ》のところから、横町を指した。角から五六軒目のあたりに、クリーニングの白い看板が、外灯の下にかかっていた。洗濯物を入れる大きな籠《かご》をつけた自転車が二台、店の前に置いてあった。

店の中にはいると、二人の男が台の前にならんで、大きなアイロンを動かしていた。

本多が、質問をした。禎子は、すこし後ろで聞いている。

「はあ、確かに、今日の昼そんなお方が見えましたな」

主人らしい太った男が、アイロンを脇《わき》に置き、こちらを見て答えた。仕上げたワイシャツが、折り目をつけてきれいに積まれてあった。

「鵜原憲一さんというお客さんの洗濯ものが来ていないか、とたずねられたんですよ」

主人は、こちらの質問に答えた。

「そうですか、それで、お宅では、その洗濯ものを引きうけておられたのですか？」

本多がきいた。

「いいえ、それは来ていないのです。念のために帳面を繰ったのですがね。鵜原さんとおっしゃる方の上着はいただいておりません」

「上着ですって？」

本多がきき返した。

「そうです。たぶん上着だけを出しているはずだが、とおっしゃったのです。ダブルで、色は鼠《ねずみ》だそうです」

禎子は、その色の洋服なら、夫が金沢へ出発したときのものと同じだと思った。

「しかし、私どもでは預かっておりませんからね。そのとおり申しあげたら、お帰りになりましたよ」

クリーニング屋の主人は、また、アイロンの把手《とって》を握った。

二人はクリーニング屋を出て歩いたが、途中で顔を見あわせた。

「鵜原さんは、どうして上着だけをクリーニング屋に出したのでしょう？」

本多は、迷ったように言った。

「さあ、私にも分かりませんわ」

上着だけをクリーニング屋に出すとは、珍しいやり方である。なぜ、ズボンもいっしょに出さなかったのであろう。ズボンだけを取りかえるために洗濯に出すのは普通だが、上着だけというのは、少し変わっていた。

そして、義兄は、憲一のその習慣を知っていたのだろうか。

禎子は、ふと、気づいた。

「本多さん。鵜原が最後に、事務所を出たときですが、そのときの上着はどんな色だったか、覚えていらっしゃいますか？」

「そうですな」

本多は、すこしの間、考えるようにしていたが、

「やはり、鼠色でしたよ。僕が、東京からごいっしょした時と同じ洋服でした」

「そう」

そうすると、憲一は、そのあとに上着をクリーニングに出したのかもしれない。

「事務所にいる間、ずっとその洋服でしたの？」

「そうです。それだけでした」

今度は、本多は明快に答えた。

では、憲一は、やはり失踪後に、上着をクリーニングに出したのだ。上着だけを洗

濯に出す理由があったのだろうか？　何か、特別に汚れるようなことがあったのだろうか。それから、義兄は、それをどうして知ったのだろう？

だが、この仮定の上に立つと、一つだけ限定されることがある。それは、夫が、この金沢市内のどこかにひそんでいたということである。そうでなければ、上着だけを洗濯に出すはずはない。

夫は、なんのために、黙って市内に隠れていたのか。いや、現在でも、そのある場所に隠れているかもしれないのだ。それから、奇怪なことは、ある程度、義兄が、その事情を知っていることであった。

本多は、もう一軒のクリーニング屋に、禎子を案内した。

「はい、たしかに、そんなお方が見えて、同じことをきかれましたが、私のほうでは、お預かりしておりません」

その店主も答えた。

「もう少し、ほかをまわってみますか？」

本多は、禎子を見た。

「いいえ、結構ですわ」

禎子は疲れた。もう一軒、もう一軒と巡歴したところで、同じ結果のような気がした。

「そうですか」

本多は、禎子を気の毒そうに見て、

「じゃ、その辺で、お茶でものみましょうか」

と誘った。

喫茶店で向かいあってコーヒーをのんでいるとき、禎子は、考えていることを口に出した。

「本多さん、私、明日の汽車で、東京に一度、かえりますわ」

「え?」

本多はコーヒー茶碗《ぢやわん》を手に持ったまま、目をむいた。

「ああ、やっぱりお帰りになるのですか」

本多は、はっきりと失望の色を現わした。

禎子は、彼から視線をそらせてうつむいた。金沢から一度離れたい理由は、一つは本多の存在であった。——

「思わず、こちらが長くなりましたし、それに、東京に帰らなければ、今度のことがよく分からないことがあります。それを確かめてみたいんです」

実は、それが本当の気持であった。

本多は、黙ってうなずいた。しかし、彼の失望の表情は回復してはいなかった。そのことで、禎子は、圧迫を感じた。

「それで、帰京は、お義兄さんとごいっしょですか？」

本多は、のぞきこむようにしてきいた。

「いいえ。義兄には、宿へ電話で断わる程度にして、一人で帰りますわ」

その言葉は、義兄への不信を意味していた。あるいは、義兄との対立であった。

その意味がすぐに分かったのか、本多は、初めて安堵《あんど》の表情を流した。

「それがいいかもしれませんね」

彼は、やはり遠慮深く賛成した。

「お義兄さんは、まだこの金沢におられるかもしれませんが、その滞在中の行動は、僕が手紙で、奥さんにお知らせしますよ」

本多は禎子の顔を、まっすぐに見て、宣言するように言った。

前歴

1

　禎子《ていこ》は、朝、上野駅着の列車で帰った。金沢の雪の町を見なれた目には、東京の、晴れあがった蒼《あお》い空と、明かるい陽《ひ》ざしに光っている舗道や建物が、新鮮に感じられた。

　世田谷の実家にタクシーで来ると、母が玄関に走り出て迎えてくれた。

「ただいま」

「お帰りなさい。ご苦労さま」

　母は、禎子の顔を見まもるように眺《なが》めた。娘の頰《ほお》が落ちているのが、気づかわしそうだった。

「むこう、寒かったでしょう?」

「ええ」

母は炬燵《こたつ》の掛け布団《ぶとん》をめくって、いそいで火を掻《か》いたりした。

「あら、お母さま。こちら暖かいわ。大丈夫ですよ」

母は、娘が金沢の寒さをいつまでも身につけているように思っているらしかった。

縁側のガラスからさした陽が畳をぬくめていた。

母は茶の支度にとりかかった。

「あたくしがしますわ」

禎子が立ちかけると、母は、いいよ、いいよ、と言ってとめた。娘をいたわってい
る様子が見え、禎子は胸に来た。

「憲一さん、どうしても行方が分からないのかい?」

母は、禎子の向かいに落ちついてすわると、半分は心配そうに、半分は恐れるよう
に、眉《まゆ》をしかめてきいた。

「そうなんですの。電話で、あらまし申しあげたとおりなんですけれど」

禎子は詳しい経過を話した。ただ、義兄の行動についてはいっさい触れなかった。

母に聞かせることではなかった。彼が京都の出張からの帰り、金沢に立ち寄ったとい
う程度だけにした。

「でも、お義兄《にい》さんが金沢に見えてよかったね。兄弟だし、あんたが向こうにいるよ

りは、早く手がかりが分かるかもしれないね」

　母は、それを聞いて喜んでいた。母は単純に解釈しているのだが、たしかに義兄は禎子よりも憲一について多くを知っている。

「いまだに憲一さんのほうからも連絡がないし、警察で探していただいても分からないとすると、どういうことになるのかね？」

　母は、不吉な言葉を遠慮しているが、憲一の生死の問題が胸につかえているらしかった。

「お義兄さまのお話だと、憲一は大丈夫、生きているとおっしゃるんですけれどね」

　禎子は、義兄の強引な生存説を引きだした。

「そうかい、そうかい」

　母は、それだけのことで目もとを笑わせた。肉親の主張だから間違いないととっているらしいが、同時にそのことで禎子に安堵《あんど》を求めているところもあった。

「それで、お義兄さんは、金沢の方にまだ残っていらっしゃるのかい？」

　母はきいた。

「ええ。そうよ」

「そんなら、早く分かるかもしれないね。まあ、あんたは、お義兄さんのお帰りまで、落ちついて待ってるんだね」

母は、どこまでも義兄に期待をかけていた。

義兄と憲一とは、たしかになんらかの連絡があった、と禎子は思っている。義兄の楽観的な生存説はそのためであろう。しかし、容易に東京から離れなかった義兄が、ついに、京都出張を名目にして、金沢に来たのは、義兄の考えていた以上に、憲一の所在不明が長びいたからではあるまいか。禎子は、義兄の行動に一種の狼狽《ろうばい》があるように感じられた。

義兄の鵜原宗太郎《うはらそうたろう》は、金沢のクリーニング屋を次々にたずねてまわっていた。憲一の洋服が洗濯《せんたく》に出ていないか、と質問しているのだが、それはどのような意味であろう。憲一の失踪《しっそう》と洋服の洗濯とが、どう結びつくのか。

クリーニングに出したといえば、その洋服が汚れていたという以外には考えられない。憲一には洋服を汚すような行動があった。あるいは、そのような可能性が考えられた、ということだろうか。

それなら、それが憲一の不可解な失踪と、どのような関連を持つのであろうか。

禎子は、なんとなく、血の汚点を考えている。洋服に黒いしみとなっている血の汚点である。その血が、憲一自身のものなのか、他人のものかは分からない。少なくとも、それは憲一を失踪させる原因となっていそうである。

すると、義兄がクリーニング屋をまわっていることは、彼が憲一の行動に予測的な知識を持っていたことになる。言いかえると、義兄は、憲一の失踪に、十分な心あたりがあるのであろう。

それを、義兄は禎子に話したがらない。話すことができないのだ。禎子は、このときになってはじめて、憲一の失踪が、犯罪に関連しているのではなかろうか、とおもった。——

禎子は、母には、青山の義兄《あに》の留守宅に嫂《あね》を訪ねて挨拶《あいさつ》してくると言って家を出た。嫂の口から、もしかすると、暗示らしいことが引きだせるかもしれない、という下心があった。

嫂は、玄関脇《わき》の陽あたりのよいところで、子供を遊ばせていたが、禎子を見ると、

「あら、お帰んなさい」

と、邪気のない笑い方をした。

「金沢、寒かったでしょう？」

「ええ。雪がいっぱい降ってて」

「さあさあ、おあがんなさい」

嫂は茶の間に請《しよう》じた。

「憲一さん、まだ行方が分からないんですって？」

「ええ。はっきりしないんですの」

「困るわね」

嫂は、禎子の身体《からだ》を観察するような目つきをして、

「少し、お痩《や》せになったかしら？」

「さあ、自分ではよく分からないんですけど」

禎子は、微笑してうつむいた。

「金沢では、うちとお会いになったんでしょう？」

「ええ、お義兄さまに、いろいろご心配かけましたわ」

「まだ、帰ってこないのよ」

「ほんとに、お忙しいところを申しわけございません」

「いえ、そりゃ、あなた、実の弟のことですからね、禎子さんにも義理を感じていますわ」

「すみません」

「それに、うちは、せっかちですからね。こういうときは、向こうで、きりきり舞い

をして動きまわっているに違いありませんわ」

嫂は、だから憲一のことは禎子が探すよりも、夫が金沢にいたほうがずっと有効だ、と言外に匂《にお》わせていた。

嫂は単純に夫の行動性を信じているし、禎子は、義兄のその行動に疑問を持っていた。だから嫂の言葉に素直に相槌《あいづち》が打てなかった。

「お義兄さまの京都出張は、はやくから、お決まりでしたの？」

禎子は話を変えた。

「いいえ、あなたに電話した日にね、急に言いだしてすぐ発《た》ったのよ。どうして？」

「いいえ、金沢にいらっしゃるのが目的だったんじゃないかと思いましたの」

「そんなことないわ。だって、そりゃ、社用が第一ですもの」

嫂は、不満らしく軽く抗議した。

「ちょうどいいときに、京都へ出張があったものですから、金沢へ行ってみることになったのよ」

それでは、義兄は嫂にもかくして金沢に行ったのだ。禎子には、京都出張が嘘《うそ》としか思えないのだ。なぜ、義兄は、金沢に直行するのを、かくさねばならなかったのか。――

嫂は、茶をいれてきた。

「お嫂《ねえ》さま」

禎子は、多少、甘えるような口吻《くちぶり》で言った。

「お嫂さま方のご結婚、何年ぐらいになりますの?」

嫂は、勘違いして笑いだした。

「そうね。もう、十五六年ぐらいになるわ。うかうかしてたけれど」

「そうですか」

禎子はうつむいた。

「変ね、どうしたの?」

「憲一のことなんですが」

禎子は目をあげて、

「憲一は、前に巡査をしたことがございますのね?」

と、何気ないふうにきいた。

「そうそう、そうでしたよ」

嫂は素直に肯定した。禎子は結婚のとき、そのことは知らされなかったが、嫂の様子をみると、鵜原家では故意に秘匿《ひとく》しているわけでもなさそうであった。ただ、その前歴があまり花やかでないので、ことさらに言い立てなかったと解釈してよいようだった。

「勤務は立川署でしたか？」

禎子はきいた。

「そうよ。よくごぞんじね。憲一さんからお聞きになったの？」

「ええ、一度、なんだかそんなことを聞いたような気がしますわ」

禎子は曖昧《あいまい》な答え方をして、

「そのころ、お嫂さまのお宅にも、警察署のお友だちを連れてきていましたか？」

と、きき返した。

「そうね」

嫂は、考えるようなまなざしをした。

「そういえば、親しい人を引っぱってきていたようね。わたしが、よくごちそうした覚えがあるわ。ごちそうといっても、昭和二十五年ごろだから、もののないときで、ろくなことはできなかったけれど」

「そのお友だちの名前は分かりませんかしら？」

「そうね、待ってください」

嫂は、目を宙にむけて思案顔をした。

「そうそう、思いだしたわ。葉山《はやま》さんという方だったわ」

嫂は、名前を思いだしたことで、かすかに笑った。

「葉山さん……」

禎子は、記憶するように呟《つぶや》いた。

「そう。御用邸のある地名と同じなので覚えてるわ。憲一さん、あんな性質《たち》だから、あんまり友だちも大勢いなかったとみえ、その人だけと親しかったようだわ」

「そうですか」

「なあに、その葉山さんに会って、何かきいてみたいおつもりなの?」

嫂は、ちょっといぶかしげな顔つきをした。

「そう、そんな気もしますの」

禎子は、これは嫂にではなく、義兄に与える言葉として、柔らかに吐いた。

「藁《わら》をもつかむ気持って言いますわ」

「だって」

嫂は、さらに怪訝《けげん》な表情をした。

「それは十年近い前のことですわ。それ以後、憲一さんは葉山さんと交際もないし、無関係だから、分かりっこないわ」

「そうね」

禎子は、素直に返事したが、この家を出た足で立川に向かうことを考えていた。

「お義兄《にい》さま、いつごろ、お帰りですの？」

座布団から膝《ひざ》をすべらす用意をしながら、禎子はたずねた。

「さあ、まだ連絡がないから分からないけれど、明日ぐらい帰ってくるんじゃないかしら、社のほうも、そういつまでもあけていられないしね」

嫂は言ってから、

「帰ったら、いろいろ、分かるかもしれないから、お電話するわ」

と、禎子に元気をつけるように言った。

禎子は義兄の家を出ると、タクシーを拾って新宿《しんじゆく》駅に向かった。車の窓から見ると、春めいた暖かい陽が外苑《がいえん》の草の上に降りそそいでいた。金沢の暗い雪とはまるで違った世界の色である。

彼女は、能登の重く垂れさがった灰色の雲と、くろい海の色とを目に浮かべた。

2

立川の駅におりたのは一時間ばかりのちであった。

禎子には初めての町だった。外国兵が広い通りを歩いていたが、赤い色彩をつけた日本の若い女が腕を組んでいた。すぐ頭の上を、びっくりするような音を弾《はじ》かせて大きな軍用機が上昇した。歩いている人は慣れているのか、耳をおおいたいくらいの爆音でも、上を見る者もなかった。

立川の警察署は大通りから、かなりはいった場所で、大きくない建物だった。

「葉山さんにお目にかかりたいのですが」

正面の受付の巡査に言うと、年配の巡査は顔をねじむけて、

「葉山？　葉山何といいますか？」

ときいた。禎子は、名を知っていない。彼にそのことを言うと、

「古い人ですか？」

と、身体《からだ》をみんなこちらに向けた。

「十年ぐらい前に、立川署で、巡査をなさっていた方ですが」

禎子には、それくらいの知識しかなかった。

「ああ、それは」

巡査は、分かった、というようにうなずいた。

「葉山警部補でしょう。葉山という姓は、もとからここに一人しかいませんからな」

「いま、いらっしゃいますか?」

「おります。呼んできますが、あなたは?」

「鵜原とおっしゃっていただきとうございます」

巡査は、それを聞いて奥の方へ消えた。

まもなく、三十六七の、警部補の官服をきた警官が巡査の前に立って、急ぎ足で出てきた。

「鵜原さんは……?」

警部補は、禎子に大きく開いた目をむけた。

「はい、わたくしでございます」

禎子は、おじぎをした。

「葉山さまでいらっしゃいましょうか?」

「自分は葉山ですが、鵜原さんとおっしゃると、もしかすると、鵜原憲一君の……?」

警部補は、察したような顔をした。

「さようでございます。わたくし、鵜原憲一の妻でございます」

禎子は、低く頭を下げた。

「ああ、やっぱり、鵜原君の奥さんですか。それはどうも。さあ、どうぞこちらへ」

葉山警部補は、横に歩きだしながら、掌《て》で応接室を指した。

小さな応接室で丸い卓をへだてて、禎子は、中年太りしかけたあから顔の葉山警部補と向かいあった。彼の細い目が笑うと糸のようになり、話し方も朗らかだった。

あらためて初対面の挨拶《あいさつ》がすむと、警部補のほうから憲一の近況をきいたりした。

彼は、憲一とは七八年間ぐらい会っていないと話した。

「突然で、つかぬことをおうかがいしますが」

禎子は切りだした。

「鵜原は、こちらの署でどんな係りを勤めていたのでしょうか?」

「風紀係です。自分は交通係でしたが、鵜原君とは妙に気が合っていましてね」

「風紀係? それはどういう方面の担当でしょうか?」

禎子がきくと、葉山警部補のほうが、彼女の顔をじっと見て、

「奥さん、鵜原君がどうかしたのですか?」

と、先に反問した。

鵜原君がどうかしたか、という葉山警部補の問いは、妙な言い方である。初対面の挨拶ののち、すぐにそう言いだすのは、なにか思いあたることがあるのだろうか。

禎子が、思わず葉山の顔を眺《なが》めていると、警部補もそれに気づいたらしく、

「いや、失礼」

と、すこし顔をあからめた。

「もう七八年も前に別れた鵜原君、しかも、その初めてお目にかかる奥さんに訪問されたので、つい、そんなぶしつけな質問をしたのです」

聞いてみると、そのとおりであった。以前の同僚の妻と名乗る女に訪ねてこられたら、なるほど、これは別れた友人に変事が起こったと直覚するであろう。

「奥さん」

と、警部補は言った。

「僕は、受付から鵜原さんという婦人が面会だと聞かされたとき、すぐに、ははあ、これは鵜原憲一君の身内の方だと思いましたよ。鵜原という姓は、そう多くありませんからね」

「結婚はこの十一月でございました」

祯子は、すこしうつむいて言った。

「結婚前ですが、鵜原がたいへんお世話になりましたようで、ありがとうございました」

「いえ、こちらこそ」

葉山警部補は、すこしとまどったように、

「そりゃ、鵜原君のために、おめでとうを申しあげたいですな。ずいぶん、会いませんが……」

元気ですか、という挨拶を警部補は、のみこんだようだった。

「お尋ねのように、急に、こちらへうかがいましたのは、鵜原の身に、ちょっと変わったことができたのでございます」

祯子は言いだした。

「ははあ、変わったことと申されますと?」

警部補は、細い目を大きく見開いた。

「鵜原が、現在、A広告社に勤めていることは、ご存じでいらっしゃいましょうか?」

「はあ、それは、ずっと以前に、はがきをいただいて承知しております」

「鵜原はA社の北陸地方主任という役目をやっておりまして、おもに金沢に駐在しておりました」

　禎子は、その夫が、東京転勤に決まり、最後の事務引継ぎのとき、金沢に行ったまま、消息不明になった次第を、詳しく話した。

「社でも心配して、いろいろ探してくださるし、警察のほうにもお願いをしているんですが、いまだにはっきりしたことが分かりません」

　禎子は言った。

「わたくしは結婚して、あまり日が経《た》ちませんので、詳しいことは分かりませんが、家庭はそう複雑ではありませんから、そのほうの事情とは思えません。社のほうも調べてみて、なんらの理由も発見できないのです。つまり、鵜原の失踪《しっそう》には、誰にも心あたりがないのですわ」

　このとき、禎子の頭に、憲一の兄の姿がかすめたが、それは警部補には言えなかった。

「失踪とおっしゃったようですが」

　熱心な聞き手にまわっていた警部補が、はじめて口をひらいた。

「それは鵜原君の自主的な行動ですか？」

「よく分かりませんが、そうだと思います」

禎子は、確信的な答え方をした。

「他《ほか》の力、たとえば暴力や圧力で、鵜原が拉致《らっち》されたという考えは、わたくしには出てきません」

「なるほど」

葉山警部補はうなずき、ぬるくなった茶をのんだ。

「それで、鵜原君が、ここの署に勤めていたころの生活、そこから、鵜原君の今度の失踪の原因を、奥さんはたずねようとなさっているわけですね?」

警部補は、茶碗《ちゃわん》を卓の上に置いて言った。

「今も申しあげるとおり」

と、禎子は言った。

「鵜原とは、見合結婚でございまして、それに、日が浅いものですから、鵜原のことがすっかり分かっていたとは申せません。それで、最近になって鵜原が警察官をしていたことを知って、実は、すこし意外に思ったくらいでございますの」

「最近になって?」

警部補も、ちょっとおどろいたような目つきをした。

「鵜原君は、奥さんに話したことはないのですか?」

「聞いておりません。鵜原も話しませんし、鵜原の兄になるひとも教えてくれませんでした」

「そうですか」

「鵜原は、わたくしに話したくなかった、かくすわけではないけれど、警察官をしていたという前歴を、妻に話すのを好まなかった、そういう印象を、今になってうけるのです」

「失礼ですが、奥さんは」

と警部補は、控え目に主張した。

「少々、考えすごしていらっしゃるように思います。鵜原君が、警察官をやめたのは、けっして不名誉な理由があってのことじゃないんです。職務に熱心で、辞《や》めると言いだしたときは、署長はじめ、側《はた》の者がとめたくらいです。これは、鵜原君のために、奥さんにぜひ申し上げたいですね」

「どうも」

と、禎子が軽く頭をさげたのは、警部補が夫に寄せている好意に対してであった。

「それで、夫の職務は、風紀係だったということは、いま、うかがいましたけれど、それはどのようなことでございましたか？」

「鵜原君がここにいたときは、占領時代でしてね」

警部補は、説明をはじめた。

「いまでも、米軍の航空部隊の基地になっていますが、当時は、米軍人がこの小さな町にあふれていました。日本人の数が半分ぐらいに少なく見えたくらいです。それと、日本人だかアメリカ人だか分からないようなパンパンが、米軍人と同じくらいに多かったのです。現在は、米軍が引きあげて人数が少なくなり、女のほうも火が消えたようになりましたが、その頃《ころ》は大変なものでした」

禎子も、それは新聞などで、おぼろには知っていた。

「警察では、パンパンの狩込みをずいぶんやりましたがね。ちょうど飯の上にたかっている蠅《はえ》のようなもので、追っぱらっても、追っぱらっても、きりがない。ずいぶん、手こずったものです。風紀係というのが、その厄介な当面の実行者でしたよ」

禎子は、当時、新聞や雑誌に出ていた、警察のジープにすしづめにされている女たちの写真を思いだした。

「風紀係の鵜原君も、たいそう苦労したものです。僕《ぼく》とは係りが違いますが、仲がよかったものですから、彼の苦労話をだいぶん聞かされました。そうそう、鵜原君はこんなことを言っていましたよ。パンパンというのは無知なものだが、なかには、なかなか、しっかりした奴《やつ》もある。かなりな教育をうけた、頭脳《あたま》のいい女もいる。それから、教養はないが、無邪気なくらい心のいい女もいる。だんだん接触していると顔なじみになったりして、よく彼女たちの正体が分かるというんですね。それで、こんな女たちを、職務の上とはいいながら、いじめるのが、なんだか辛《つら》くなった、と言っていました」

「鵜原が、警察官をやめたのは、その理由からでしょうか？」

「それだけではないでしょう。当時は、ＭＰが絶対権力でしてね。われわれはＭＰに使われている岡っ引きか手先のような感じでしたよ。そんなあり方にも鵜原君は、警察官という自分の職務に懐疑をもち、なやんでいました。それで、しだいに警察官として身を立てるのが、いやになったのじゃないか、と思います」

禎子は立川警察署を出た。

葉山警部補と会って、鵜原憲一が警察官をしていたころを聞いたが、彼の失踪の遠い原因をここで発見することはできなかった。彼が占領時代、風紀係として勤めていたこと、それは主として、パンパンの取締りだったこと、彼は、当時の警察官のあり方に疑問をもっていたこと、それで嫌気《いやけ》がさして退職する気になったこと、要約すると、それくらいであった。

禎子が、はじめ、漠然《ばくぜん》と考えていたことは、憲一が警察をやめた理由が、何かの事故によるのではないかとの想像だった。憲一は自身で一度も、自分が警官だったと言ったことがない。何か、隠していたような感じがする。その言いたくないことが、警察官時代の彼の「事故」を想像させたのだった。もし、そのような暗いものがあれば、彼の今度の不可解な失踪の遠い糸の端になっているのではなかろうか。

しかし、それはなかった。少なくとも、葉山警部補の話からは、それを発見することはできなかった。すると、憲一が過去に巡査だったという身分を彼女にあきらかにしなかったのは、妻に対して、その経歴が、一つの卑屈感《コンプレックス》になっていたのであろう。男というものは、気に入った妻に、自分の過去のいやな職業のことは言わないものだ、と禎子は友だちの誰《だれ》かに聞いたことがある。禎子にも、それは理解できるような気がした。

駅に行く途中、赤い服装をした日本の若い女がアメリカ兵を連れて、横から出てきた。若い女は英語をしゃべり、米人は高い背をかがめ、うなずきながら前の道を歩いて行く。禎子が見ると、その二人が出てきた家は、農家を改造したような構えで、防風林のような立木が周囲にあった。その木立の隙間《すきま》からは、武蔵野の広い畑の縞《しま》がひろがっていた。遠いところに陽《ひ》が当たり、雲の動きのために、陽射しが移動していた。

　繁華な通りに出ると、町の名前は、アメリカ名だったりした。爆音が空気を裂いて、上を通りすぎた。

　禎子は、すこし疲れて家へ帰った。

「あなたの帰るのを待っていたよ」

　母は、禎子の顔を見て、妙に緊張した顔で言った。

「青山のお嫂《ねえ》さんから、たびたび電話がかかってね。禎子さんが帰ったら、すぐに青山に来てください、とおっしゃるの。なんだか、ひどく、あわてたような声だったよ」

「へえ、何かしら?」

　とっさに頭にきたのは、憲一の消息のことだった。禎子も自分で顔色が変わるのが分かった。

「お義兄《にい》さんがお帰りになって、憲一さんのことが分かったのじゃないかしら?」

　母も、それを、息をつめたように言った。

「そうかもしれないわ」

禎子は、かすかにうなずいた。

「いいことかしら、よくないことかしらね?」

母は、おびえたような目をしていた。いいことではない、それなら嫂《あね》が、さっそくに、母にも喜んで告げるはずである。狼狽《ろうばい》したような声で、禎子が帰ったら、すぐ来てくれ、というのは、よくないほうに決まっている。

「さあ、分からないわ」

と禎子は、母には一応、言った。

「とにかく、すぐ、青山に行ってきます」

帰ったばかりだから、支度はそのままでよかった。

「禎子、何を聞かされても、落ちつくんですよ。そうして結果が分かったら、すぐ電話して頂戴《ちょうだい》」

母は、語尾をふるわせていた。

「はいはい」

禎子は、わざと微笑した。

「大丈夫よ、お母さま」

しかし、家を出てから、青山に行く途中、タクシーの窓から流れる町の風景が色彩を消し、灰色に見えた。胸がつまり、動悸《どうき》が速かった。身体の中に穴があいたみたいだった。


青山の家の前まで行くと、子供が二人で遊んでいた。

「おばちゃま」

と子供は、禎子を見あげて、手をたたいた。

「お父ちゃま、お帰りになったでしょ？」

禎子が言うと、

「ううん。まだだよ」

と、子供は首を振った。

玄関に、嫂がすぐに出たが、その顔色が妙にくろいのを、禎子は真先に見た。

「おそくなりました」

と言うと、ふだん、快活な嫂は笑いもせずに、禎子を奥に入れた。子供があとから
ついてこようとするのを、彼女は叱《しか》った。

「禎子さん、困ったことができたわ」

嫂は、さっそくに言った。表情が硬《かた》くなっていた。

「なんでございますの？」

禎子は、どのようなことでも受けとめる用意を、心でした。

「主人がね」

と嫂は、禎子の顔を見て、いつもとは違う声を出した。

「行先が知れなくなったのよ」

「えっ」

禎子は、びっくりした。憲一のことではなく、嫂がおろおろしているのは、夫の鵜原宗太郎のことであった。

「お義兄さまの行方が知れないって?」

呆然《ぼうぜん》としてきき返した。

「そうなの。会社から、どうして出社しないのかって、ききにきたものだから、京都に出張して、その帰りに、金沢ですこし用事をしていると言ったら、京都に出張の用事はないって、社の人は言うの」

「まあ」

禎子は目をみはった。嫂の考えていることとは別の驚きである。義兄の京都出張は嘘《うそ》だった。彼は、やはり金沢にまっすぐに来たのだ。禎子の目には、能登の帰りの汽車をおりたとき、金沢の駅で見かけた義兄によく似た人の後ろ姿が浮かんだ。

「私も、おどろいたわ。それで、あわてて、主人の泊まっている金沢の旅館に電話したの。そこに着いたとき、主人から電話で連絡がありましたからね。すると、どうでしょう、一昨日の三時すぎから外出していて連絡がない、という返事なの」

一昨日の夕方、それなら、禎子の宿を訪れた、あの日ではないか。

「一昨日の夕方なら、昨日の朝か、少なくとも昨日の晩には、東京に着いているはずだわ。それが、まだ家に帰ってこないのは、何かあったんじゃないかしら。いつもは、かならず連絡してくれる人なのよ」

「でも」

禎子は言った。

「今日のことでしょう。まだ一日か二日しか経《た》っていないし、そうご心配なさることはないと思いますわ」

「ええ、そうは思ってもみるけれど」

嫂は不安な顔を消さなかった。

「憲一さんのことがあるから、心配だわ。第一、主人が私に嘘をついて京都に出張するという理由が分からないわ。社のほうでは、親戚《しんせき》に不幸ができたといって、三日間の休暇をとっていると言うの。ねえ、禎子さん、私、なんだか、主人が憲一さんと同じようなことになったような気がするわ」

そのことを証明するような電報が来たのは、嫂の言葉を聞いて一時間とは経たなかった。

それは、鵜原宗太郎の身に起こった、憲一の場合よりもっと決定的な、悪い知らせであった。――

毒死者

1

玄関の呼鈴《ベル》が二度つづけて鳴った。訪問者にしては、かなり無作法な、乱暴な鳴らし方であった。どこか押しつけがましいところがある。

嫂《あね》の顔色がすこし変わったようだった。禎子を見て、立とうか立つまいか、とためらっている。嫂をおそれさせた瞬間の不安は、次に、はっきりとした呼び声になって表から聞こえた。

「鵜原さん、電報です。鵜原さん、電報」

禎子は、はっとして嫂を見た。

「禎子さん」

嫂は顔をそむけ、肩をちぢめて言った。

「あなた、出て、受けとってくださいな」

心細そうな声であった。予定どおりに帰ってこない夫への不安が、電報の声に脅《おびや》かされ、日ごろの快活さが色を失っていた。

禎子は玄関に行き、ドアをあけた。

「鵜原宗太郎さんですね？」

若い配達夫は、電報を握っていた。

「そうです」

「判をおしてください」

禎子は、電報を受けとって奥に戻《もど》った。

「お嫂《ねえ》さま、電報ですわ。判はどこにありますかしら？」

「箪笥《たんす》の、右側の小引出しにあるわ」

禎子が判コを探しだし、玄関に待っている配達の受取りにおして、茶の間にかえってきたが、嫂の傍《そば》には電報が開かれぬままに置いてあった。

「あら」

「禎子さん、あなた、先に読んで頂戴《ちょうだい》」

嫂は胸をかこうようにして、火鉢《ひばち》の上によりかかっていた。

禎子は、たたんだ白い紙をとりあげ、中を開いたが、二行の片かなが彼女の視神経を殴った。

「ウハラソウタロウサンガ　ナクナラレマシタシキユウカナザ　ワヘオイデ　コウカナザ　ワケイサツシヨ」

禎子は、黙ったまま棒立ちになっていた。指先がふるえてきた。自分でも顔が蒼《あお》くなってゆくのが分かった。

「禎子さん、読んだ？」

火鉢にうずくまったまま、嫂は背中ごしに言った。

禎子は口がしびれて利《き》けなかった。頭の中に、いきなり熱い湯を注ぎこまれた意識になった。

（義兄が、死んだ）

動悸《どうき》が息苦しく打つのである。発信人が、金沢警察署だという意味を知ろうとした。

ったのだった。

そのことは、動揺している彼女のどこかに多少、第三者的な冷静さが流れているのだ

「禎子さん」

嫂は、前よりもっと低い声を出した。

「電報は、なんと書いてあるの?」

嫂は小動物のように恐れていた。

(鵜原宗太郎さんが、亡くなられました。至急、金沢へおいでこう。金沢警察署)

この死の発信は警察署から打たれている。ただ、その死が、自殺か、他殺か、あるいは事故死か分からないのだ。禎子は、しかし、他殺だと直感した。義兄の急死が、夫の憲一の失踪《しっそう》と同じ線の上にならぶのである。だから、それははっきりと、夫の失踪が他殺だという直感にもなった。

「お嫂さま」

禎子は、電報を片手に握ったまま、硬《こわ》ばった顔で嫂の横にすわり、その背中に手を当てた。——

汽車は、あくる日の午後七時すぎに金沢駅に着いた。

十時間という長い旅である。禎子は昨夜はほとんど眠っていない。実家へ帰って母に告げたり、支度をしなおして嫂のところに来たり、それから朝を迎えて上野の駅に駆けつけるまで嫂といっしょに起きていた。急な話で留守の間、義兄たちの子供は、禎子の母が来て世話をすることになっていた。

長いが、苛立《いらだ》たしい旅である。汽車の内の嫂はクッションに倒れかかって、泣いてばかりいる。泣かないときは、崩れかけた身体《からだ》を窓に寄せて、ぼんやりと外を眺《なが》めている。風景は雪景色になっていた。通過する駅のホームには雪搔《ゆきか》きで、白い壁ができている。嫂の腫《は》れた赤い目に、強い雪の反射が痛そうであった。

嫂は、茶をすすめても飲まなかった。むろん、禎子が買った弁当は首を振ってうけつけない、それから、時をおいてこみあげたように激しく嗚咽《おえつ》するのであった。

禎子は、傍観者の位置で、この嫂の横にすわっていた。身体をすりよせてすわっても、しょせんは、この嫂の何分の一かの悲哀も感じることはできない。それは、どう努力しても仕方のないことであった。

禎子は、死んだという義兄が、あまり好きではなかった。彼は、多少世俗的なサラリーマンであり、常識人であった。世俗的な、というのは、世渡りのためには、どこかこずるいところがあるという意味で、会社でも、きっと上役の間をうまく立ちまわり、同僚をおだてながら、いつも自分だけがいい場所に立とうとしている、という感じの男に思われた。この感じ方は、義兄にはじめて会ったときからしていたのだが、彼が金沢に来てからのふしぎな行動で、禎子の心にいっそう濃い影を落とした。

たとえば、義兄は、憲一が消息を絶ったとき、それほど騒ぎはしなかった。禎子が金沢に来ても、社長が死んだので手が抜けないとか、憲一は大丈夫だ、とか言いながら、容易に腰をあげようとはしなかった。それが金沢に来ると、京都出張の帰りだ、などと嘘《うそ》をついている。そのときもまだ、憲一の生存説を主張していた。

妙なのは、義兄が市内のクリーニング屋を訪ねてまわっていることだった。憲一の洗濯《せんたく》ものの洋服をきき歩いているのだ。目的も理由も分からなかった。

しかし、今から考えると、義兄の宗太郎は夫の憲一の失踪の理由を確かに知ってい る。彼が弟の行方不明について、どこまでも楽観的であり、生存を言いはっているのは自信があってのことなのだ。そして、その確信は、彼が金沢に来てからも持っていたことなのだ。彼がクリーニング屋まわりをしているのは、あきらかに、禎子には分からない憲一のある秘密の部分を、義兄だけが知っていることの行動ではないか。

言いかえると、義兄だけが持っている憲一についてのデータで、義兄は弟を探していたのである。そして、それが分かりかけたとき、義兄は、誰《だれ》かの手で殺されたのではなかろうか。

そう思うと、前にも一度考えたことだが、憲一の洋服についている血の汚点を想像するのである。義兄はそれまで知っているのであろう。彼と、洗濯屋まわりとの関係は、そのように解釈して、はじめて筋道が立つように思われる。

もし、義兄の死が他殺だとしたら、それは憲一の失踪に関連して起こったことなのであろう。同時に、それは憲一と、義兄とに、共通の秘密があったということなのだろうか。——

禎子は、すすり泣いたり、溜息《ためいき》をついたりしている嫂の横で、自分だけの思索の中に勝手にこもった。

2

暗くなった金沢駅に着くと、ホームの人ごみのなかから、小走りに近づいてくる男がいた。それは本多良雄であった。

「あ、本多さん」

禎子は、生気を失っている嫂《あね》を、かかえるようにして、立った。

「どうも」

本多は、禎子を見て、なつかしそうに目を微笑《わら》わせたが、嫂を見て、すぐに誰かと察したらしく、

「お疲れでしょう」

と、どちらにともなく頭を下げた。

「警察署にきいたら、この汽車でいらっしゃると、返電があったように聞いたもんですから」

「すみません」

禎子は、本多の変わらない親切がうれしかった。

「お嫂《ねえ》さま、この方が、お話しした本多さんですよ」

嫂はそれでも、ていねいにおじぎをした。本多は嫂の弱った顔を見て、すこし驚いたようだった。彼は、車を待たせてあると言い、二人分のスーツケースを持って先に立った。

車の中では、本多が助手台にすわり、女二人が座席にならんだ。そういう位置では、話も何もできはしない。三人とも黙って、車の走っている前を眺めていた。道路は白かったが、それほど積もっている雪でもなかった。

着いた旅館は、禎子が、前に泊まった家だった。

「やはり、この宿にしたんです」

本多は、おりる前に振り返って言った。

部屋だけは、前とは違っていた。それは本多の考慮かもしれない。禎子も、数日をひとりで過ごした部屋に、このようなことで嫂といっしょにはいるのは、心が染まないのである。その気持を察している本多の繊細な神経に、禎子はすこし驚いた。

女中が四五人で迎えてくれた。みんな禎子の知った顔だったので、たぶん、この地方を騒がしたに違いない殺人事件の遺族として、露骨な好奇の表情にさらされることもなかった。

義兄の死が、どのような種類のものか一刻も早く知りたい。禎子は、嫂に聞こえぬように、本多にそっときいた。

「他殺なんです」

本多はささやいた。そう答えた瞬間の彼の目は興奮していた。

「いずれ、お話しするつもりです」

やはり、そうだった。予感はあたっていた。禎子はうなずいて目を伏せた。

お話しする、という本多の言葉は、八畳ぐらいの部屋に、三人の座が決まってから始まった。

「奥さまには、たいへんお気の毒で、申しあげようもございませんが、ご主人が不慮の災難で亡くなられた事情をお伝えいたします」

本多は、嫂に頭をさげて言いだした。

「これから、すぐに警察署においでにならなければなりませんし、詳しいことは、係官からお聞きとりになることと思いますが、ここで僕《ぼく》から、ざっと申しあげておきます」

警察署へ行って、不意に驚愕《きょうがく》するよりも、一種の予備知識として概略を話す、というのが、本多の気持らしかった。

禎子は、嫂の傍に寄って、手を握った。

「この金沢から南の方、山岳地帯へ私鉄が出ておりまして、白山下《はくさんした》というのが終点になっております。その途中に、鶴来《つるぎ》という町がございます。金沢から私鉄の電車で五十分ぐらいの距離です。鵜原宗太郎さんは、二十日の晩、この町の加能屋《かのうや》という旅館で、誰かの手で、青酸カリをのまされ、亡くなられました」

嫂が目をむき、身体《からだ》をびくりとふるわした。禎子は握っている手に力を入れたが、その痙攣《けいれん》がおさえきれなかった。

「ここに新聞記事があるから、読みます」

本多は、ポケットから四つにたたんだ新聞をとりだしてひろげた。

「十二月二十日の午後六時半ごろ、鶴来町××番地旅館加能屋に四十歳ぐらいの男が現われ、『ちょっと人を待ちあわせるから、部屋を貸してくれ』と言うので旅館の女中が二階六畳の間に案内すると、客はウィスキーをのみたいから、コップと水さしとを持ってきてくれ、と頼んだ。女中が、ウィスキーがないというと、客は、ポケットから小型のウィスキー瓶《びん》を出して見せ、せっかく、今人に貰《もら》ったから、待ちあわせの間、のんでみたい、と言っていた。女中は言われたとおりに、水さしとコップとを持って行ったところ、客は、『ありがとう』と言ってそのときは二階から外をのぞいていた。女中はそのまま、階下におりたが、約一時間後になっても、待ちあわせている人間もこず、客の時間の都合をきくために二階にあがると、その男は、畳の上に仰向《あおむ》けになって絶命していた。台の上には小型ウィスキー瓶が四分の一ぐらい減っており、コップは空《から》になっていた。

所轄《しょかつ》署でただちに検視したが、現金三万八千円入りの財布はそのままになっており、服装も悪くないが、身もとを知る手がかりがなかった。死体の状況から見て、青酸中毒死の疑いが濃厚なので、ただちに金沢署に連絡、市内××大学付属病院で解剖に付することにした。同時に、のみのこりのウィスキー瓶を押収《おうしゅう》、内容物の検査を同病院病理室に依頼した」

本多は、ここまで読んで、顔をあげ、

「これが、昨日の朝刊の記事です。それから昨夜の夕刊と、今朝の朝刊をつづけて読みます」

と、別の二枚をとりあげた。

「鶴来町の旅館で怪死をとげた男について、付属病院で解剖したところ、死因は青酸中毒と判明、またウィスキー瓶の内容についても精査したところ、青酸カリの混入が認められた。また、コップに付着した残滓《ざんし》にも同様の痕跡《こんせき》が検出された。

金沢署捜査課では協議の結果、左の点を総合して、他殺と断定、ただちに捜査活動に移った。

①問題のウィスキーは、ポケット用の小瓶で、被害者は旅館の女中に、『人から貰ったものだ』と言っていた。

②『人を待ちあわせる』と言ったとおり、本人の様子が実際に誰かを待っているふうにみえたこと。

③態度は快活で、自殺するような様子ではなかったこと。

目下、身もとが分からないので鋭意その割りだしを急いでいる」

「鶴来町の毒殺事件について、被害者の身もとが判明した。金沢署では、被害者が東京あるいは京阪神方面の居住者と推定、この地方へ旅行してきた人間という見方から、金沢市内の旅館を調べているうち、新聞記事を見て、市内○○町亀井《かめい》旅館より届出があった。宿帳により東京都港区赤坂青山南町××番地××商事株式会社営業部販売課長鵜原宗太郎氏（四一）と判明した。鵜原氏は去る十九日夜より同旅館に投宿していて、二十日午後三時半より外出していた。同署では、遺族に打電して呼びよせる一方、同旅館に残っている同氏のスーツケースなどの内容物をとりだしたところ、ほとんど着替えの衣類や洗面具のようなものばかりで、これからは捜査の手がかりになるようなものは現われなかった。

また、同じ新聞記事を見ての届出により、鵜原氏は亀井旅館にはいる前、十七日夜より十九日夕刻まで市内××町いとう旅館に投宿していたことも判明した。

金沢署では捜査本部を設け、事件捜査に当たっているが、目下、鵜原氏が亀井旅館を出てから鶴来町の加能屋旅館に到着したまでの足どりを追っている。そのため、①午後四時から六時までの間、北陸鉄道の電車の中で被害者を目撃した者はなかったか。特に同行者に注意した者の届出を待つ一方、この方面の聞きこみにあたっている。これは鵜原氏が宿の女中に問題のウィスキーを、『今、人から貰ったものだ』と洩《も》らしたことで、犯人があらかじめウィスキー瓶に青酸カリを入れ同氏が加能屋にはいる直前に手渡したという推測からである。
②鵜原氏は加能屋の近くで、同行の犯人と別れ、犯人は何かの用事を設けて逃走した。同氏は、犯人の約束を信じて同旅館で待っていたが、その間に問題のウィスキーを水割りにしてのんだ。ウィスキーの量が四分の一減っているところから、混入の青酸カリを致死量のんだと思われる。
③鵜原氏が『人を待っている』と言った人間と、同行してウィスキーを与えた人間とが同一人物かどうかについても検討しているが、目下、鶴来町一帯についての聞きこみにあたっている」

北陸鉄道

1

鵜原宗太郎《うはらそうたろう》の遺骸《いがい》は、嫂《あね》と禎子《ていこ》が確認し、その日のうちに火葬場に送った。

金沢の警察署でも、新聞記事に出ている以上のことは聞けなかった。

鵜原宗太郎は、十二月二十日午後三時半、金沢の亀井旅館を出て、六時半には、金沢より南へ十一キロ、鶴来町の加能屋という旅館に現われた。

鶴来町は金沢から白山下に出ている電車の途中駅で、約五十分を要する。

この加能屋では、鵜原宗太郎は、人を待ちあわせるから、部屋を貸してくれ、と言い、二階六畳の間で、青酸カリ入りのポケット用ウィスキーを水割りにしてのんで死亡したのである。

旅館の女中の証言では、宗太郎は、問題のウィスキーを「人から貰《もら》ったものだ」と言ったという。だから、彼は、毒入りとは知らないでのんだのである。つまり、そのウィスキーを彼に手渡した者が、毒殺犯人ということになる。

宗太郎は「人を待ちあわせる」と言っていたが、それが何者かは、少しも分からない。彼が死亡したあとも、彼を加能屋にたずねてきた人物はいないので、その人物は宗太郎の死を予期していた疑いが濃い。すると、その「待っている人物」が犯人か、共犯者か、あるいは事情を知った者に違いない。

警察でも、この点に強い関心を持った。

宗太郎の妻と、彼の弟の妻が二人いっしょに金沢に来たので、さっそく、この点をきかれた。

「ご主人は、金沢に知人がありましたか?」

捜査主任は質問した。

「いいえ、そのような人はありません。主人は金沢に初めて来たのです」

禎子の聞いている前で、嫂は答えた。

「どういう用事で来られたのですか?」

「実弟の鵜原憲一が、こちらのA広告社の主任として金沢に駐在していましたが、それが突然、行方不明になったので、心配して来たのです」

「ほう。弟さんが行方不明になられたのは、いつごろのことですか?」

主任は、興味を持ったようだった。

「それは、私の夫ですので、私から申しあげます」

禎子は、憲一の失踪《しっそう》のことを述べた。

「捜索願いも出しまして、署の方にも、ご面倒をかけています」

「そうですか、ちょっと待ってください」

主任は、それを知るために、家出人捜索願いの綴《と》じこみを出させ、紙をめくっていたが、

「ああ、出ていますね。誰《だれ》が受けつけたのだろう」

と呟《つぶや》いた。

「あの、ちょっと年配の警部補の方ですが」

禎子が口を出すと、主任は、分かったというような顔をし、

「その人は、いま出ていますから、あとで聞くとして、奥さんからも、事情を一応聞いておきたいものです」

と、説明を求めた。禎子は、憲一のことをあらためて言わねばならなかった。主任は、捜索願いの記載に目を落としながら、聞いていたが、

「それで、だいたい分かりました」

とうなずいた。

「では、まだ、憲一さんの行方は、分からないわけですね？」

「はい。社のほうでも心配してくださってるんですが」

主任は考えていたが、

「もし、憲一さんがどこかにいらして、兄さんと会う約束があった、それで宗太郎さんは金沢から鶴来に行かれた、ということは考えられませんか？」

と、予測を言った。主任の推定では、宗太郎が「人を待っていた」という「人」が、憲一ではないかと思っているらしい。

禎子は、はっとした。そうだ、それはありうるかもしれない。

義兄は、あくまでも、憲一の生存を主張していたのだ。それは漠然《ばくぜん》とした信じ方ではなく、根拠がありそうに思えた。だから、憲一が生きていて、義兄を鶴来の旅館に呼び、会う約束をした、という線は考えられるのである。

しかし、その場合、例の毒物入りのウィスキーは誰の手から義兄に渡ったのか、憲一ではないにしても、その「待ち人」が後から来るはずなのに、姿を見せなかったのは、憲一が兄の変死を知っていたことになるのである。

「いや、それは青酸カリ入りのウィスキーのこととは関係ないことですね」

捜査主任は、禎子の心を察したように言った。

「それはなんとも判断がつきません。しかし、憲一が生きているとしたら、それも、ないことではないと思います」

「そうですか、なるほど」

主任は顔の長い、柔和な目つきの人だったが、声も低かった。

「いま、宗太郎さんには、金沢地方に知人がないとおっしゃいましたが、弟の憲一さんの関係で、その方面の知人はありませんでしたか？」

「さあ、それはないと思います」

禎子が答えると、主任は嫂の方を向いて、

「奥さんも、同じ意見ですね？」

と、念を押した。

「はい」

嫂はうなずいた。

「宗太郎さんは、以前にこの地方におられたか、旅行でこられたことがありますか？」

いわゆる土地カンの有無《うむ》の質問だった。

「いいえ。主人は憲一さんが金沢にいる間、一度遊びに行ってみたい、今まで行ったことのない土地だから、と言っていましたから、今度が初めてだと思います」

「宗太郎さんが当地に来るとき、誰か同行者はありませんでしたか？」

「なかったと思います。主人は私に、一人で京都へ出張し、その帰りに、金沢にまわるかもしれない、と言っていましたから」

そのことは、宗太郎の泊まっていた金沢のいとう旅館、亀井旅館を調査ずみであった。宗太郎は、単独で泊まっていたのだった。

「宗太郎さんが、自殺なさるようなお心あたりは、ありませんか？」

主任は確かめた。

「それは、絶対にありません。原因からも、そぶりからも、自殺を考えることはできません」

嫂は強く首を振った。

「では、他人から恨まれるようなことは？」

「なかったと思います。主人は、朗らかなほうだし、敵があるとは思えません。そんなことがあれば、私に言ってくれると思います」

捜査主任は、どうもありがとう、と礼を言い、質問を切った。それから、死体の解剖も終わったから、遺骨にしてもいい、と許可した。

「その小型のウィスキー瓶《びん》には」

禎子が、今度はきいた。

「指紋がついてはいませんでしたか?」

「宗太郎さんの指紋ばかりでしたよ」

主任が答えた。が、それにつけ加えて言った言葉は微妙だった。

「そのウィスキー瓶に、女の指紋がついていると、助かるんですがね」

「女の指紋?」

それには、嫂も禎子も、思わず捜査主任の顔を見つめた。

「いや、これはおききしたいことだったが、今まで黙っていたんです。実は、宗太郎さんといっしょに鶴来町に同行したと思われる婦人の目撃者が出てきたんですよ」

主任は、おとなしい口調《くちょう》だったが、目は宗太郎の妻の顔と、禎子の顔とを観察するようだった。嫂は息をのんでいた。

「目撃者の話では」

と、捜査主任は言いだした。

「金沢から鶴来町に行く北陸鉄道に乗っていた電車客ですが、二十日の午後六時ごろ、鶴来駅におりたとき、ちょうど、宗太郎さんらしい男が、若い女といっしょに、同じ電車でおりて加能屋の方へ歩いてゆくのを見たというのです」

「若い女ですって?」

禎子がきき返した。

「そうです。ちょっと見て、二十三四ぐらいの、派手な色合の洋装で、頭にはネッカチーフをかぶっていました。ここに、その服装の詳しいことが控えてあります」

主任は机の上に重なっている書類の一枚を抜いて手に取った。

「ネッカチーフは桃色のような地色に、小さな模様がはいっていたそうです。オーバーの色は、明かるく冴《さ》えた蘇芳色《すおういろ》がかった赤で、この色がたいそう目立ったそうです。というのは、この辺では、ほとんど土地の人ですから、よそから来た人は目をひくんですね。それに、その女は、きれいな顔をしていて、赤いオーバーの襟《えり》からのぞいた緑色《グリーン》のマフラーが、強くひきたっていた、と見た人は言うのです。婦人はスーツケースを持っていたそうです。これは、駅前で見た人の話ですが、宗太郎さんらしい人は、その若い婦人と何か低い声で話しながら、加能屋の方へ行った、ということだけは、見届けていますが、六時ごろというと日が暮れて暗いので、それきり分からないと言っています。その人の帰る方角が違うものですから」

主任はつづけた。

「次に、その同じ婦人と思われるのを、約四十分後、六時四十分発の寺井《てらい》行きの電車の中で見たという乗客が出てきました」

「寺井？」

「ああ、ご存じないわけですな。寺井というのは北陸本線で、金沢から西へ五つ目で、その次の次が温泉のある粟津《あわづ》です。鶴来からは、金沢線と、寺井線とが出ているわけで、この三つの駅は、ちょうど、三角形をしています」

捜査主任は、禎子たちに分かるよう、鉛筆で略図を描いて説明した。

「そこで、こういうことになるんですね。その赤色のオーバーを着た若い女は、金沢方面から、宗太郎さんといっしょに電車で鶴来に来て、宗太郎さんだけが加能屋へはいり、若い女は途中で別れ、鶴来駅から寺井行きの電車に乗った、ということですね。目撃者の話では、やはり桃色のネッカチーフをかぶり、座席にすわってスーツケースを膝《ひざ》の上にかかえ、窓の方をぼんやり見ていたそうです」

主任は、ここまで話してきて、宗太郎の妻と禎子とを見くらべた。

「どうです、そういう若い婦人に、お心あたりはありませんか？」

禎子も嫂も首を振った。

「全然、心あたりがありませんわ」

二十三四の女。派手な洋装をした若い女——禎子は、霧の中を見すかすように、それを考えていた。

「もう一度、おききしますけれど、お心あたりは全然ないわけですね?」

主任は、念を押した。

「ありません」

嫂は答えたが、複雑な表情をした。

「たとえば、こんなことをおききしては悪いかもしれませんが」

捜査主任は、嫂の気持をよみとったようにすこし遠慮そうにきいた。

「宗太郎さんは、奥さんにはかくして、べつの女と交渉があった、というようなことはなかったでしょうか?」

「それは、はっきり、なかった、と申しあげていいと思います」

嫂は、きっぱりと言った。

「主人は、その方面は堅く、結婚して一度もそんな事実がありませんでした」

「そうですか」

主任は、失礼しました、と言って、

「いや、われわれのほうでも、その若い女が、ご主人と特殊な関係を持っている女とは考えていません。鶴来のときに、突然に姿を見せただけですからね。ご主人の金沢での様子を洗ったのですが、まったくそのときは現われていません。つまり、その若い女は、鶴来に宗太郎さんと同行するだけの役目をしています。そしてすぐに、金沢ではなく、寺井の方へ引き返してるんですからな」

捜査主任は、初めて煙草《たばこ》をとりだして火をつけた。

「その女が、ご主人の毒死に重要な関係を持っていることは確かのようですな。目下、寺井方面でその女の行方の聞きこみ捜査をやっていますが、寺井駅で乗りかえて福井方面に行ったにしろ、あるいは粟津あたりにおりたにしろ、そんな服装の女なら、誰かが気づいているはずだから、分かると思いますよ」

次に、捜査主任は、禎子の方を向いて、

「あなたのご主人が失踪されたことを、われわれのほうでも、もっとよく調べてみたいと思います。お兄さんの宗太郎さんが、憲一さんの行方不明になったのを調べに、この金沢にこられて、こんな事件が起きたのですから、これは両方の間に必然的なつながりがあるように思われます」

と、目を見開くようにして言った。

鵜原憲一の捜索願いは、今までは単なる家出人として取りあつかわれたが、今度はそうではないのだ。兄の宗太郎の他殺に、かならず弟の失踪がからまっている。もう、普通の家出人としてではなく、これには、はっきりと、ある犯罪の匂《にお》いがしていた。

捜査主任は言葉には出さないが、その顔の表情から、憲一の失踪に重大な疑惑をかけているようだった。

「おとりこみのところを申しわけありませんが」

と主任は、禎子に言った。

「ご主人が行方不明になられた事情について、どうぞ詳しい説明をしてください。あとで捜索願いにもとづいて調べたという当署の警部補もまいりますから、いろいろと検討してみたいと思います」

「承知いたしました」

禎子は言った。

「それは、私のほうからもお願いしたいことです。ついては、主人が勤めていた会社の方もいろいろと心配して探してくださっているので、その方のお話も聞いていただきたいと思います」

「それはなんという人ですか？」

「本多良雄さんといいます。主人の後任者です」

「結構ですとも、そういう方がおられるなら、なお、ありがたいです」

「実は、この警察署に本多さんは来ていらっしゃるのですが」

「え、どこですか？」

「私たちが主任さんにお会いしてるものですから、受付のところで待っていただいているのです」

「そりゃどうも。早くここにお呼びしましょう」

捜査主任は、急いで部下に言いつけた。

翌日の夜、嫂は夫の遺骨箱を抱いて、東京行きの列車に乗った。

禎子と本多とは、ホームに見送ったが、特二の窓から見せている嫂の顔は放心したように、蒼《あお》ざめて無表情だった。

「こちらの警察の方との話がすみしだい、私もなるべく早く帰京しますわ」

禎子は嫂の手を握って言った。その嫂の手が濡《ぬ》れて冷たかったのが拭《ふ》かないままの涙だと知って禎子は、はっとなった。

少し離れたホームでは、十人ぐらいの賑《にぎや》かな婦人の一団が寝台車の客を見送っていた。裕福《ゆうふく》な家庭の婦人たちばかりということは、その贅沢《ぜいたく》な身なりでも分かった。送られる人は、汽車が動きだすまで、乗降口の前で立っていた。きれいな白髪の老人で、あから顔をにこにこさせている。婦人たちはこの老人を半円にかこんで、つつましやかに話したり笑ったりしている。新聞社のカメラらしい閃光《せんこう》が、しきりと老人の顔にあたっていた。

本多が、その閃光に気をひかれて、その婦人たちの一団を見ていたが、

「おや」

と、小さな声を出した。

2

本多良雄が、ホームに立ち、寝台車の前の婦人の一群を見て、おや、と言ったから、禎子の注意もその方に向いた。

その婦人たちは、三十代から四十代ぐらいの年齢で、洋装、和服とりどりであったが、いずれも立派な身なりであった。この地方のいわゆる名流婦人といった花やかな雰囲気《ふんいき》がそこから立ちのぼっていた。

「奥さん」

本多は、禎子にささやいた。

「室田夫人がおられますよ、あの中に」

室田夫人――ああ、耐火煉瓦《れんが》の社長の奥さん、と禎子もすぐに了解した。いつぞや、その自宅を訪問したことがある。

禎子が目で探していると、

「ほら、あのお爺《じい》さんのすぐ前ですよ」

本多が教えた。

それで分かったのだが、乗降口の前に白髪の上品な老人が立って、にこやかに笑っている。婦人たちはこの老人を見送るために、半円に取りかこんでいるのだが、その中央あたりに見覚えのある室田夫人の横顔があった。

すらりとした背の高い姿で、面長な、鼻筋の細くとおった横顔が、きれいな線をつくっていた。客に向けている笑い顔も美しいのである。

禎子は、あとで挨拶《あいさつ》しようと思い、嫂《あね》に目を戻した。窓の枠《わく》の中では、嫂が赤く腫《は》れた目をし、心細そうな顔をしていた。

「お嫂《ねえ》さま、大丈夫？」

禎子は、窓に覗《のぞ》きこんで言った。

「私、すぐに、あとから帰りますからね。お寂しいでしょうけれど、我慢してくださ
い」

嫂は黙ってうなずいている。四角な、白い包みを膝《ひざ》の上にかかえたままだった。快活なひとだったが、言葉も出ないくらいしおれていた。

発車のベルが鳴った。

禎子は嫂の手を握った。夫を失ったという共通の感情が、その手のぬくみから身体《からだ》に伝わった。嫂は激しく泣きだした。周囲の席にすわっている人が、好奇な目で見ている。

拍手が起こった。それは寝台車の前に集まっている婦人たちの間からだった。汽車が動きだした。

「なるべく早く帰ってね、禎子さん」

嫂は、それだけを最後に言い、その泣き顔を汽車が運んだ。それが小さくなると、突然に窓から老人の笑っている顔が現われた。

老人は、にこにこしながら、片手を小さく振っている。まるで禎子に挨拶しているようだった。老人は遠ざかりながら、いつまでも手を振っている。嫂はどこにいるか分からなかった。

禎子が振り返ると、良家の婦人たちは、まだ手をあげていた。だれもかれも明かるい顔だったし、笑っていたが、その輪は半分崩れるところだった。

本多が、その前に歩いて行った。ぞろぞろと歩きかけている婦人たちの中の一人が、ふと、立ちどまって、本多の挨拶を受けていた。黒っぽい着物のよく似合うひとだった。

本多が何か言ったので、室田夫人は、白い顔をこちらに向けた。禎子は佇《たたず》んでいる場所から動かねばならなかった。

「今晩は」

夫人の方から禎子に声をかけた。ホームの灯《ひ》が、その微笑を複雑な翳《かげ》りで浮きだした。

「先日は、どうもありがとうございました」

禎子は、夫人の前で、ていねいに礼を言った。

「いいえ、失礼しました」

夫人は微笑《わら》いながら、

「どなたかをお見送りですか？」

ときいた。まだ、何も知っていないらしかった。

「はい。ちょっと……」

夫人は、禎子の語尾の曖昧《あいまい》さを、快活にひきとった。

「わたくしも、みなさんとお見送りに来たんですのよ。三田先生、ご存じでいらっしゃいましょう、短歌の？」

禎子は、車窓で手を振っている白髪の老人の顔を思いだした。新聞や雑誌の写真で見かけるアララギ派の大家だった。

「京都にいらしたので、わたくしどもで金沢に先生をお招きしたんですの。昨日は能登をみんなでご案内しましてね。今日は、夕食まで歌会をやりましたの」

夫人は歯切れのいい言葉を、ゆっくりと甘い発音で言っていた。

室田夫人の後ろに二三人の中年婦人が、話のすむのを待っているように佇んでいた。

禎子は、それで遠慮した。

「たいへん失礼いたしました。それでは、これで……」

禎子がおじぎをすると、室田夫人は、明かるい眉《まゆ》をひそめた。

「そうですか、残念ですわ。もっと、いろいろとお話ししたいのですけれど」

夫人も、待っている人を気にしていた。その、話したいということが、憲一の話題に違いないと、禎子も察した。夫人は、彼女なりに気にかけてくれているのであろう。

「主人も、ご心配申し上げていますのよ。まだ、はっきり分かりませんか？」

夫人は、小さな声できいた。

「まだなんです。警察のほうにも、ご心配願ってるのですが」

室田夫妻は義兄の事件を知らないらしい。新聞では読んでいるだろうが、それが鵜原憲一の失踪《しっそう》と関連があるとは気づかないのだ。しかし、このホームの立ち話では、それは言うべきことではないし、その余裕もなかった。

「困りますわね。ほんとに、ご心配でしょう」

夫人は、顔を曇らせていた。

このとき、本多は、室田夫人の後ろに待っている婦人たちのところで挨拶を交わしていたが、禎子のところに戻ってきた。

「あ、本多さん」

室田夫人は言った。

「明日、わたくし、午後に室田を会社に訪ねることになっています。二時ごろですの。よろしかったら奥さまとごいっしょに、会社にいらっしゃいませんか？」

「はあ、それは……」

本多は頭をさげた。

「室田も心配していますの。ちょうど、いい機会だから、ごいっしょして、その後のお話をうけたまわりたいと思いますわ」

「ありがとうございます」

本多は、禎子の方をちらりと見た。どうしますか、と相談する目だった。

禎子は言った。室田夫妻の好意がうれしかった。

「ご迷惑でなかったら」

「喜んでおうかがいさせていただきますわ」

「そう、うれしいわ」

室田夫人は、微笑をとり戻した。

「ぜひ、そうしてくださいましね。本多さん、どこでお待ちあわせしましょうかしら?」

「会社ではいかがでしょうか?」

「会社でもいいけれど、途中で買物をするので、暇がかかるといけませんわね」

夫人は考えるような目つきをしていたが、

「じゃ、申しわけございませんが、××デパートの喫茶室で、お待ちあわせいたしましょう。二時かっきりに……」

「はい、分かりました。では、そうさせていただきます」

祯子が答えた。

「勝手なことを言ってすみませんね」

夫人は、やさしく別れの言葉を言った。

「では、お待ち申しあげておりますわ。さよなら」

「どうも失礼いたしました」

祯子と本多とはいっしょに頭を下げた。

室田夫人は、どうもお待ちどおさま、というように、待っている婦人たちに軽く頭をさげ、みんなと肩をならべてホームを歩き去った。

「あの婦人たちは」

本多が祯子に教えた。

「金沢の名士の奥さんばかりですよ。一人は商工会議所会頭の夫人だし、一人は市の助役さんの奥さん、ひとりは病院長の奥さんです」

その四人の姿がホームの階段をおりてゆく。やはり室田夫人のすらりとした姿が目立っていた。

「室田夫人が、この名流夫人グループを牛耳《ぎゅうじ》っている恰好《かっこう》ですね。三田氏を呼んで歌会をしたのも、夫人の発案らしいですよ」

本多が、歩きながら言った。

今の禎子には、その婦人たちが距離のある別世界の存在にみえた。

3

二時かっきりに、××デパートの喫茶室に行くと、本多は、もう来ていて、待っていた。

「昨夜は」

と本多が、椅子《いす》から立ちあがった。

「失礼しました」

「いいえ、私こそ、わざわざ、本当にありがとうぞんじました」

それは、嫂《あね》の見送りに来てくれた礼でもあるが、本多が忙しい仕事をほとんど放擲《ほうてき》してかかってくれている好意への感謝でもあった。いくら同僚の災難であり、会社からも含められているとはいえ、なかなかこのようなゆきとどいた世話はできないものである。

「お待ちになりまして？」

「いや、いま来たばかりです」

しかし、本多のコーヒー茶碗《ちゃわん》の中は三分の一になっており、灰皿《はいざら》には一本が白い灰になって崩れていた。

給仕が注文をききに来た。禎子が何か頼もうとしたとき、給仕の後ろから、室田夫人が近づいてくるところだった。

禎子も本多も立ちあがった。

「こんにちは」

夫人は、今日は違う着物で、渋い好みの塩沢《しおざわ》を着ていた。昨夜のような派手な訪問着もよく、このような渋味も似合った。

「お待たせしたかしら？」

夫人は、小さな腕時計を見た。

「いいえ、私も、いま来たばかりなんです」

禎子が挨拶《あいさつ》して、椅子をすすめようとすると、

「じゃ、失礼ですけれど、これからすぐにまいりましょう」

夫人が急いだように言った。

「お茶なら、向こうで召しあがっていただき、主人とゆっくりお話ししたいですわ」

「そうですか。それでは」

本多が卓の上の伝票をつかんだ。

デパートの表に出ると、夫人はそこに立った。

「車を持ってきてますの」

彼女は、二人に言った。

このとき、外人が一人、入口をうろうろしていたが、本多を見かけると、近づいて何かしゃべった。英語だとは知れたが、非常な早口だったので、本多は困った顔をして、分からないという意味で首を振った。

禎子には、その意味が分かった。

禎子が差出口をすると、外人は、蒼《あお》い瞳《ひとみ》を彼女の上に動かし、やはり早口で用件を述べた。

禎子が答えると、そのアメリカ人は何度も大きくうなずき、礼を言って反対側の道路に歩み去った。その話の間、本多は横に立って、微笑しながら、禎子と外人、それから室田夫人の顔もなんとなく眺《なが》めていた。

「英語、お上手ですのね。わたくしはサッパリですが」

室田夫人がほめた。

「いいえ、だめですの。学生のときは、好きでやったのですが」

禎子は頬《ほお》をあからめた。

「なんと言ってたんですか?」

本多が、多少バツが悪そうにきいた。

「金沢から東京行きの飛行機は出ないか、ときいたんです。たしか、冬期にはないことを聞いていたので、それを言ったのです。でも、はっきりとは分からないから、交通公社を教えてあげましたわ」

「なるほど、そんなことですか。僕はちっとも聞きとれない。学生のときからヒヤリングはだめなんです」

本多は苦笑していたが、室田夫人の顔を見て、ふと、ある表情をした。

「車がまいりましたわ。さあ、どうぞ」

夫人は案内した。

尻尾《しっぽ》をはねた外車が滑ってきてとまった。運転手がとびおり、几帳面《きちょうめん》な行儀でドアをあけた。

「どうぞ」

夫人がすすめた。禎子は素直に従った。本多がまん中に挟《はさ》まったが、車は少しも窮屈さが感じられなかった。

車は電車通りについて走っていたが、少し坂道になっているところをくだると、十分もたたぬうちに、三階建の白い建物の前についた。それが室田耐火煉瓦《れんが》株式会社の本社だった。

本社の外観は、小さなビルの感じで、建物の周囲には木が植わっていた。まだ新しく、近代的な設計だった。二度目ではあったが思わず、

「まあ、きれいですね」

と、夫人に言ったくらいである。

「いいえ。小さいんですのよ」

夫人はこたえ、運転手に、

「お客さまをお送りするから待っててください」

と言いつけた。

玄関をはいると、右側に受付の窓があり、女が一人すわっていた。先に立って案内している室田夫人の姿を見ると、立ちあがっておじぎをした。それは社長夫人に対する敬礼だった。

夫人は、ちょっと会釈《えしゃく》をしたが、ふと思いついたように、受付の窓口に歩いて行っ

た。

「お元気そうね？」

と社長夫人は、にこやかにきいた。

「はい、おかげさまで」

受付の女も微笑を浮かべ、ていねいにこたえていた。

「結構だわ。仕事のほう、だんだんに慣れましたか？」

「はい。みなさんで、何かと、親切にしてくださいますので」

受付の女は夫人にそう言いながら、その後ろにいる二人の客にも礼をしたが、そのまま、少しの間、禎子の方を見ていた。

その女は受付にすわってはいるが、三十近い年齢《とし》ごろに思えた。瘦《や》せてはいたが、目のくりくりした、ちょっとかわいい感じのする顔だった。

それはいいが、なぜ、その受付の女が禎子の顔を凝視《ぎょうし》するように見ていたのか、禎子には分からなかった。たぶん、夫人の客というので、女らしい興味を起こしたに違いなかった。

「よかったわ」

と、夫人は言った。

「では、しっかりね」

「はい、ありがとうございます」

受付の窓の中から、女は夫人に頭をさげ、つづいて客にもおじぎをした。そのときも、彼女は禎子の方をちらりと見た。

いまの話の様子では、あの受付の女は、最近、この会社に就職したらしい。それだけは禎子にも分かったが、社長室のある二階の階段をあがりながら、夫人が説明した。

「いまの方、うちの工場で働いてたご主人がこのあいだ亡くなりましてね、お気の毒なので、奥さんをここに採用したのだそうです。主人がそう言っていました」

「ああ、そうですか」

本多が、感心したように言った。

「それは、よくなさいますね」

――禎子は、未亡人の辛《つら》さを、現実に知った思いがした。それから、今朝は東京でしょんぼりしているであろう嫂《あね》のことを考えた。

4

室田耐火煉瓦社長室田儀作は、社長室に禎子と本多とを客として迎え入れた。

「ようこそ」

室田氏は、禎子がこの間会ったときと同じような、もの柔らかい愛想のよさをみせた。背の高い人である。鬢《びん》には白髪《しらが》があるが、血色はいい。目の下がすこしたるんで、袋をつくっているが、これも人柄《ひとがら》のおだやかさを印象づけた。

「お待ちしていました。昨日、家内からうかがいましたので」

室田氏は、あとからはいってきた夫人の方にやさしい一瞥《いちべつ》を投げて言った。

「わたくしが、むりにお誘いしましたのよ」

夫人は、客用ソファーの方へ歩きながら、夫に言った。

「どうぞ」

と、油絵の額の下のソファーを指して言ったのは、禎子に微笑を向けてである。

禎子は、室田氏にていねいに挨拶《あいさつ》して、その椅子《いす》に掛けた。本多がその隣、室田氏は禎子の真向かいにすわり、夫人は室田氏の後ろに、にこにこして立っていた。すらりとして立ち姿が美しかった。

「君も、掛けたらどう？」

室田氏は、妻を斜めに見あげた。言葉も、横顔もやさしいのである。

「はい」

夫人は返事だけしてドアから出て行った。これは、まもなく女給仕といっしょに、コーヒーや、果物を運んでくるためだった。夫人が禎子に好意をみせているのは、そのことでも分かった。

「何も、おかまいできませんわ」

夫人は微笑《ほほえ》み、自分で給仕から受けとったコーヒー茶碗《ちゃわん》を客の前にくばった。卓にかがみこんだ横顔の線も、禎子が見とれるくらいきれいなのである。

果物も、それぞれの受け皿《ざら》に分けていた。

「早くしなさい」

と室田氏は妻に言った。

「君が落ちつかないと、話ができない」

妻を愛していることは、室田氏の目つきや言葉の調子でも分かった。

「はいはい」

夫人は笑いながら、夫の横の椅子に掛けた。夫婦仲がいいのだ。室田氏は満足そうだったし、傍《そば》にならんでいる夫人は仕合せそうな表情だった。禎子は羨《うらや》ましさを感じた。自分のことより嫂《あね》の姿が頭に浮かんで過ぎた。あの夫婦も幸福だった。妻は夫の死の瞬間から、小石のように不幸の谷間に投げおとされた。——

「鵜原君の消息は、まだ分からないそうですね？」

室田氏が、禎子をのぞきこむようにして言った。昨夜夫人から聞かされたらしかった。その夫人も、微笑を消して禎子を見ていた。

「はい、はっきりとしないのです」

禎子は、頭をさげてから答えた。

「ずいぶん、長いですね」

室田氏は、目を落としてコーヒーをすすり、

「いったい、警察は、本気でさがしてくれているのですかね？」

と禎子を見た。禎子はうつむいた。

「社長」

本多が、傍から言った。

「え？」

室田氏は、本多に目を向けた。

「それについては、実は、たいへんなことが起こったのです」

本多は、声に力を入れた。

「たいへんなことというと？」

夫人も夫の反問に合わせて、本多を強く見た。

「実は、鵜原のお兄さんが不幸な亡くなられ方をされたのです」

「あっ」

と声を立てたのは、夫人のほうだった。

「それでは、この間の新聞記事の……？」

と、目を大きく見開いて本多と禎子を交互に見つめた。

「ああ、お読みになりましたか？」

本多は問うた。

「ええ、読みましたとも」

夫人は、急いで夫に顔をむけた。

「ねえ、あなた。やっぱりそうでしたわ！」

室田氏も驚いた顔をしていたが、夫人に言われて、うむ、と低くうなっていた。

「実は、あの新聞記事を見て、主人ともこっそり話して心配していたのですわ。というのは、被害者の方のお名前が、鵜原《うはら》さんとあったでしょう。鵜原というご苗字《みようじ》はめったにございませんもの」

これは興奮して、本多と禎子に言ったことだった。

「わたくし、本多さんにお電話して、お尋ねしようと思ったくらいなんです。でも、ほかのことと違って、こういうことですから、気にかかりながらも、ご遠慮していたんです」

「それは、かさねがさね、いたましい不幸が続いて、なんとも申しあげようがありません」

室田氏は椅子から立ちあがるようにして、禎子に丁重に言った。

「ほんとに、お気の毒ですわ。わたくしもどう申しあげていいか分かりません。心からご愁傷《しゅうしょう》を申しあげますわ」

室田夫人は眉《まゆ》をひそめ、心をこめて悔やみを言った。

「ありがとうございます。嫂にかわりまして、お礼申しあげます」

禎子は立っておじぎをした。

「まあ、おかけください」

室田氏は、抑えるような手つきで言い、

「で、どうなんですか、新聞で、だいたいのことは知りましたが、犯人のめぼしはついたのですか?」

と、これは本多にきいた。禎子にきくのはいたましいと思ったのであろう。

「それが、まだ、警察でもさっぱり見当がついていないらしいのです」

本多は答えた。

「たしか、鶴来《つるぎ》の方で亡くなられたようですが、あの辺に何かご用事でもあっていらしたのですか?」

夫人がきいた。

「はい。その理由をお話ししないと分かりませんが」

禎子は、目をあげて言った。

「実は、義兄《あに》は、憲一の行方を尋ねてまいったんでございます」

「鵜原君の?」

室田氏は顔をふいとあげたが、すぐうなずいた。

「なるほど、ご兄弟だからそうでしょうな。そして、鶴来の方に、その手がかりがあったのですか?」

「あったかどうか分かりませんが、金沢の市内では、多少、何かをつかんだのではないかと思います」

それは義兄がクリーニング屋をまわっている行動のことを意味しているのだが、室田氏のつづいての質問に、そのことも話した。夫妻は顔を見あわせ、ふしぎそうな表情をした。

「で、その手がかりをつかんだので、宗太郎さんは鶴来に行ったのですか？」

室田社長はきいた。

「そうではないかと想像されます。なにぶん義兄に直接話を聞いていないので分かりません」

禎子が答えると、夫人は、思いだしたというように言った。

「ああ、そうそう。新聞記事には、宿屋で毒入りのウィスキーをのんで亡くなられたとありましたけど、そのウィスキーは誰《だれ》かから貰《もら》われたのだそうですね。そして、宿で、誰か人をお待ちになっているようなご様子だったとか」

「そうなんです」

本多がひきとった。

「警察では、同行の人物をさがしたのですが、それは目撃者の証言があったのです。桃色のネッカチーフに、赤いオーバーを着た若い女が、鵜原宗太郎さんといっしょに金沢から北陸鉄道に乗って鶴来方面に行っていた、というのですがね」

「桃色のネッカチーフに、赤いオーバー……ずいぶん、派手な恰好《かっこう》ですこと」

夫人は、その服装を目に浮かべるようにして言った。

「そうなんです。ひところ東京でも目についた米兵相手の夜の女の服装のようです」

本多は、何気なしに言ったのだが、禎子は、はっとした。彼女の目には、一瞬、立川の町が映った。

「まあ、その方、どういう方でしょう?」

「分かりません。いまのところ、宗太郎さん、または鵜原に関係があるかどうかも分かりませんし、また、毒入りのウィスキーを宗太郎さんに与えたのが、その女性かどうかも分かりません」

「お義兄《にい》さんが、鶴来の宿屋で待っていた方は?」

「それも、その女性か、あるいは行方不明になっている鵜原かどうかも分かりません。とにかく、その女性は、その後、鶴来から寺井行きの電車に乗っているのを見かけた人も出てきました」

「まあ、すると、その女の方は、金沢から宗太郎さんといっしょに鶴来に来て、今度は帰りを寺井行きの電車に乗った……」

夫人は、目を宙に浮かべ、推測するように言った。

「宗太郎さんといっしょかどうか分かりませんが、もしいっしょだったら、そういうことになりますね」

本多は言った。

「ふしぎなお話ですわね」

夫人は、溜息《ためいき》をついて言った。

「すると、宗太郎さんは、弟さんの憲一君を探しにこられ、こういう奇禍にあわれたのですから……」

室田氏が言った。

「この事件は、憲一君の失踪《しっそう》と関係がありますな？」

「警察の方は、そう判断しておられます。そして憲一の居所が分からないことを、なんとなくおかしく見られているのです」

禎子は、目を伏せて言った。

「そりゃ、いけない」

室田氏が言った。

「そうすると、憲一君が兄さん殺しに関係して疑われていることになる。それは、警察の見当違いです」

「警察というのは、どうして、みんなを疑いの目で見るのでしょうか」

夫人も、腹を立てたように言った。

「いや、あすこは、そういうところさ」

室田氏は、卓上の煙草《たばこ》をとって言った。

「それにしても、宗太郎さんが、金沢のクリーニング屋を尋ねてまわったのは、どういうわけだろう？」

室田氏は怪訝《けげん》な顔をしていた。

「ほんとうですわ。なんでしょうねえ？」

夫人も夫の顔を眺《なが》め、首を傾《かし》げていた。

「もっと早く義兄に連絡して、その事情をきけばよかったんです」

禎子は言った。

「わたくしが悪かったんです」

しかし、実際には、義兄は禎子に、かくれるように単独行動をとっていたのだ。そこに秘密の匂《にお》いがあった。が、それは他人である室田夫妻には、言えないことだった。

「いやいや、不幸なときは、そういうものですよ」

室田氏は、細い目をして慰めた。窓からはいる陽《ひ》が、氏の肩に明かるい光線を当てていた。

電話のベルが鳴った。

夫人が立って、机に歩き、送受器をとった。

「はい、社長室」

夫人は、受話器を耳に当て、

「あ、そう」

と、返事して耳から放し、夫の方を向いた。

「あなた、ウィルキンスンさんが玄関の受付にお見えですって」

室田氏は、くわえた煙草を捨てて、むずかしい顔つきをした。

「また、来たのか？」

と呟《つぶや》き、片方の掌《て》でうしろ頸《くび》をたたいた。

「なんでございますの？」

夫人は、送話器に手をおおってきいた。

「うん、わしに、古九谷《こくたに》を世話しろ、というのだ。いまごろ、古九谷のいいのがザラにあるわけはない。あの男、断わっても何回も来るのだ」

あきらかに会いたくない客のようだった。

「お断わりなさいます？」

夫人は離れたところからきいた。

「いや、会おう。仕方がない。しかし、ちょっと受付で待っているように言ってくれ」

「はい」

夫人は、ふたたび送受器に向かった。

「ウィルキンスンさんには、そこでしばらく待ってもらうように言ってください」

禎子と本多とは、辞去するときを知った。

「お忙しいところをたいへんお邪魔をいたしました。いろいろありがとうございました」

禎子は立ちあがり、室田社長と夫人に頭をさげた。

「そうですか。いや、お話をうかがうばかりで、なんのお役にもたちませんで」

室田氏は、ゆっくりと肘《ひじ》かけを手で押して、立ちあがった。

「とんでもございません」

「まあ、あまりお力をお落としにならないで」

夫人も、そばから禎子にやさしく言った。

「そのうち、きっと何もかも分かると思いますわ。どうぞ、お元気をお出しください」

「ありがとうございます」

「君」

と室田氏は、本多を呼んで、低声《こごえ》で何か言った。

仕事の話らしく、本多は頭をさげておじぎをし、手帳に控えていた。

「では、わたしはここで失礼します」

室田氏は、社長室のドアのところでおじぎをした。

「わたくし、お玄関までお送りしますわ」

「そうしなさい」

社長は、夫人に言った。

「あら、もうここで、どうぞ」

禎子は辞退すると、

「いいえ、すぐ、階下《した》なんですから」

夫人は、微笑《ほほえ》んで、後ろからついてきた。

階下におりると、受付だった。背の高い外国人が、小さな窓にかがみこむようにして、しゃべっていた。相手は、未亡人という、受付の痩《や》せたかわいい顔の女であった。

彼女は、三人がおりたことに気がつかないらしく、外国人と話をやりとりしていた。

その短い会話が禎子の耳にはいった。英語だったが、禎子はそれを聞いて、おや、と思った。

受付の女は、初めて三人に気づき、あわてておじぎをした。外国人もこちらを振り返った。その顔には話のつづきらしい愉快げな微笑が口辺に残っている。

禎子は受付の女を見た。かわいい顔だが、やはり三十歳の女の顔であった。むこうでも、夫人より禎子のほうを、じっと見送った。その視線を禎子は背中に感じた。

「どうぞ、この車をご自由にお使いくださいまし」

夫人は、待たせている自動車《くるま》を指した。明かるい微笑だった。

その自動車を、商店街に出てから返した。それは禎子の発言で、喫茶店の前でおりたのだ。

喫茶店は、この地方らしく、表のウィンドーに、九谷焼《くたにやき》の大きな皿や、唐獅子《からじし》などの置きものがならべられてある。朱と金泥《こんでい》の、みるからに花やかな焼物だった。

「どんなお話ですか?」

本多は、禎子が、すこし重大な話があると言ったものだから、やや緊張した表情を卓の向こうに見せていた。

「この間、私、東京に帰ったでしょう?」

禎子は話した。

「はあ」

「あのとき、立川に行ってみたんです」

「立川に?」

なんの用事で、と本多の目はきいていた。

「本多さんには、まだ、お話ししていませんが、憲一がA社にはいるまでの履歴が分かったのです」

「ほう」

本多は目をまるくしていた。

「それは、僕も知りませんが、どういうことなんです?」

本多も、それが事件に関連があると察したらしく、その目を光らせた。

「憲一は、もと警視庁の巡査だったんです」

「へえ、それは、ちっとも知らなかった」

本多は実際に意外そうだった。

「それは、いつごろです?」

「昭和二十五年ごろです」

「うむ、占領時代花やかなころですね？」

「ええ。そして、憲一は、立川署の風紀係をしていたんです」

「風紀係？」

本多は、じっと禎子を見ていた。

「つまり、米兵相手の夜の女たちを取りしまっていたのですね？」

「そうなんです。私、立川署の当時の同僚の方にもお目にかかって確かめました」

本多は、しばらく黙っていたが、

「で、それが、何か今度の事件に関係があるのですか？」

と、静かにきいた。

「その立川署時代のことが、直接関係があるかどうか分かりませんが」

禎子は、考えるようなまなざしで言った。

「何か、一つの筋をひいているような気がしてなりません。これは、私の、ぼんやりした予感ですけれど……」

本多は小さくうなずいた。

「もしかすると、私が立川に行ったので、よけいに印象が強いのかもしれません。現地を踏んでみるのと、みないのとでは、印象が違います。もしかすると、その強い印象のために、それに引きずられているのかも分かりませんが」

「それは分かります」

本多は答えた。

「本多さんは、さっき、室田さんの会社の受付にいた女の方をごらんになったでしょう?」

「見ました。室田夫人が、自分とこの工員の未亡人だと言っていたひとでしょう?」

それがどうしたのか、というように、本多は禎子を見た。

「そうです。三十ぐらいの方でしたわ。ところが、あの方が、帰りがけにアメリカ人と話をしていましたね?」

「そうでした。英語が達者のようでしたね。そうそう、奥さんも英語がお上手ですね」

本多は、禎子が路上で外人に道を教えてやったのを思いだしたように言った。

「私のは、学校でならっただけで、おぼつかないのですが」

禎子は言った。

「あの受付の女の方のは、実地の英語ですわ。私は、ちょっと短い会話を耳にしたのですけれど」

「ほう、すると、あの女は、アメリカにでもいたのですかね？」

「いいえ、そういう英語じゃないんです。こちらにいて、アメリカの兵隊さんとつきあって自然に覚えたというような米語ですわ」

それは、変則的な、幼稚と達者とが妙に交じっているような、下等なボキャブラリーを平気で駆使している米語であった。

「分かりました」

本多は、目を大きくした。

「それは、夜の女の使う米語、つまり、パンパン米語なんですな？」

「そうだと思います」

禎子は、頬《ほお》をすこしあからめて言った。

「それで、私、変な気がしたのです。そういう女のひとは、占領時代の立川にはたくさんいたのでしょう。だから、私が、憲一の立川時代のことが気にかかっているものだから、偶然に心にひっかかったのですわ」

「うむ」

本多は腕を組んだ。

「それは、ちょっと興味がありますな」

「もちろん、今度の事件が、憲一の立川時代に関連があるのかどうかも分かりませんし、あの受付の女の方も、そういう前身ではなかったのかもしれません。たとえ、あったにしても、立川とは別かも分からないのです。米兵相手の夜の女というのは、日本の各地にいっぱいおりましたからね」

「そりゃ、そうですが」

本多は、すこし身体《からだ》を乗りだしたようだった。

「それは調べてみると分かることです。違ってたら、それまでですよ。奥さん、僕《ぼく》があの受付の女のことを調べてみましょうかね?」

本多は、目を輝かしていた。

「ほら、宗太郎さんと北陸鉄道の電車のなかで、連れのように乗りあわせていた女も、桃色のネッカチーフに、赤いオーバーという、パンパンを思わせる服装だったというじゃありませんか。これは、奥さんのおっしゃるような偶然とは言えないかもしれませんよ」

その夜、禎子が旅館の床の中にはいっていると、電話が本多からかかってきた。

いまごろに、と思って時計を見ると、十二時に近かった。

「今晩はおそいからおうかがいしませんが」

電話の本多の声は言った。どこか弾《はず》んでいるような調子だった。

「例の受付の女のことですがね、ちょっとおもしろいことが分かりそうですよ」

「そうですか」

禎子は、それを聞こうとしたが、

「詳しいことは、明日の晩にでも、お会いしてから言います。それに、はっきりしたことは明日にならないと分かりませんから」

と本多は、それ以上のことを言わなかった。

電話は、それで切れた。

逃亡

1

禎子は、宿で八時ごろ目をさました。

昨夜、本多が電話で言っていた〝受付の女についておもしろいことが分かりそうだ〟ということが引っかかって、一時すぎまで眠れなかった。

何が分かったというのか。あの受付の女がしゃべっていた〝下等で、俗語《スラング》を交じえた、達者な〟米語と、北陸鉄道の中で鵜原宗太郎と乗っていたという桃色のネッカチーフに、赤いオーバーを着た〝パンパンふうな女〟とが、禎子の頭の中で、重なったり離れたりした。本多が、分かった、というのは、この疑問のことだろうか。

十二時近くになって、電話をかけてきたことも妙だった。

本多と、九谷焼のならんでいる喫茶店で別れたのは、午後四時ごろで、それから、約八時間を本多は、〝受付の女〟の調査に費やしたのであろうか。

洗面所から戻ってくると、床はきれいにあげられて、炬燵《こたつ》の置台の上に、茶と、砂糖漬《づ》けの梅干とがのっていた。

その傍《そば》に朝刊が、たたんで置いてある。禎子は籐椅子《とういす》にすわって、新聞をひろげた。むろん、土地で発行している地方新聞であった。

目が、ふと社会面の左側の見出しに惹《ひ》かれた。二段抜きだったが、

「鶴来《つるぎ》の毒殺事件、捜査難航か……依然、有力な手がかりなし」

と活字がならんでいる。

禎子は記事を読んだ。

「――去る十二月二十日に起こった鶴来町の毒殺事件については、所轄署に捜査本部をおき、極力捜査中であるが、現在のところ有力な手がかりがつかめず、捜査はようやく困難な状況になったようである。なにぶん被害者の鵜原宗太郎氏（四一）＝東京都港区赤坂青山南町××番地××商事株式会社営業部販売課長＝がなんの目的で、東京から鶴来町に来たか、さっぱり分かっていない。勤め先に問いあわせたところ、社用でもなく、また遺族も心あたりがないと言っている。

また鵜原氏がひとりで休憩した加能屋旅館で、〝人を待っている〟と洩《も》らした言葉で、一応、鶴来町一帯を調査したところ、該当者が発見されず、あるいは鵜原氏

が単に口実として言ったのではないか、という見方も強くなっている。鵜原氏が鶴来に来た目的は強い謎《なぞ》とされている。

また、二十日の午後六時ごろ、北陸鉄道で鶴来駅におりた鵜原氏らしい人物といっしょだった二十三四歳ぐらいの派手な色合の洋装をした婦人は、はたして事件に関係があるかどうか、判断する材料もなく、この婦人はその後、六時四十分発の寺井行きの電車の中で見たという目撃者があるので、この方面の捜査にもあたったが、手がかりがなかった。要するに、現在のところ、捜査は壁に突きあたっている感じである。

米田《よねだ》捜査主任の話＝『捜査が困難をきわめているのは、被害者の鵜原宗太郎さんが、この地方には、まったく縁故のない旅行者であることも一因である。しかし、あくまでも事件の解決に向かって、捜査に努力する』

記事には、憲一の失踪《しっそう》に関連して、義兄が鶴来に来たのではないか、という禎子の想像を、捜査当局が取りあげたことについては触れていなかった。たぶん、それは捜査本部が新聞社側に伏せていることなのであろう。

しかし、捜査は、この記事のとおりに、実際に難航なのか、それとも表面の発表だけで、裏側では進捗《しんちょく》しているのか、禎子には判断がつかなかった。が、直感としては、やはり、捜査の〝困難〟に想像が傾くのである。

　こうなると、禎子は、本多の話が早く聞きたかった。昨夜の電話では、本多は、明日の晩にでもお会いして言います、と言ったが、それは社の仕事の都合のためか、それとも、彼がもっと調べるために昼間の時間をそれにとられる意味か、分からなかった。

「お早うございます」

　女中が朝の食事を運んできた。

「今朝は、ずいぶん、冷えます。昼から雪になるかも分かりません」

　女中は、炬燵の上に、料理をならべながら言った。

　そういえば、縁側から見えるガラス戸には、鈍《にぶ》くくろずんだ雲が低く垂れてひろがっていた。

　禎子は、一ぜんを軽く食べただけですませた。

「あら、もう少し召しあがっては？」

　女中はすすめたが、禎子は食欲がないと言った。気持が張っているせいか、食べる気が起こらなかった。

　本多は、今晩、話しに来ると言ったけど、禎子はそれが待ちきれなかった。

十時すぎに、本多が社に出勤しているかも分からないと思って、電話すると、

「まだ、お見えになっていません」

と、社の人は答えた。

「今日は用事があって、少しおそくなるかもしれないとのことでした」

やはり、本多は、〝調べて〟いるのだと思った。

それでは、出勤されたら、電話をいただくように伝えてください、と禎子は頼んだ。

それから三時間ばかり、禎子はいらいらした時間を費やした。本多のほうから電話がかかってこなかったら、それはもっと長い時間だったかも分からない。

「本多ですが」

と、彼の声は、心なしか興奮していた。禎子は、気持がたかぶっているから、そう聞こえたのかも分からない、と思ったが、本多の声のつづきを聞いてみると、そうではなく言葉の調子が高かった。

「お電話をいただきましたが」

と本多は言った。

「僕《ぼく》のほうも、至急に申しあげたいことがあるんです。これから、おうかがいしたいのですが、よろしいでしょうか?」

「お待ちしていますわ」

禎子は、声を弾ませて答えた。

本多としては、電話でも珍しく興奮した言い方だったが、三十分後に旅館に顔を見せたときは、ひどくたかぶった表情をしていた。

「昨日はどうも」

禎子が挨拶《あいさつ》して、座布団《ざぶとん》を炬燵の前に直すと、

「いや、こっちのほうが、いいです」

と本多は、縁側の籐椅子に行って腰をおろした。禎子と二人きりで炬燵にさし向かう遠慮もあったらしいが、それよりも、一刻も早く話を始めたい気がまえが見えた。

「例の、室田さんの会社の、受付の女のことが、少し分かりましたよ」

本多は、目をきらきらさせてさっそく言いだした。

「お電話で、そううけたまわりましたけれど。そうそう、昨夜はありがとうございました」

禎子は、電話の礼を言った。

「いや、おそくおかけして失礼しました。実は、昨日、あれから七尾《ななお》まで行ってきたんです」

「えっ？」

禎子は、びっくりした。

「あれから、お別れして、どうしても七尾の室田耐火煉瓦《れんが》の工場を調べる必要がありましてね」

禎子は、本多の顔を見ていた。

「順序どおりに話しますと」

本多は、ポケットから手帳を出して言った。

「あの受付の女は、田沼久子《たぬまひさこ》さんという名で年齢は三十一歳です。現在は、市内のある小さなアパートにいるんですが、室田さんの会社に採用されたのは、ごく最近だそうです。……これは、僕が室田社長に分からないように、あの会社の知りあいの社員にきいて分かったことです。僕は、その知りあいの社員にききました。その田沼久子さんの旦那《だんな》さんは、室田耐火煉瓦の工員で、死亡なさったのですかって」

女中が茶を運んできたので、本多は一口すすって話を待った。

「すると」

本多は、女中の足音が廊下に消えてからつづけた。

「その社員は、そんなことは全然、知らないと言うんです。あの受付の女は、社長の直接のお声がかりのようなかたちで入社した噂《うわさ》は聞いているが、工員の奥さんとは知らなかった、とあんがいな顔をしていました。そこで、人事課にききあわせてもらったのですが、工員のことは万事、七尾の工場が管理しているので、こちらの本社では分からないと言うのです。それで、僕は七尾の工場に行く決心になったのですが、その前に、人事課に保存してある田沼久子さんの履歴書を写してもらいました。要領は、これです」

そう言って、本多は、手帳に挟《はさ》んである便箋《びんせん》をひろげて見せた。

それは万年筆で次のように書いてあった。

履　歴　書

本　籍　石川県羽咋《はくい》郡高浜町字末吉《あざすえよし》

現住所　金沢市××町若葉荘アパート内

戸主　農業　田沼庄太郎《たぬましょうたろう》長女

久　子

昭和二年六月二日生

一、石川県高浜高等女学校卒

一、昭和二十二年　東京東洋商事株式会社勤務
一、昭和二十六年　一身上の都合により同社退職
一、昭和三十一年　本籍地に居住
一、昭和三十二年　室田耐火煉瓦株式会社工員、曾根《そね》益三郎《ますさぶろう》と結婚
一、昭和三十三年　曾根益三郎死亡

「要領は、ざっと、そんな具合です」

　本多は、禎子が便箋の文字に落としている視線を見まもりながら言った。

「田沼久子さんは、昭和二十二年から五年間、東京に出てらしたわけですわね」

「そうなんです。終戦後の混乱期です」

　本多も、禎子の考えを感じたように言った。それはある種の女に、米語が一ばん花やかに使われていた時代だった。

「そこで、本社では、分からないというものですから、僕は、思い立って七尾に行きました」

　本多は、あとをつづけた。

「七尾の室田耐火煉瓦の工場に行き、そこの労務課の課長に会いました。すると、課

長は、はっきり曾根益三郎という工員は、うちに働いていて、死亡していると言明したんです」

工場の労務課長が、そう言うなら間違いないのだ。しかし、本多は言った。

「この履歴書を見ても分かるとおり、田沼久子さんは、曾根さんと結婚しているといっても、正式に曾根さんに入籍していないのです。いわば、内縁関係ですね。そこで、労務課長にききましたよ。曾根さんの退職金は田沼久子さんに渡っていますかってね。よけいな差出口だと思ったか、課長は、ちょっと、僕を睨《にら》んで、それは、ちゃんと渡してある。内縁でも、世間で妻と認めている以上、それは渡すのが当然だと言いました」

本多が、なぜ、そんなことをきいたのか、禎子にはよく分からなかった。

「僕は、それを聞くと、すぐに七尾郵便局に行って、金沢の室田本社の社員に電話しましたよ。というのは、工員でも本人が死亡すれば退職金が支払われるが、それは小さな金ではないのだろうから、当然、本社の会計に帳簿の記載がなくてはならない。それが、あるかどうかを問いあわせたのです」

本多は、そんなことを言った。

「すると、電話の返事では、それはすぐには分からないから、あとで返事する、ということでしたがね。どうもあいまいな言い方でした。僕の推理では退職金は出ていないようです。金沢に帰ったのが夜の十一時でしたから、むろん正式な返事は聞けませんでした。そこで、僕は、こんな迂遠《うえん》な方法をとるよりも、直接、田沼久子さんに会ったほうがいい、と思いつきました。しかし、昨夜はあまりおそいので、今朝早く訪問しようと思って、とりあえず、奥さんだけには、あんな電話をおかけしたのです」

「それはどうも」

禎子は頭を下げた。

「で、今朝、田沼さんのところへいらしたんですか?」

「行きました。八時ごろです。当人が会社に出勤する前を狙《ねら》って行ったんです」

「お会いになりましたか?」

「いいえ」

本多は首を振った。その否定の仕方が、いかにも強い調子だった。

「本人は、この金沢から逃げてしまいましたよ」

「えっ!」

禎子は目をみはった。

「なんですって?」

「逃げた、というのは、僕の直感です。今朝八時に、若葉荘アパートというのを訪ねましたところ、管理人が出てきて、田沼さんなら、昨夜、急に越すことになったからと言って、家賃を支払って、大きなトランク一つを持って出て行ったそうです」

「まあ」

禎子は呆然《ぼうぜん》とした。

「管理人も、あまり急なので、びっくりして、いったいどうしたのか、と田沼さんにききますと、田沼さんは事情があって、東京方面に行くことになったから、と言ったそうです。家財道具、といっても、古びた箪笥《たんす》とか鏡台とか、布団だとか、炊事道具がわずかばかりでしたが、これを処分して、その代金は、いままで厄介になった礼にとっておいてくれ、と言ったそうです。そのときの顔つきが、ひどくあわてて、顔色も悪かった、と管理人は言うのです」

禎子は、急に声が出ず、本多の顔を見つめるだけだった。田沼久子が東京に逃亡した。禎子は、その意味を、夫の憲一の失踪と、義兄の宗太郎の毒殺死と、本多の追及している線とに重ねようと考えていた。

2

田沼久子はなぜ逃げたのか。禎子は本多の顔を見た。

「そのことは室田さんはご承知なんですか?」

「たぶん、まだ知らないと思います。なにしろ今朝の八時ですからね」

本多は考えるようにして答えた。

「田沼さんの逃げたのを、本多さんはどう考えます?」

北陸鉄道のなかで義兄の宗太郎といっしょにいたという、桃色のネッカチーフと赤いオーバーの女を、禎子は田沼久子に想定した。たぶん、そのことは、本多も同じことを考えているにちがいない。まだ、口には出さなかったが、本多の表情にも、それが出ていた。

「とにかく」

本多は言った。

「田沼久子の逃げたことについては、さしあたって室田さんにきいてみます。室田さんが何かそれらしい原因を知っていれば、これは一つの重要な参考になります」

本多は時計を見た。

「もうそろそろ二時前ですから、さっそく電話するか、僕が行くかして、きいてみましょう」

ここで禎子は言った。

「本多さんは、北陸鉄道の電車のなかで、義兄《あに》といっしょに乗りあわせていた女が、田沼久子さんだと思いますか？」

「田沼久子という女がもしパンパンの出身だったら、電車のなかの女の風采《ふうさい》と感じが合うと思います。まず僕は十中八九まで、北陸鉄道のなかにいた女が田沼久子だと思いますね」

「そうすると」

と、禎子は疑問の目をむけた。

「田沼さんはなぜ急に逃げたんでしょう？　まさか私たちに、前身を気づかれたと考えたからではないでしょうね？」

「僕らのことで逃げたとは思いませんがね」

本多も言った。

「しかし、彼女が急に逃げたことは、何か、たいへんな意味がありそうです。たとえば」

彼は少し膝《ひざ》を動かして言った。

「もし田沼久子が自分の前身を室田社長に秘密にしていたとしたら、何かそれがバレそうになったこと、あるいは、それに関係した都合の悪いことが起こったのではないでしょうか」

禎子は、自分でも考えながらきいた。

「室田社長は田沼久子の前身を本当に知らなかったのでしょうか?」

「知らなかったと思いますね」

本多は、それにすぐ答えた。

「彼女の夫は自分の社の工員だったたし、その細君を気の毒に思って、社に雇《やと》った程度で、彼女について深い事情を知っているわけがありません。とにかく、彼女の逃亡は、僕らとは関係なしに、何かが起こったものだと思います」

禎子は、もし仮《かり》に鵜原宗太郎といっしょに北陸鉄道のなかに乗っていたという、特殊な女を思わせるような服装をした女が田沼久子だとしたら、また、彼女が義兄殺しの関係者だとしたら、義兄と田沼久子との間にどういう関係があったというのだろう。想像しても、何もありはしないのだ。義兄は、金沢地方には一人の知人もない。旅人として来たにすぎぬ。

すると、当然、自分の夫、鵜原憲一との関係になってくる。つまり、義兄の宗太郎が憲一を捜索しているうちに田沼久子が浮かんできた。そこで、田沼久子を追及しているうちに彼女に殺された、という推定にならないだろうか。しかし、このことはかなり重大なことなので、彼女も本多には言えなかった。

本多は煙草《たばこ》の袋をポケットにしまいはじめたが、禎子を見て言った。

「そうそう、奥さんに申しあげねばなりません。僕は急に今夜の汽車で東京に発《た》つことになりました」

「東京に?」

禎子は、そくざに、本多が田沼久子の跡を追って行くのかと思った。しかし、そうではなかった。

「実は、昨日、急に東京の本社から至急に来るようにという連絡がありましてね」

「今日お発ちなんですか?」

「今夜の急行《北陸》で発ちます」

本多は言った。それは嫂《あね》が義兄の遺骨を抱いて帰った同じ列車だった。

「僕は東京へ行って、田沼久子の行方が分かれば、探してきますよ」

禎子は、しかし、本多が広い東京をどのようにして田沼久子の跡を探し求めるのだろうかと思った。手がかりも何もないのに、本多の言い方はかなり自信がありそうだった。が、この時はまだ禎子は本多がただ単に思いつきか、気休めを言っているのだと思った。つまり、彼女を慰めるための軽い、出まかせの言葉だと考えていた。

「私、お見送りさせていただきますわ」

禎子は本多が立ちあがる前に言った。

「それは恐縮です。しかし、すぐに帰ってくるんですから、その必要はありませんよ」

本多は遠慮したが、禎子は見送る決心だった。

禎子は今度のことで、ずいぶん、本多に迷惑をかけている。本多も新任早々に憲一のことにかかずらって、あまり仕事に集中できなかったのではないかと思う。だから、本多が東京に出張する時ぐらい見送らなければ気がすまないような気がした。嫂の出発のときも、見送ってもらったことだ。

その日一日は、禎子は宿で暮らした。宿からは相変わらず城の一角が見える。曇り空の下を、オーバーを着た若い人が坂をぶらぶらと登って行くのが見えた。風が強いことは、そのオーバーの裾《すそ》がひるがえるので分かった。考えてみると、禎子はこの金沢に来て一度も名所を見物してみる気になっていない。

禎子は外に出た。やはり風は冷たかった。電車通りと反対の小さな道にはいって行くと、人通りも疎《まば》らだし、両側の家も士族屋敷ふうで、昔ながらの崩れかけた土塀《どべい》がつづいていた。塀の上には蔦《つた》かずらが枯れて、風に蔓《つる》の先がふるえていた。

その士族町を通って坂道を登った。冬の弱い陽射《ひざ》しのなかに城の白壁が冷たく光っている。坂を登りきると、兼六園《けんろくえん》の石の標識があった。彼女は木の多い公園の中にはいって行った。人の影もあまり見あたらない。池のほとりを歩きながら、考えは田沼久子のことに落ちつくのである。

田沼久子はなぜ逃げたか？　このことが分かると、夫の失踪につづく義兄の不幸な死の事件の謎《なぞ》が一どきに解けるような気がした。いや、一ぺんに解けなくても、その一部は見えてくるように思える。

もし北陸鉄道のなかに乗っていた夜の女ふうの女性が義兄の宗太郎を殺した犯人だとすると、義兄と田沼久子とは、どこで結びつきができたのだろう？　もともと義兄は金沢に弟の憲一の行方を尋ねにやってきたのだ。その時に、田沼久子のことが、すでに義兄の頭にあったのだろうか？　禎子にはどうもそうは思われない。何か突然、義兄の目の前に田沼久子がぽっかりと出てきたような気がする。すると、その急な出現はいったいどういうのだろう？　田沼久子は室田耐火煉瓦工場の工員の妻であり、現在はその本社の受付の女である。このことと義兄の鵜原宗太郎とのつながりはどこからも出てこない。

もし、義兄の宗太郎が調査の途中にこの田沼久子に出会ったとしたら、当然、田沼久子と夫の憲一との関係にかかってくるのだ。しかし、夫の憲一にしても、室田耐火煉瓦の工員の妻であり、本社の受付にすわっている久子と、どのような因縁《いんねん》があるというのか。禎子にはその線を探ることがどうしてもできなかった。しかし、久子のことが自分のこの考えからまるっきり離れて存在しているとも思えなかった。

足を運んで行くと、公園は高い所にあるので、冬の澄みきった南の空には、白山山脈系の山なみが白い雪をのせて横に連《つら》なっていた。

禎子は今夜発つ本多のことを考えた。

夫の意味

1

八時前に禎子《ていこ》が金沢駅へ行くと、待合室には本多がもう来ていた。本多も禎子が来ることを半分予期していたらしく、ベンチから腰を上げ、笑いながらやってきた。

「どうも恐縮です。すぐ帰ってくるのにお見送りをいただいては申しわけないですな」

本多の顔はうれしそうだった。

「どうぞ早くお帰りくださいませ」

禎子は挨拶《あいさつ》した。

「だいたいのご予定はいつになるんですか?」

「そうですね、明日一日は、あんまりたいした用事はありません。あさってから会議があって、こちらに帰ってくるのはその次の日ということになりましょう」

禎子は心のなかで指を折った。

「東京に着いた日は、いま言ったようにあまり仕事がないので、僕《ぼく》はできるだけ田沼久子の行方を探すことにします」

本多は真剣な顔で言った。禎子はまたここで、本多がどのような手蔓《てづる》で久子の行方を探すのであろうかと疑問に思った。が、本多の言うことは、やはり、ただ一つの思いつきの言葉だとしか思えなかった。

このとき、本多は禎子のそばに少し寄ってきた。

「そうそう、田沼久子のことですがね」

と、彼は少し低い声で言った。

「僕はさっそく、彼女の原籍地の役場に問いあわせてやりましたよ」

「え、何をでございますか？」

「つまり、履歴書によると、夫の曾根益三郎《そねますさぶろう》は昭和三十三年に死亡したことになっていますね。この時日を一応役場で確かめたのです」

なぜそのようなことを確かめなければならないのか、禎子にはよく分からなかった。

「そうしますとね」

本多はつづけるのである。

「たしかに曾根益三郎というのは、田沼久子の内縁の夫であり、彼女の書いた履歴書のとおりに死亡していますよ。ところが」

本多は奇妙に真剣な口吻《くちぶり》で言った。

「ところがですね、死亡は死亡にちがいないのですが、原因は病気ではないのですよ」

「え、病気ではない？」

「そうなんです。ただ履歴書には死亡としてあるから、これはまちがいないんですが、死亡だというと、たいてい、われわれは病死だと思いがちですね。けれども、役場の回答によると、曾根益三郎という人は自殺しているんです」

「自殺？」

禎子は目をまるくした。

「今日の午後に着いた役場の回答は、簡単でよく分かりませんが、なんでもそれは覚悟の自殺らしく、遺書もあり、警察のほうでもたしかに自殺であるということを承認しているらしいのです。すべて正当な手続きはちゃんとすんでいるそうです」

「なぜ、その方は自殺なんかなすったんでしょう？」

「それはよく分かりません。僕は、時間があったら、今日でも現地へ行ってみるつもりだったんですが、あいにくと本社から出張命令が来たのでそれもできません。けれども、田沼久子の内縁の夫が自殺したということは、なにか大変な含みがありそうですね」

禎子もそう聞いて、同じ感じを持つのである。

時間がないので、本多は、ホームに向かって歩きだした。禎子もそれに従った。列車は、福井方面から滑ってきた。

「それでは」

と、本多は二等車の前に立って言った。

「僕は、いま申しあげたとおり、三日もしたら帰ってきます。たぶんその時までには田沼久子のことも、もっとはっきりすると思います」

相変わらず本多の言い方には、田沼久子の行方を追及する自信のほどが見えた。

「帰ってきたら、さっそくにもこの事件のことを追及します。まあそれまでは、あなたも楽な気持で待っていてください」

発車のベルが鳴った時に、本多は何を思ったか、いったん歩みかけた足を戻して言った。

「忘れていました。大事なことなんですが」

と彼は言う。

「曾根益三郎の死亡した時日ですがね、これは昭和三十三年、つまり今年の十二月十二日になっています」

禎子が、昭和三十三年十二月十二日の意味をはっきりと自覚しない前に、本多の足は汽車の昇降口の上に乗っていた。発車にはまだ数分の時間があった。

「田沼久子はですね、昭和二十二年から二十六年まで、東京の東洋商事という商事会社に勤務していたと履歴書にありますね。それで僕は、まず東洋商事という会社に行ってみるつもりです」

そうだ、それがある。禎子は、本多が広い東京でどのようにして田沼久子の所在を突きとめるのかと考えていたが、本多の考え方は履歴書にある彼女の五年間の勤め先をまず調べようというのであった。

「もっとも履歴書には、この東洋商事という会社が東京のどこにあるか、なんにも書いてないので分かりませんが、まあ向こうへ行ったら、電話帳を見るなりなんなりして、僕は探すつもりです」

発車のベルが鳴ると、本多は手を振った。汽車は東京の方へ向かって小さくなって行く。本多が窓から顔を出しているのが見えた。やがて汽車はカーブを曲がって、赤い後尾灯《テール》を見せて小さくなって行った。

見送人がホームから散った。禎子はあたりの人が少なくなるまでそこに立って、暗い線路の行方を眺《なが》めていた。信号の赤と青の小さい灯《ひ》が暗い所にポツンとある。禎子はいつかこれと同じ場面を経験したと思った。それは、夫の憲一が上野駅を去る時に、彼女が見送った時の経験であった。

禎子は駅の構内から外に出た。寒い風が吹いている。空には星一つなかった。駅の前の商店街の灯も凍っているように感じられた。頬《ほお》が痛い。禎子は、北の国の寒さがはじめて分かったような気がした。

　禎子が朝起きてみると、外には雪が降っていた。女中が炬燵《こたつ》の火を持ってきて、

「今朝はずいぶん降っていますのよ」

　と言った。外を見ると、昨日歩いた金沢の城から兼六園あたりの森が真白になっている。窓が曇っているのは、粉雪がガラスを打っているためだった。

「今日は、積もるでしょうか？」

　禎子は窓を見ながら言った。

「いえ、まだ、それほどでもありませんが、これから、だんだんこの地方も雪に閉ざされて、汽車のラッセルが出るようになるんでございますよ」

　女中はそんなことを言って、朝の膳《ぜん》などを出した。

　食事がすんだあと、禎子が、外出の支度をしようとすると、

「おや、こんな日にお出かけなんですか？」

　と女中が目をまるくした。

「ええ、ちょっと」

「どちらでございます。市内なんですか？」

「いえ、能登まで行ってきます」

「能登?」

女中はまたびっくりしたような目をした。

「それは大変でございますね、向こうは雪が多いでしょうに」

「あら、そんなに?」

「ええ、ずっと奥能登になると、こちらより雪がどうしても積もります。でも、海岸だと風が強いのでそれほどでもないと思います」

「私が行くのは海岸なんです」

禎子は微笑《ほほえ》んだ。

「どちらの海岸でございますか?」

「西海岸なんです」

「西海岸だと、とても風が強うございますからね。雪はそれほどでもないでしょうが、そりゃあ、寒うございます」

2

禎子は十時十五分発の輪島行きの汽車に金沢駅から乗った。この線はいつぞや来たことのある線だった。この前来た時は羽咋《はくい》の駅まで一時間ぐらいで、前の席に若い者がすわっていて、映画の話ばかりしていたことを思いだした。今日は、どこかの村会議員らしい男が二人、しきりに村の予算のことばかり語りあっていた。みんな黒いオーバーを着、婦人客のなかには、明治時代に見るような毛布《ケット》を背中にかけた人もいた。やはり北の国なのである。

窓から見ると、心配した雪もそれほどではなかった。空は曇っているが雪も降っていず、遠い山の頂上が白くなっているだけだった。

羽咋の町に降りて、また小さな電車に乗り換えた。そこから高浜の駅までは一時間ほどだったが、電車は絶えず、日本海の冷たい鈍い色を窓に見せながら走っていた。

高浜の駅におりると、いつぞや来た時とそのままの景色が禎子の眼前にあった。ここも雪はそれほどでもなく、表通りの裏の藁屋根《わらやね》にわずかに積もっているのが目だった。

高浜の町役場を尋ねて禎子は歩いた。町役場は小さい辻《つじ》を曲がった所にあった。〝戸籍係〟という標識の出ている窓口に行くと、そこには四十ばかりの痩《や》せた男の事務員が、厚い帳簿に何か書きこみをしていた。

「ちょっとうかがいますが」

禎子が声をかけると、その事務員は小さなガラス窓をあけた。

「高浜町字末吉の田沼久子さんの戸籍のことでおうかがいしたいのですが」

禎子が言うと、事務員はこの町では見ない顔だとばかり、珍しそうに彼女を眺めたが、それでもひょいと立って、戸棚《とだな》から何か厚い帳簿を探して持ってきた。

「田沼久子さんですね?」

事務員は番地をきくとページを繰った。

「これです」

と出した戸籍簿を見ると、田沼庄太郎長女久子とあり、これは履歴書に書いてあるとおりであった。

ここで分かったことは、ただ、その田沼庄太郎も久子の母もその兄も全部死亡しているということであった。つまり、田沼家は久子だけを残して全部死に絶えているのである。

禎子が知りたいと思った曾根益三郎のことはこの戸籍簿にはなかった。当然これはないはずで、曾根益三郎というのは久子の内縁の夫であるから、入籍していないわけである。

彼のことはどうして調べたらいいであろう。禎子はそのとおりのことをこの事務員にきいた。すると、やはり土地のもので、中年の痩せた老人くさい事務員は、久子の家の事情を知っていた。

「ああ、この内縁のご主人のことですね、それなら死亡届が出ております」

事務員は別の帳簿を出して、それを調べはじめた。それから探しているところを出すと、

「亡《な》くなったのは昭和三十三年十二月十二日ですよ」

と禎子の顔を見た。

「むろん、死亡診断書は出ているんでございますね？」

「もちろんです。そうしないと、役場も埋葬許可証を与えないわけですからね」

「病名はなんでございましょうか？」

「病名？」

と事務員は禎子の顔を見つめた。

「失礼ですが、あなたは田沼さんと、どういうご関係でしょう？」

当然な質問だったし、禎子にも、その答えの用意があった。

「実は私、田沼さんとは知りあいなんですが、今度田沼さんの一身上のことでもっとよく知りたいと思ってまいった者でございます」

これは暗に田沼久子の再縁のことを利《き》かしたつもりであった。すると、事務員は素

直に禎子の言うことを信じて、

「医者から出たのは、死亡診断書というよりも、死体検案書です。というのは、実は曾根益三郎さんは病死ではないんですよ」

と、少し気の毒そうに言った。

「え、病死ではないんですか？」

禎子はわざと驚いたような目をした。

「病死でないというと、なんでございましょう？」

「自殺です」

事務員は言った。

「まあ」

禎子は叫んでみせたが、これは本多から聞いたことだし、禎子が考えているのは、それから突っこんだ、詳しい事情だった。

「どうしてその方は、自殺なんかなさったんでしょう？」

事務員は少し椅子《いす》を禎子の方に寄せ、前かがみになって声を低くした。

「当人の事情のことは私たちには分かりませんがね」

と彼は言うのである。

「死体検案書によると、この、曾根益三郎さんという人は、十二月の十三日の日の朝、死体となって発見されています。牛山《うしやま》という海岸の断崖《だんがい》から、身を投げて頭部を打ち、亡くなったのですね」

「牛山というのは、どこでございましょう?」

禎子は息をはずませた。

「牛山というのは、この浜から約四キロばかり北に行った海岸です。そこはたいへん高い断崖になっておりましてね、そうそう、あなたは朝鮮の海金剛《うみこんごう》というのをご承知でしょうか?」

「ええ、名前だけは聞いていますけれども、なんでもとても高い断崖だということで」

「そうです。その海金剛とそっくりなところがこの辺の海岸にあるんです。名前も、能登金剛とつけていますがね、その断崖の上から投身したのですから、これは、誰《だれ》でも即死します。ひとたまりもありません。曾根益三郎さんという人は、やはりその断崖から身を投げて、付近の漁民が十三日の朝の十時ごろ、死体を発見して届け出ています」

禎子は唇《くちびる》が白くなった。

「その死体検案書を書いたのは、どちらのお医者さまでしょうか?」

「それは、この高浜にいる西山《にしやま》さんという医者です。西山医院と言えばすぐ分かります」

禎子はそれをメモした。

「その曾根さんが、自殺なさった原因は分かりませんでしょうか?」

「それは、われわれには分かりません」

事務員は小さく首を振った。

「まあ、人にはいろいろな事情がありますからね。噂《うわさ》は聞きますけれども、それがほんとうかどうかは分かりません。まあ本人も遺書を書いたことですし、西山さんに行かれたら、もっと詳しい事情が分かるかもしれませんね」

「最後におたずねします」

禎子は言った。

「その曾根さんには戸籍がありますか?」

「いや、それが、なにしろ内縁なものですから、入籍になっていません。久子さんにきいても、曾根さんの原籍地はよく分からぬというのです。といっても仕方がありませんから、あとで分かったら、そのとき、本籍分明届を出してもらうことにして、埋葬許可証を出しましたよ」

「本籍分明届？」

「文字どおり、あとで本籍地が分かったときに届けてもらうという意味です」

「分からない場合は？」

「分からない場合は、未決書類にしておきます。なにしろ、仏さまを宙に迷わせておくわけにはゆかないから、どうしても書類処理はあとになります」

禎子は頭を下げて、

「どうもありがとうございました」

礼を言って、役場を出ると、冷たい風が、頰《ほお》に吹きつけた。

歩いているうちに、禎子の頭は錯乱してきた。曾根益三郎は、十二月十二日に投身自殺した！　禎子は不意に耳のそばで大きな響きを聞いたような気がした。それを口にした時の本多の顔つきを禎子は思い浮かべていた。

3

西山医院は小さな家であった。玄関をはいると畳敷きの患者待合室があり、寒そうに子どもをかかえた母親が火鉢《ひばち》にうずくまっていた。受付の小窓をあけると、十七八の、いかにも田舎くさい看護婦がすわっていた。

「先生はいらっしゃいますか？」

ときくと、

「患者さんですか？」

と、看護婦は問い返した。

「いいえ。ちょっとおうかがいしたいことがあってあがったんです」

真赤な頬をした看護婦は、眼鏡をキラリと光らせて奥へはいった。すぐに、

「どうぞ」

と言われて、禎子が診療室にはいると、頭の禿《は》げかかったまるい頭の医者が、ストーブのそばで足を投げだして本を読んでいた。

「お邪魔いたします」

禎子はつつましくはいって行った。医者にとってこの客は、かなり思いもよらなかったものらしく、禎子を見て、思わず足を引っこめ、姿勢をあらためた。

「どうも突然あがりまして」

禎子は挨拶《あいさつ》した。

「実は、この十二月十二日に自殺した田沼久子さんのご主人のことで、少しおうかがが

いにあがったんですが」

「そうですか」

医者は前の椅子《いす》を示した。

「どういうことでしょう？」

医者の目には、もの珍しそうな表情があった。この医院としては、滅多に彼女のような都会的な客を迎えることはないらしいのである。

「私は」

と禎子は軽くおじぎをして言った。

「田沼久子さんの知りあいの者で、今度田沼さんについて、いろいろ事情を知りたいと思って来たものでございます」

「ほう」

医者はうなずいた。

「それで、田沼さんのご主人の自殺のことでございますが、先生がその死体をごらんになったわけですね」

「診《み》ました」

と医者は答えた。

「その事情を少々うかがいたいんでございますが」

禎子が頼むと、医者はあんがい素直に答えてくれた。

「あれはまったくお気の毒でした。私のところに駐在から連絡があったものですから、すぐに警察のジープに乗って行ったんです。この辺の警察医は、まあ私が代理みたいなことをやっていますのでね。それで、十三日の日も現場に警察の車で行ったんですが、なんでも到着したのは十二時を過ぎていたように思いますよ」

医者はそこまで言って、後ろにある戸棚《とだな》の引出しからなにやら書類をモソモソ探し、そのなかの一枚を取りだした。

「ここにその検案した控えがありますがね」

と医者は、カルテのようなものを手に取って眺《なが》めながら言った。

「私が見た時は、いま申しましたとおり十二時ごろです。で、死後の経過はおよそ十三四時間、つまり、死亡した時刻はその前夜の十時乃至《ないし》十一時ということになりますね」

禎子はメモしながら、夜の真暗い断崖《だんがい》の上に立っている一人のある人物を胸に描いた。

「致命傷は頭部の挫傷《ざしょう》です。もちろん、これは墜落したときに岩角にぶっつけて、頭《ず》蓋骨《がいこつ》に達するほどのものです。まあ、言ってみれば、頭を粉砕されていた状態ですね。これは一たまりもありません、即死ですよ」

医者は手真似を加えて言った。

「あの断崖からはたびたび自殺者が出ます。この二三年来、三人の例がありますが、いずれもみんな頭部を砕いて死んでいます。で、この曾根さんの場合もまったく同じ状態で即死しています」

「その死体は解剖なすったんでしょうか？」

「いや、解剖はしません。これははっきり自殺だと分かっていましたからね」

「その、はっきり自殺と分かったという事情は、どういうことなんでしょう」

「遺書があったんです。それから、本人が投身したと思われる場所、つまり断崖の上には当人の靴《くつ》がキチンと揃《そろ》えられ、それから手帳が置いてあり、それにはいま言った遺書が挟《はさ》まれて靴の上に乗っていたのです。これは誰《だれ》が見ても覚悟の自殺ですからね」

「そうしますと」

と禎子は唾《つば》をのみこんで言った。

「遺書の内容は、先生もご存じなんでしょうか？」

「いや、これは医者の仕事のほかですからね、遺書のことはお話ししていいかどうか分かりませんが、私も見るだけは見ました」

「おさしつかえなかったら、お話ししていただけませんでしょうか」

医者は少し躊躇《ちゅうちょ》の色を見せた。が、やがて低い声でぼそりと話しだした。

「その遺書というのはですね、警察立会いの上で私も見せてもらいました。要するに、曾根益三郎さんの遺書の文面は、奥さんの田沼久子さんにあてたもので、その文意は、いろいろと考えることがあって、生きて行くのが辛くなった。くわしい事情はなにもおまえに知らせたくない。ただ僕《ぼく》はこの煩悶《はんもん》を抱いて永遠に消えることにする、といったような文章だったと思います」

禎子は、その文章を心のなかで繰り返した。

永遠に煩悶をもって、おまえの前から消えることにする。――それはどういう意味であろう。遺書としては、はなはだ漠然《ばくぜん》としているし、また、はっきりとした事情を第三者に見られることなく、ただ相手だけに真意を伝える文章のようでもあった。

「そのときの死体は」

と医者は話をつづけた。

「さっそく、奥さんの田沼久子さんに連絡をとって来てもらいましたよ。そうすると、久子さんも本人だと確かめたし、状況が自殺になっているので、これは諦《あきら》めて引き取られました」

「その久子さんには、旦那《だんな》さんが自殺するような心あたりがあると言っていましたか？」

禎子は医者を見つめてきいた。

「久子さんは、曾根さんが自殺するような心あたりはないと言っていました。しかし、当人がちゃんと遺書を残していることでもあるし、それに、自殺する心あたりはないといっても、人の家庭には第三者には言えない、いろいろな事情があるものですからね。たいてい、警察からきかれたらそう答えるものですよ。その証拠に、久子さんは、自殺に対してあまり深い疑いをもたず、どこか納得《なっとく》したような様子で引き取りました」

「そのときの死体の衣服などは、みだれていませんでしたか？」

「いや、それはなかったのです。ちゃんと身なりも整っていました。上着にはちゃんとボタンもかけ、ネクタイもきちんと締めていました。それに印象的だったのは、私が見た時に、上着の裏側についているネーム、つまり『曾根』という縫いつけの上に、小さな舟虫が一匹はっていたのを思いだします」

自殺者の洋服の裏についていた『曾根』というネーム。——禎子はそれを聞いた時に、頭のなかをかすめるものがあった。死んだ義兄《あに》の鵜原宗太郎が、金沢のクリーニング屋をしきりと探し歩いていた姿である。——

「断崖の上には、たしか本人の手帳が残っていたとおっしゃいましたね」

「そうなんです。手帳が、キチンと靴のそばに置いてあり、それに遺書が挟んであったんです」

「その手帳には、何か自殺に関係したようなことは書きつけてありませんでしたか?」

「いや、警官も一応はそれを読んだのですからね。ところが、なにかそれは曾根さんの心覚えのようなことばかり書いてあって、別に自殺の原因とは関係がなさそうでした」

「その手帳はどうなったんでしょう?」

禎子はきいた。

「むろん、奥さんに渡しましたよ」

禎子はそれ以上聞くことはなかった。彼女は、医者に診察の邪魔をしたことを詫《わ》び、厚く礼を述べて、西山医院を出た。

禎子の頭には一つの混乱がある。それを整理するにはもっと事実を確かめねばならなかった。彼女は田沼久子の住んでいた家に行くことを決心した。

高浜町字末吉というのは、高浜の町から二キロぐらい北にはずれた、半分は農業をし、半分は漁業に従っているような、うらさびしい部落だった。そこは街道ぞいで、後ろには雪の降った能登の高い山脈がつづいている。禎子はそこにある一軒の小さな煙草屋《たばこや》で家をきいた。田沼という家はすぐに分かった。教えられたとおりに街道を少し行き、東の方に曲がると、一群の部落があり、田沼の家はその部落をはずれた所に一軒だけ立っていた。

「あっ」

禎子はその家の前に立った時、思わず声をあげた。自分の目を疑った。これは確かに、前に見たことのある家なのである。いや、現実にははじめて見るのだが、これと同じ家、同じ景色を写真で見たことがある。夫の鵜原憲一が持っていた分厚い洋書のなかに挟んでいた、二枚のなかの一枚の写真なのである。屋根には、この辺の風習として石が置いてある。入口も狭い。廂《ひさし》が深くて、窓には櫺《れん》子《じ》窓のような格子《こうし》組みが外側にはまっていた。その一つ一つが写真とそっくりだった。禎子にははじめて写真の疑問が解《と》けた。

鵜原憲一は二枚の写真を持っていた。一枚の写真は室田社長の家である。一枚の写真がこの田沼久子の家だった。室田社長の自宅は、社長から特別に目をかけられていて、しばしばそこに出入りしていた憲一としては、なにかの記念に撮《と》ったものだろうが、この田沼久子の家を撮ったのは、それとは別の意味があったのだ。つまり、これは憲一の住んでいた〝家〟なのだ。これは禎子の直感であった。さきほどからのおそれが現実となった。いまや、夫の憲一と曾根益三郎とが同じ人物であるということがはっきり分かってきた。

寒い日だし、粉雪が斜めに皮膚に当たっていたが、禎子の頰《ほお》は熱いものに触れているように感じられた。頭のなかが燃えていた。

4

禎子は、その家の近所に住んでいる人を訪問して、いろいろと曾根益三郎なる人物を知ろうとした。百姓をしている中年の主婦は、禎子にこう言った。

「久子さんは田沼の家の一人娘でしてね、家は前から農業なんですが、気の毒に親御さんも兄さんも、みんな肺病で倒れて死んでしまいました。たった一人、兄さんだけが残っていた時分、そうですね、昭和二十二三年ごろでしょうか、久子さんは、突然東京に行ってしまったんです。その時は兄さんとの折合いが悪くて飛びだしたというような恰好《かっこう》ですが、東京で何をしていたのか、さっぱり兄さんにも手紙がこず、誰《だれ》もこの近所では、様子を知りません。ところが、今から五年ぐらい前、ひょっこり久子さんは帰ってきました。なんでも、その帰ってきたときは」

そのことを、主婦はかなり興味をもって話した。

「ひどく派手な洋装で、以前とは見違えるようにしゃれていました。それで、近所の者は、東京へ行って何をしていたのかと、悪口を言っていたくらいです。そのうち、本人もやはり、田舎の慣習に慣れてしまったのか、そんな派手なこともなくなり、兄さんが死んでからは、家を守って、わずかな田を耕していたようです。その暮らしは、あまり楽とは言えませんでしたね。すると」

話し手は、またおもしろそうに目を輝かした。

「今からちょうど一年半ばかり前でしたでしょうか、久子さんが突然、お婿《むこ》さんをとったんですね。けれど、そのお婿さんというのも正式な結婚ではなく、むろん、結婚式も披露《ひろう》もやっていません。私たちにも、久子さんははじめのうちは、なるべく隠すようにしていましたが、しまいにはそれが主人だと言っていました。その主人というのが曾根益三郎さん。曾根さんは私たちと顔を合わせても滅多に口をきいたこともなく、どっちかというと、顔をそむけていたような具合です。まあ、いっしょになった事情が事情なので、私たちも察してはいましたけれども。……とにかく口数の少ない人でした。

久子さんの話によると、益三郎さんは、なんでもある会社の外交員だそうで、朝早く出て行き、夜はおそくでないと帰ってきませんでした。そうですね、たいてい、バスの最終ですから、真暗くならないと家に戻っていなかったようです。それに、ひと月のうちの十日ばかりは東京に出張があるとかで、全然、帰ってきません。久子さんは益三郎さんが東京に出張することをひどく自慢にしていましたけれども、さあ、どういう商売の外交だか、私たちにはさっぱり見当がついていません」

このような話は、この主婦だけでなくて、もっと別の中年の農夫や漁夫からも禎子は聞いた。それから、自殺の原因については、みんながこう言うのである。

「久子さんは益三郎さんをとても好きだったようで、われわれの目から見ても大切にしていました。その益三郎さんがどうして自殺したのか、よく分かりませんが、まあ、われわれの考えでは、外交員という商売にありがちな、金の使いこみでもしたのではないか、と思っています。久子さんも益三郎さんがなぜ自殺したかというようなことは、われわれに言うはずはなく、当座はひどく悲しんで口もきかなかったようです。

すると、そのうちに突然家をたたんで、畑や地所もろとも売り払って、金沢に引っ越して行きました。その時の久子さんの話では、なんでも向こうの会社に就職が決まったということでしたが」

禎子が聞いた話は、だいたい総合するとこのようなことだった。すると、曾根益三郎というのは、室田社長が言うように、室田耐火煉瓦《れんが》の工員ではなく、どこかの会社のセールスマンであったということになる。これは、近所の人の言う話が本当なのか、室田社長の言う話が本当なのか、禎子にはすぐに判断ができない。たとえば、久子が近所の者に、曾根が室田耐火煉瓦工場の工員だというのがなんだか体裁が悪く、どこかの外交員だと取りつくろっていたのかもしれない。しかし、禎子には近所の人が言うのが本当のような気がした。

いずれにしても、室田社長は嘘《うそ》をついている。

もし、曾根益三郎が鵜原憲一と同一人であったとしたら、室田耐火煉瓦の工員などということはありえないのである。しかも、近所の話で聞いたところによると、その曾根益三郎なる人物の人相、特徴はことごとく鵜原憲一を指しているのである。すると、近所に久子が吹聴《ふいちょう》した、二十日間は金沢に、十日間は東京にという曾根益三郎の生活が符節を合わせるように憲一の生活に合うのである。憲一は二十日間は金沢地方のA社の広告取りに歩き、十日間は東京に帰っていた。

室田社長はなぜそのような嘘を言わねばならないのであろうか。

それにしても、禎子は、ずっと以前、夫の鵜原憲一から、自分がほかの女と比較されていたことを思いださずにはいられないのである。あの時、夫はしきりと自分をほめた。ほめ方が、いつも誰かに比較されているように思えた。当時、それはただ自分の感じにすぎないと思ったが、今こうして実際の真相が分かると、その直感が間違いでなかったということに思いあたるのである。それでは、夫の憲一は、なぜ自殺したのであろうか。

禎子は、ともかく夫の自殺したという、その現場に行ってみたくなった。近所で聞くと、そこはまたバスに乗って四キロも離れた所にあると言う。禎子は容易にこないバスを待った。このバスは日に三往復しかなく、彼女は、雪の降る道端で、つくねんと、一時間近くも待たされた。バスでそこまでは約二十分かかった。バスの通る道から見ても、左側の窓の下が、絶壁になっていることは、海が低い所に見えていることでも分かった。

ある停留所におりたら、そこは禎子ひとりだった。彼女は乱れて降ってくる雪のなかを、断崖《だんがい》の上に向かって歩いた。草は短く枯れている。雲も低い所にあった。いつかこの近所に来た時は、遠い雲の間から陽《ひ》が射して、海の一部分が明かるく見えたものである。しかし、今日は、空全体が厚い壁に塗りつぶされたように、厚い雲であった。陽のかげりもなく雲の動きもなかった。

夫の死場所がはたしてどの辺か、見当がつかない。しかし、その地点がこのあたりであることは間違いなかった。海の方を見ると、いくつもの岩が立って海に突き出ている。観賞的に見れば、なるほど能登金剛の名に値しそうな景色だったが、今の禎子には海原《うなばら》の墓場のようにしか思えなかった。彼女は前にも来た時にここで思いだした詩を、また胸に浮かべた。

しかし、ごらん、空の乱れ
波が――騒《さざ》めいている。
さながら塔がわずかに沈んで、
どんよりとした潮を押しやったかのよう――
あたかも塔の頂きが膜のような空に
かすかに裂け目をつくったかのよう。
いまや波は赤く光る……
時間は微《かす》かにひくく息づいている――

この世のものとも思われぬ呻吟《しんぎん》のなかに。

海沿いの墓のなか

海ぎわの墓のなか――

禎子は涙が流れた。それは悲しみのためか、正面から強く吹きつけてくる冷たい風が目にしみたためか、分からなかった。

夫は、なぜ死んだのであろう、なぜ、自殺したのであろう？

夫は二年前にこの地方に赴任してきた。そこで田沼久子との関係ができたに違いない。その動機が何からはじまったか、もとより禎子は知るよしもない。が、ともかく、夫は二年前に赴任し、それから半年後に、この海ぞいの村に、ひっそりと女と同棲《どうせい》していたことにまちがいないのである。

夫の自殺の理由は、禎子にはほぼ想像がつきそうだった。つまり、禎子を妻として得たことに彼の自殺の原因があったのではなかろうか。夫は禎子を愛していた。しかし、もう一人の妻、田沼久子も愛していた。が、彼は新婚の禎子をもっと愛していたのであろう。そのため、田沼久子との一年半の生活を、彼は、努力して打ち切ろうとしていたにちがいない。しかし、それができず、悩みのはてに、ここの断崖から、身を投げたのではあるまいか。

曾根益三郎が死亡したのは十二月十二日である。夫の鵜原憲一が失踪《しっそう》したのは十二月十一日の午後であった。彼は、また明日金沢に戻ってくると言いながら、そのまま行方不明になった。ここではじめて、鵜原憲一がなぜ一晩よそに泊まらなければならなかったかという謎《なぞ》が解けてくる。つまり、憲一は、夕刻金沢を出ると、この高浜の久子の家に一泊せざるをえなかったのである。その日に金沢に戻る汽車の連絡がないのだ。

憲一の当初の予定では、そのとき久子と別れて、あくる日金沢に戻り、東京に帰ってくるつもりであったのであろう。ところが、その晩に、彼はこの断崖から投身してしまったのだ。

本多が東京行きの汽車に乗る前、曾根益三郎の死亡した時日が十二月十二日になっていると言ったが、彼も曾根益三郎と鵜原憲一とは同一人であることをすでに悟っていたのだ。だからこそ、彼は勢いづいて、東京の田沼久子に会ってくると言ったのであろう。——

海の上に重なっている雲は急速に蒼《あお》ざめた。海の色もくろずんでくる。禎子は冷たい風と雪に打たれながら、しばらくそこからじっとして動かなかった。

禎子が金沢に帰ったのは、夜の九時を過ぎていた。

宿に帰ると、女中が禎子の顔を見て、急いで告げた。

「奥さまのお留守に、何度も、電話がかかってまいりました」

「あら、どこから？」

禎子は目をあげた。東京の母からかと思ったのだ。

「A広告社からでございます。なんでもとてもお急ぎの御用らしく、二時間ばかり前から、三度ほどかかりました」

「どうもありがとう」

禎子は言ったが、胸騒ぎがした。A広告社からかかってくる用事といえば、憲一のことか、本多のことしかなかった。東京に出た本多からなにか重大な手がかりでもあったというのであろうか。しかし、それだったら、A広告社などを通じないで、禎子の泊まっているこの宿に直接かかってきそうなものだった。なんの用事か、禎子には見当がつかない。今ごろになってA広告社に憲一のことが知れたとも思えなかった。

禎子は、A広告社に電話をかけた。交換台に命じてそれが出てくるまで、胸の動悸《どうき》がしずまらなかった。電話が通じた。

出たのは男の声だった。

「もしもし、私、鵜原でございます」

禎子が言うと、相手は、

「ああ、鵜原さんの奥さんですか？　僕、A広告社の木村という者ですが」

声の調子では向こうでもかなりあわてていた。

「留守をしておりまして、たいへん失礼いたしました」

「実は」

先方は早急に言うのである。

「たいへん重大なことが起こりまして、すぐにご連絡しなければならぬことになりました。さっそく、これからおうかがいしたいのですが、ご都合はよろしいでしょうか？」

相手は、その内容も、だいたいの輪郭も、伝えなかった。そのことが、かえって用件の重大さを禎子に思わせた。

「結構です。お待ちしてます」

電話が切れたが、その男が、駆けつけてくるまでの時間、彼女は心が落ちつかなかった。もはや、憲一のことではないのだ。何かが起こったとすれば、本多良雄の身の上である。

禎子は女中に言いつけて、炬燵《こたつ》の火を起こし、火鉢《ひばち》にも火を盛った。客は一人か二人か分からないが、ともかく、座布団《ざぶとん》も三人まえ用意させた。

帳場から連絡があったのは、三十分の後だった。A広告社の木村という人と土地の警官だというのである。警官と聞いて、禎子は息をのんだ。ただごとでないことが起こったのは疑うべくもなかった。しかもそれは、警官のくるような用事であった。禎子は、胸のふるえるような思いで、足音が階段を上がってくるのを聞いた。

「お邪魔いたします」

襖《ふすま》の外で、男の声が控え目に聞こえた。

「どうぞ」

はいってきたのは、むろん、禎子が見知らぬ人ばかりであった。先頭に立ったのも、後ろの二人も、いずれも背広を着てオーバーを片手にかかえていた。先にはいってきた男が、

「僕、A広告社の木村です」

と自分のことを言って挨拶《あいさつ》し、そばにいる中年の二人の男を、

「こちらは金沢署の刑事さんです」

と紹介した。

「どうも、昨日からひどく冷えますね」

その刑事の一人は如才《じょさい》なく言った。彼はポケットからよじれた煙草《たばこ》を出して、落ちついた様子ですいはじめ、それとなく、じろじろ禎子の顔を見ていた。女中が茶を出して去ると、待っていたように、木村が口を切った。

「じつは、奥さん、たいへんなことが起こりましてね」

禎子は木村を見つめた。普通ではないという予想はあったが、木村の口から吐かれてみると、はじめてその現実につきあたった思いだった。

「それは、本多さんのことなんですが……」

ああ、やっぱり本多のことだった、と禎子は心のなかで叫んだ。

「本多さんが東京に出張されていたのはご承知と思いますが、今日の午後四時ごろ、この金沢署のほうに連絡がございまして、本多さんが急に亡くなったという知らせを受けました」

「え！」

禎子は顔色を変えた。本多の身になにか変事があったことは予想したが、まさか本多の死を聞こうとは考えなかった。しかも、そこに刑事がいることで、本多の死がどのようであるかということも直感できた。禎子は自分の唇《くちびる》が白くなるのを覚えた。

「その亡くなったというのは」

木村も興奮を見せて言った。

「たいへん不幸なことなんですが、本多さんは殺されたのです」

禎子は声が出なかった。直感はあったが言葉に出されてみると、頭のなかが真空になった。

「それにつきまして」

と横の刑事がおだやかに話を引き取った。

「私から一とおり、ざっとお話しいたします。これは警視庁の連絡なのですが、本多さんは今日の十二時ごろ、東京都世田谷区××町××番地の清風荘《せいふうそう》というアパートの一室で亡くなられていたのを、アパートの管理人が発見したのです。管理人の話によると、その部屋は、その前日に杉野友子という名前で、三十前後の女が借りたのだそうです。そのあくる日に本多さんが訪ねてきたわけですが、そのとき、本多さんは管理人に、杉野さんという人がこちらに移っているでしょうと尋ね、部屋をきいてはいって行ったといいます。それがだいたい九時ごろで、それから、彼女の部屋で本多さんの死体が発見されたのが、今申しあげたとおり、およそ三時間後の十二時近くでした。死因は青酸カリで、これは死体のそばにウィスキーの瓶《びん》が残っていたことで分かりました。鑑識では、ウィスキーの瓶に青酸カリの混入を認めております。つまり、本多さんはこのウィスキーをのんだわけです。また、杉野という女性は、九時すぎに外出したところを管理人が見て、かなりあわてている様子だったと証言しています」

禎子は、その刑事の顔を見ているだけだった。どのような言葉を出していいか分からなかった。

「そこで」

と、刑事はおだやかに煙草をすいつづけて言った。

「奥さんにおうかがいしたいのですが、本多さんが東京に行ったのは、だいたい、会社の出張だということは分かりました。けれども、本多さんが、杉野という女を訪ねたのは、むろん、私的なことと思います。これについて、本多さんをかなりご存じの様子の、奥さんのご意見をうかがいたいのですが」

雪国の不安

1

禎子《ていこ》は、刑事にきかれても、しばらく、答えられなかった。それは、刑事の質問が分からないというのではなく、言葉よりも先に頭の中が混乱したのである。

本多良雄が殺された。――

まるで現実とは思われなかった。あたりの物体が急に傾いて見えた。

本多良雄と別れたときの最後の姿だけが、目の前に大きく映った。汽車に乗ってからも、窓から首を出して、ホームに立っている禎子の方を、いつまでも見ていた本多の顔が、目にいっぱいに広がってくる。

「どうでしょう、奥さん？」

訪問した刑事は、彼女の返事をうながした。

「本多さんとは」

と彼女はやっと言った。

「それほど、個人的な親しさはございません」

禎子は、そう言いながら、それが自分の正直な返事かどうか自信がなかった。彼女は、本多の気持をある程度感づいていた。

本多が、新任早々、すべての仕事をほとんど投げうって、憲一の行方を探すことに、一生懸命になったのは、友だちへの友情というよりも、むしろ、禎子への愛情ではなかっただろうか。禎子も、最初はそれが、本多の、夫への友情だと信じていた。が、本多が彼女といっしょに、いろいろと夫の行方を探してくれているうちに、そこはかとなくのぞかせてみせる愛情に、気づきはじめたのである。

夫の憲一を捜索する本多の彷徨《ほうこう》は、たいそうな努力といえる。その本多の気持の中には、しだいに積み重なってゆく禎子への愛情が、彼女にも目に見えるように分かった。これは彼女にとって迷惑なことである。金沢の滞在も、彼女には、少々長すぎたようである。このうえ、本多の気持をすすませたくはなかった。

禎子は、本多に愛情めいた気持は持てなかった。ただ、自分のことをひそかに想い、善意に努力してくれる彼に感謝している以外にないのである。

「本多さんとは、それほど、個人的には親しくございません」

禎子は重ねて刑事に言った。

「ただ、主人の同僚であり、後任者という関係から、主人のことを心配してくださっただけです」

金沢署の刑事は、禎子の夫の鵜原憲一《うはらけんいち》が失踪《しっそう》したことを知っている。

「ああ、そうですか」

　刑事はうなずいた。

「そうすると、今度、本多さんが東京で殺されたことには、お心あたりがないわけですね？」

「全然、ございません」

　禎子は、本多が殺されたという部屋の主、杉野友子という女を知らない。はじめて聞く名前なのである。

　しかし、その女が、本多の殺された前日に、そのアパートに引き移ったことといい、本多が東京に出発するとき、会議の余暇に、できるかぎり田沼久子の行方を探す、と言っていたことといい、杉野友子なる女性は、もしや田沼久子と同一人物ではないかと考えた。

　室田耐火煉瓦《れんが》会社の受付にいた田沼久子は、突然、行方をくらました。当時、本多の話によると、彼女は東京方面に行ったらしいというのである。それは本多がさぐってきたことだ。

　すると、東京に出張した本多が、杉野友子なる女性を訪ねて行ったであろうことは、いろいろな点からみて、符節が合うのである。

杉野友子こそ、田沼久子の偽名に違いない。受付の窓口にすわっていた、おとなしそうな細い女性が、禎子の頭に浮かんだ。アメリカ人と話をするときに特殊な言葉づかいをした、あの女である。

本多の口吻《くちぶり》では、ひどく田沼久子を疑っていた。彼女の内縁の夫、曾根益三郎《そねますさぶろう》の死亡についても、かなり疑問を持っていた。その真相は、禎子が自分で探したが、本多も、ある程度感づいていた節がある。そして、もっとも怪しいと、彼が考えだしたのが、この田沼久子なのである。

そうなれば、本多が、田沼久子の偽名を杉野友子と推定したことも、彼女の身辺を懸命に調べていた彼にとっては、そう時間がかからなかったのではないか。

田沼久子は、なぜ、本多を殺したのであろうか?

禎子が、頭の中に、思考を忙しく働かせて、ぼんやりした顔つきでいると、

「それでは、あなたは、本多さんの殺されたことには、全然、お心あたりがないわけですね?」

刑事は禎子に、念を押すようにきき、禎子の返事をきいて、

「今後の捜査の進展しだいで、またおうかがいして、お話を聞くことがあるかもしれませんから」

と断わって帰った。

刑事たちが帰ったあと、禎子は深い物思いに沈んだ。

彼女は、刑事の前には、夫の失踪と、田沼久子の内縁の亡夫、曾根益三郎が密接な関係にあることを洩《も》らさなかった。それは、まだ推定の域《いき》で、これという証拠がないのみならず、いま刑事たちに話すには、あまりに複雑な事情がありそうに思えるのである。

夫の憲一は、禎子にかくして、久子と日本海岸の古い百姓家に同棲《どうせい》していたのだ。夫の失踪は、久子の表面上の主人、曾根益三郎の死亡と同じなのである。

田沼久子は、おそらく、自分の内縁の夫、曾根益三郎が、鵜原憲一と同一人とは知らなかったであろう。今になって考えると、鵜原憲一は、二年間の金沢在任中、一年半を田沼久子の夫として暮らしていたのだ。

彼は、能登の西海岸の久子の家から、金沢のA広告社の出張所に出勤していた。そして久子の家から、地方の得意先《スポンサー》まわりの出張に出かけていたのである。

鵜原憲一は、一カ月のうち十日間、連絡のため東京の本社に詰めなければならない。その間、久子の夫の曾根益三郎として、室田耐火煉瓦の社用という名目で東京に出張していることになっていたのだ。つまり、鵜原憲一としての、一カ月のうち、十日間の東京帰社は、曾根益三郎にすれば、外交員としての東京出張になっていたのである。

まだ、思いあたることがある。鵜原憲一は、東京から金沢の出張所に主任として赴任したとき、最初は、金沢市内の、川沿いの道から路地にはいった古い家に下宿していた。しかし、そこは、わずか半年で引っ越している。禎子が、本多と訪ねていったとき、その下宿の老婆《ろうば》は、鵜原さんの引っ越し先はよく分からない、と言った。荷物も、鵜原さんがタクシーを呼んで、自分で運びだした、と言うのである。

あの時、金沢駅も調べたが、行先は分からなかった。憲一は、能登半島の西海岸にある田沼久子の家を他人に突きとめられることをきらい、秘匿《ひとく》工作をしていたのである。もちろん、当時、彼は妻となるべき禎子の存在を知らない。憲一が久子と同棲の居所をかくしたのは、会社の同僚などにたいしてであった。

その事実を鵜原憲一の家族、たとえば、実兄に当たる宗太郎は知らなかったのであろうか？　禎子は、今は、宗太郎がそれを知っていたという気がしている。はじめて、嫂《あね》の家に夫の留守中訪ねて行ったとき、義兄の宗太郎は、〝弟の憲一は、女には堅い男だ〟と保証した。そのときの彼の表情は、ひどく大げさだったように思う。あれは、新しく来た弟の嫁の禎子にたいしての体裁である。ただ、嫂も、宗太郎からその事実を知らされていなかったようである。宗太郎は、弟の秘密を自分の妻にもかくしていたのだろう。

宗太郎は、京都に出張に行くと言いながら、直接に金沢に来た。それも、弟の憲一が行方不明になって、しばらく経《た》ってからだった。

なぜ、あのとき、宗太郎は、弟の行方不明を聞いて、すぐにあわてて駆けつけなかったのか？　ここで禎子は思いあたるのである。

おそらく憲一は、兄の宗太郎にだけ、自分の秘密の生活を、ある程度、打ちあけたにちがいない。それも、禎子との縁談がまとまった直後のような気がする。

憲一は、新生活にはいるため、田沼久子との一年半にわたる生活を清算しようと考えたのであろう。しかしそれは、久子の愛情の前には、容易に告白できないことだった。だから彼は、兄の宗太郎にだけは、その苦悩を、ある程度、打ちあけたと思われる。

憲一が、田沼久子の愛情と禎子の愛情に挟《はさ》まれ、自殺したとき、鵜原宗太郎は、まだ失踪だけを聞いているので、たぶん憲一が女との別れ話に長びいていると考えたにちがいない。憲一の女の家は誰《だれ》も知らないから、表面上は行方不明になっているのだと思ったのだろう。だから、宗太郎は、弟の失踪を聞いても、悠々《ゆうゆう》として腰をあげなかったのだ。彼は、かならず憲一が出てくると言っていた。出てくるというのは、女との間を清算して帰ってくるという意味である。他《ほか》の者が憲一の生死を心配しているときでも、宗太郎が、自信をもって生存説を主張した理由は、そこにある。

禎子は、また考えつづける。――

ところが、夫の憲一は、失踪したまま容易に姿を現わさなかった。そこで、宗太郎にも、はじめて、不安がきざしてきた。

彼は、おもてむき京都に行くと言って金沢に来た。そして、ひそかに捜索をはじめた。禎子といっしょに行動しなかったのも、彼には弟の事情が、ある程度、分かっていたからである。

ある程度というのは、憲一が兄に全部告白していないと思われるからである。宗太郎は、憲一の失踪を聞いて金沢に来たが、彼はずいぶん妙な行動をしている。たとえば、市内のクリーニング屋を探してまわったことなどである。

おそらく、憲一は宗太郎に、自分に〃一年半の同棲生活〃をした女があることは告白しなかったであろう。その名前も、はっきりとした住所も、まだ告白しなかったにちがいない。ただ、宗太郎が金沢に来た最初の日、能登半島から来る列車に乗っていたことは、禎子が目撃したことである。宗太郎は、弟のそのかくれ場所が能登半島であろうくらいは、見当をつけていたにちがいない。憲一は、その辺までは言ったであろう、と思われる。ただ、さすがの憲一も全部を兄に言いかねたところに、今度の事件の不可解さがあった。

2

禎子の考えはまだつづく。——

今や、夫の憲一の同棲者《どうせいしゃ》が田沼久子であることは決定的である。兄の宗太郎の捜査は、もしかすると、それを知ってのことかもしれない。

田沼久子と夫の憲一との結びつきは、容易に想像ができるのである。夫の前身は、立川警察署の風紀係であった。田沼久子は、そのあやつるアメリカ語でも、前身がアメリカ軍相手の特殊な女性であったと想像されるのである。すると、憲一が立川署の巡査時代、もし、久子がそこで夜の女だったら、職務上彼女と知りあっていたことが想像される。

たぶんその間に、二人の間の特殊な関係ができたのであろう。田沼久子が、そのような商売をやめて、生まれ故郷の能登に帰ったのは、憲一が立川署の巡査を辞めたと同じころではあるまいか。——いや、それは、少し違う。彼は、巡査を辞めて現在のA広告社にはいるまで、約一年間の空白があるのだ。もし、二人がそのとき示しあわせていたら、すぐに同棲生活がはじまっていたにちがいない。

それよりも、憲一がA広告社にはいって、金沢地方の担当員となり、その地方を外交して歩いているとき、偶然に久子と遭遇した、と考えたほうが自然であろう。当時、憲一は独身だった。だから、再会によって生じた久子との交渉で同棲を決意した憲一は、着任後わずか半年ぐらいで下宿をやめ、荷物も、できるかぎり行先をかくすようにして、久子のところに運んだのであろう。

この時、憲一は、久子にたいしても偽名を使った。憲一の気持としては、久子と結婚する意思もなく、また、どうせ東京の本社に帰ることを考えていたので、永久に能登の田舎で、久子と同棲するつもりはなかったのである。そのことから考えると、巡査時代に久子と知ったときの憲一は、ただ顔見知りという程度だけで、久子が名前をろくに知らない程度であったと思われる。

それが、数年後に北陸路でばったりと顔を合わせたのを機会に、二人の感情が動き、ついに憲一は、曾根益三郎という偽名になりすまし、久子の内縁の夫となったのであろう。地方に赴任した独身の男性としては、考え得られるケースである。その田沼久子が、本多良雄を殺したことは、今は明白であった。

なぜ、彼女は本多を殺したか?

本多は、彼女の調査の途中で、ある程度、彼女の秘密に触れたところがある。そのことで久子が本多を殺したと考えるなら、義兄の宗太郎が久子（それは、まだ推定だが）に殺されたこともまた、同じ原因と考えてよかろう。つまり、義兄の宗太郎も、本多も、憲一の失踪《しっそう》を調査しているうちに、あることが分かりかけて、田沼久子に殺されたのであろう。

では、その、あることとは何か？　それは、久子と憲一との、かくれた生活の秘密であろう。しかし、その〝かくれた生活〟のために殺されたということは不自然である。それ以外の、何かがなくてはならない。

禎子は、目をつぶって、しばらく考えた。

当然、それは、憲一の死にかかってくるのである。もし、憲一の死が他殺であった場合、その真相に迫った義兄の宗太郎も、本多良雄も、犯人の手によって消されることは考えられる。この場合、犯人とは、田沼久子以外にない。犯人は憲一を殺して自殺を装《よそお》わせ、それを知った宗太郎がまず殺され、次に本多がおびきよせられて殺された。――と、一応の筋は成り立つのである。

しかし、憲一の死は自殺であった。他殺とは考えられない。警察の調書を見ても、自殺の場所に立った夫は、きちんと身辺を整理し、自殺者特有の心理によって、靴《くつ》も揃《そろ》え、所持品も几帳面《きちょうめん》に置き、遺書も書いている。そうだ、遺書がある。――まぎれもない、夫の憲一の遺書であった。この線は崩れようもないのである。

夫は、あきらかに自殺であった。しかし、それを調べていた宗太郎と本多は、なぜ、殺されたか？　これが、禎子には、どうしても分からない。

なるほど、夫の憲一は、曾根益三郎の偽名で自殺した。死体は、完全に田沼久子の内縁の夫として合法的に処理された。しかし、そういうことがあばかれても、何も久子が相手を殺すことはない。分からない――分からない――まったく、見当がつかないのである。

ただ、本多良雄を殺したのは、田沼久子だということは、はっきりしているが、義兄の宗太郎を殺した犯人とは、断定ができない。北陸鉄道の電車の中で、宗太郎といっしょにいたという女は、一見、パンパンふうであったという。そのことが久子と結びつくのだが、その女性が、はたして、宗太郎を殺したかどうかは分からないのである。

が、まず、それは久子と考えてよいであろう。本多を殺した女であるから、それくらいのことは、やりかねない。ほかに別な共犯者がいて、宗太郎を殺したとも考えられないのである。

共犯者——禎子は、ここで、思いあたることがある。

田沼久子の夫、曾根益三郎が、室田耐火煉瓦《れんが》株式会社の工員だと言ったのは、室田社長である。本多が調査したとき、そのことは、会社の工場の労務課長も承認している。が、実際は、曾根益三郎は、鵜原憲一であり、能登半島の彼の住んだ近所の者も、久子の言葉では、ある会社の外交員だと言っていたというのである。

このことから考えれば、社長の室田が、久子の夫を自分の工場の工員と称したのは、彼の死後ではないか。もし、事前にそのことの工作があれば、久子が、近所の者に、よその会社の外交員と言うはずはないのである。彼が死んだのちに、室田氏が工員にさせたと考えれば辻褄《つじつま》が合う。それなら、なぜ、室田氏は、久子の内縁の夫、曾根益三郎を自分のところの工員と称したか？

そのことは、室田夫人の佐知子の言葉で思いだされるのである。夫人は前に禎子に言った。

「あの方、うちの工場で働いていたご主人がこのあいだ亡くなりましてね、お気の毒なので奥さんをここに採用したのだそうです。主人がそう言っていました」

つまり、室田氏は、田沼久子を自分の会社の女子事務員にするために、その口実として、彼女の亡き内縁の夫を自社の工員と称したのである。そして、社長の権限をもって、工場の労務課にも、社外の人からきかれた場合、そう言わせるようにしむけたのであろう。むろん、退職金は出ていない。労務課長は出したと言ったが、本多が調べてみると、本社の会計からは、退職金は出ていないらしいのである。しかし、誰《だれ》かにきかれた場合は、あれは、うちの工員であったと、答えさせるように工作したのではないか。現に、本多がそのとおりに聞いている。

では、室田氏は、なぜ、そのような工作を必要としたのか？

あきらかに、氏は嘘《うそ》を言っている。自分の工場の工員でもない者を工員と称して、欺瞞《ぎまん》することの動機は、なんであろう？　それは、あきらかに、田沼久子を自分の会社に採用させるための口実である。鵜原憲一の〝久子の夫〟曾根益三郎〟が自殺して、生活の道を失った彼女を、社長は救済したのである。では、田沼久子を救済するだけの特殊な理由が、社長と彼女との間にどのように因縁づけられているのであろうか？

3

ここで思われるのは、田沼久子が、なぜ、突然、東京に出奔《しゅっぽん》したかということだ。

本多良雄は、田沼久子をしきりと調べていた。禎子に話した言葉でも、彼が、かなりな自信を持っていたことが分かる。本多の彼女についての探索は、まず、相当にすすんだものと見てよかろう。田沼久子は、それを恐れた。恐れる理由が彼女にあった。本多は禎子に、いずれ、ゆっくり全部を話す、と言ったまま死んだので、禎子は、本多が、どのような調査を遂げたか、知っていない。しかし、久子は途中で東京に逃げ、追ってきた本多を殺したくらいだから、彼女には異様な秘密があったにちがいない。

ここで、禎子は、また、同じような暗礁《あんしょう》に乗りあげる。その秘密とは何か？　それは夫の憲一の死に関係したことであろうことは想像されるが、では、相手を殺してまで防衛しようとする久子の秘密とは何か？

まだ、分からないことが一つある。田沼久子は、東京のアパートに、偽名を名乗って前日に引っ越してきた。本多が、それをどうして知ったかである。

本多の出張は、むろん、会社の公用で東京に出たのであって、一応、彼女の捜索には関係はなさそうである。その偶然はあるにしても、前日に東京のアパートにはいったばかりの田沼久子の居所を、どうして本多は知りえたか？　また、偽名の彼女を、彼は、どのようにして探りえたのであろう？　それは、別の意味で、本多の調査が、非常にすすんでいたことが察せられるのである。

あらゆる疑問が、禎子の頭に渦巻《うずま》いている。

室田儀作氏は、どの程度この事件にかかりあいがあるのか？　田沼久子を救済したのは、全然別な動機に立っているのか、あるいは、その動機がこの事件に反映しているのか、禎子には、はっきりと、まだ分からなかった。が、一応、室田社長に会うことは必要である。それは、得意先と商社の社員という関係でも必要だし、この事件にいろいろと相談にのってもらった室田氏に報告する義務もある。

翌日、禎子は、室田耐火煉瓦の本社に電話をかけた。交換手は、すぐに社長の声を出した。

「室田です」

「鵜原禎子でございますが、突然にお電話申しあげて、申しわけございません」

禎子は言った。

「いや、いや、どうぞ」

社長は、話をうながした。

「少し、急な出来事が持ちあがりましたので、お耳に入れたいとぞんじます」

「なんですか？」

社長の声は、まだ落ちついていた。

「いつも、お世話になっておりました、本多良雄のことですが」

「ああ、本多君が、どうかしましたか？」

社長は、まだ、なにも知っていないらしい。土地の警察署は、本多良雄と、社長との関係を、むろん、知らない。これは、A広告社の一主任と、出稿の広告主《スポンサー》との関係でしかないのだ。警察署から社長に本多の死を知らせるはずはなかった。

「その本多が、殺害されたという知らせが昨夜、まいりました」

「えっ！」

社長の声は、受話器に響いた。

「なんですって？　もう一ぺん言ってください」

禎子は、それを繰り返した。

「ほんとうに、本多君ですか？」

こちらの新聞には、まだ出ていないのである。この事件が新聞社に発表されたとしても、たぶん、この地方の新聞に出るのは、明日ぐらいではなかろうか。

「警察のほうから知らせがあったのです。間違いはないと思います」

「犯人は誰《だれ》ですか？」

社長は、すぐにきいた。

「犯人は」

禎子は、言いかけて、思わず声はためらった。田沼久子と推定しているのは彼女だけで、杉野友子という名前を、社長は知っているかどうか？

「杉野友子？」

社長は、禎子からその名前を聞いて、問いかえした。声の調子では、まったく、未知の名前を聞いた口吻《くちぶり》だった。禎子の耳は、室田氏の瞬間の声を、正確に判断するために尖《とが》っていた。しかし、いま、聞いたかぎりでは、室田氏の声の調子には、別に狼《ろう》狽《ばい》もない。嘘《うそ》の声でもなさそうだった。室田氏は、やはり、杉野友子の名を、はじめて聞いたのであろうか。

「恐縮ですが、もし、社長さんに、いま、お時間がおありでしたら」

禎子は、言った。

「そちらにおうかがいして、この話を申しあげたいと思いますが」

禎子としては、室田社長に会う必要があった。社長が、どこまで田沼久子のことを知っているか、その顔色を直接に見て判断したかった。社長のほうで渋るかと思うと、

「ええ、時間は、どのようにでも都合つけますよ。ぜひ来てください」

室田氏は、承諾した。

禎子は、そのあとでも考えた。

田沼久子が東京へ出奔したのは、はたして、彼女自身の意思だったのだろうか。たとえば、それには、第三者の指示は、なかったであろうか？

室田社長が、あくまでも、田沼久子の行動にまったく関係がないとすれば、話は別である。しかし、久子は、どうやら、室田社長の意思で動いているようなところがある。たとえば、彼女の内縁の夫、曾根益三郎を、室田工場の工員と称させて彼女を会社に入れたのも、社長の室田氏の采配《さいはい》である。田沼久子の東京逃走は、本多の追及が身辺に及んだために逃げたと思われるが、久子は、それを誰かに相談しなかったとは言えない。つまり、室田社長が、この間の事情を知っていたとしたら、彼の指示で久子は、逃げたとも考えられそうである。

しかし、電話の声に関するかぎり、室田氏は、素直な驚きを見せた以外には、虚心な印象であった。

が、声だけでは分からない。実際に、室田氏の表情や顔色を見きわめなければ、まだ納得ができない。

禎子は室田耐火煉瓦《れんが》の本社に着くと、受付の人は、社長から聞いていると見えて、すぐに社長室に通るように言った。受付の人は、もちろん田沼久子と入れかわってい る。

社長は、すぐに禎子を部屋に引き入れた。仕事の途中らしかったが、それをやめて、禎子の前にきた。

「電話を聞いて、びっくりしました。いったい、本多君は、どうしたというんです？ 急に殺されたりなんかして、ちょっと、信じられないくらいですよ」

禎子は、時間の邪魔をした詫《わ》びを言ったが、社長の顔は、ただ、意外な事件を聞いて驚いているというだけで、別に、何かをかくしているような表情は探せなかった。

室田社長は、でっぷりと肥えて血色がいい。細い目をして、普段から人が好さそうに思われたのだが、今見ている室田氏の目も、いっこうに、その印象に変わりはなかった。これは、室田氏が何かをかくして、そのようにふるまっているとしたら、非常に巧《うま》い演技者と言える。

禎子には、まだ、判断がつかない。

「本多君が殺されたことを、もっとくわしく話してください」

社長は、請求した。電話では、ただ殺されたというだけなので、室田氏が話を聞きたがっているのは、当然だった。

「私も、警察の方から聞いただけで、それ以外の詳しいことは分かりませんが」

と、禎子は、前置きして話しだした。話しながらに、室田氏の表情の、毛ほどの変化も見のがさないつもりであった。

「刑事さんのお話では、昨日の昼十二時ごろ、東京都世田谷区××町××番地の清風荘というアパートの一室で、本多さんは、殺されていたそうです」

禎子は、自分の小さいメモを出して見ながら話した。

「その部屋というのは、前の日に、杉野友子という人の名前で、三十前後と思われる女の方が借りたのだそうです。本多さんは、その翌日に杉野さんを訪ねてきたわけですが、それが、だいたい、朝の九時ごろだったそうです。そして、本多さんの死体の発見は、十二時近くだったといいます」

禎子は、目をあげた。室田社長の視線は、じっと禎子の顔に据《す》わっている。非常に熱心に話を聞く場合、話し手の顔を見つめているといったときと、同じ表情であった。

「警察の調べでは、その死因は、青酸カリだというんですが」

「青酸カリ？」

室田氏は、ききかえした。

「そうです。その青酸カリは、死体の傍《そば》にウィスキーの瓶《びん》が残されていて、その瓶の中に青酸カリの混入が、警察によって鑑識されたそうです。それで、推定では、杉野友子という人が、訪ねてきた本多さんに、ウィスキーを出し、本多さんがそれをのんで毒殺された、ということになっています」

「なるほどね、その、杉野友子という人は、電話でもあなたから名前を聞いたが、本多君とは、いったい、どんな間柄《あいだがら》ですか?」

室田社長は、ただふしぎだという顔をしている。

「それが、さっぱり分からないのです。私は本多さんと、今度のことではじめてお親しくしていただけで、本多さんがどんな生活をなすってらしたのか、全然、ぞんじあげません。私が本多さんから聞いた範囲でも、これまで杉野友子さんという名前はありませんでした」

「警察では、どうなんです?」

「警察でも、今のところ、杉野友子という人に、全然、見当がつかないでいるようです。本多さんが死んだと思われる時刻に、そのアパートの部屋の主、杉野さんは、あわててアパートを出て行ったそうです。これは管理人の話ですが」

室田氏は、禎子の話を聞いて、ただただ、驚いているばかりである。細い目を大きくあけ、瞳《ひとみ》も動かさずに禎子を眺《なが》めている。その驚愕《きようがく》の表情には、少しも嘘はないように思われた。これが、室田氏になにかの工作があって、それを禎子に悟られまいとする表情とすれば、これほど巧い役者はあるまい。

4

禎子は、〝杉野友子〟が田沼久子と同一人物であると推定している。しかし、それは禎子の考えであって、まだ、実際は分からないのである。あまり親しくない室田社長に、はっきり分かったわけでもない田沼久子のことをここで持ちだすのは、何か気おくれがした。

〝杉野友子〟が、はっきり田沼久子と分かっていたら、禎子としては、田沼久子の内縁の夫、曾根益三郎が、室田耐火煉瓦の工員でもないのに工員だと言わせた社長の嘘を質問したかった。が、今はそのきっかけがないのである。室田社長の表情から見ると、〝杉野友子〟は、はじめて聞いた名前のようである。禎子は、質問をあとの機会にゆずることにした。

ここで考えられるのは、室田社長は、〝曾根益三郎〟なる人物を実際に見ていないことである。もし、室田社長が〝曾根益三郎〟と会っていたら、彼が、いつも広告原稿の仕事で来る、A広告社の鵜原憲一と同じ顔であることを発見するであろう。つまり、社長が田沼久子の亡夫を自社の工員に仕立てたのは、このことからいって、彼の死後のことであり、しかも、一方的に久子の言葉にたよったからである。

室田社長と田沼久子の間は、どのような関係か分からないが、とにかく社長は、田沼久子を自分の会社の女子事務員に採用した。たとえ受付係にせよ、突然入社させるのには、周囲の者を納得させる、しかるべき理由がなければならない。その擬装の理由が、彼女の亡夫が、自社の工員だったということになる。温情主義のあらわれである。

すると、田沼久子を入社させたのは、久子の希望を社長が容《い》れたのか、あるいは、社長の好意で彼女を会社に入れたのか、その辺はさだかでないが、要するに、室田社長は、生前の〝曾根益三郎〟をまったく知らなかったのである。

するると、室田社長が田沼久子を社に入れたのは、どこまでも、室田氏と田沼久子だけの因縁である。この辺までの推定はできるが、それ以上の深部は、禎子にはまだ見当がつかなかった。とにかく、今、目の前にいる室田社長の顔は、微塵《みじん》も嘘のない、意外な話を聞いた時の驚きの表情だけであった。

「警察のことですから」

と室田社長は言った。

「まもなく、その杉野友子という犯人を挙げるにちがいないでしょう。ことに東京で起こった事件で、警視庁のお膝元《ひざもと》ですから、これは確実でしょう。まあ、人にはいろいろ、外部には知れない事情があるから、犯人が挙げられれば、真相が分かるでしょう」

室田社長の言葉は、本多と〃杉野友子〃との間を、特殊な個人関係に考えている。それが、室田社長の実際の言葉であるかどうか、禎子にはまだ見きわめられない。

このとき、卓上の電話が鳴った。

「失礼」

社長は断わって、椅子を立った。

「ああ、君か」

社長は低い声を出した。

「ああ、そうか、そうか……」

と社長は、向こうの言葉の受け返事をしていたが、

「六時から始まるのか、じゃあ、こっちへ寄るかね？」

と言っていた。禎子が聞いて、その電話は、室田夫人からだと直感した。

「寄らない？　そう。知事夫人のところに先に行くんだね、それなら時間がないだろうな。いいよ、分かった」

そこで、先方の話の答えはすんだが、今度は社長のほうが、ちょっと声を変えた。

「それからね、今、ここに鵜原君の奥さんが見えているが、また、大変なことができたよ」

禎子の耳には聞こえないが、室田夫人がびっくりして、ききかえしたらしかった。

「君も知っている本多君ね」

社長は電話に言った。

「いつか、鵜原君のことで、奥さんといっしょに見えていた人さ、あの人が、昨日、東京で殺されたそうだよ」

見えない電話の声の主は、驚いているらしかった。

「東京なんだ。ある婦人を本多君は訪ねて行って、そこで、青酸カリ入りのウィスキーで、毒殺されたそうだがね、驚いたよ。そのことで、今、鵜原君の奥さんがお話に見えているのだが。ああ、いずれ、詳しいことはあとで話すよ」

先方の声は、大変だわ、と言っているらしかった。いいよ、いいよ、と、室田氏がこたえているのは、夫人がその話を聞いて、いま、そこに来ている禎子に、会わなければならないだろうか、ときいたからであろう。

「時間がないから、今日は、失礼させてもらいなさい」

室田氏は、電話を切ったあと、もとの椅子《いす》に戻った。

「家内からです」

と社長は説明した。

「本多君の話をしたら、家内も驚いていましたよ。すぐにこちらへ来て、あなたの話をうかがいたいと言っていましたが、あいにくと今日は、こちらの放送局で座談会がありましてね」

室田氏は、夫人のことになると、言葉が少し高くなった。本多のことは、ちょっとどこかに遠のいた。

「東京から有名なA博士が見えましてね、こちらの放送局の企画で、博士をかこんで、当地の〝地方文化のあり方〟というテーマで、知事夫人と家内が座談会に出ることになったのです」

「まあ、それは、結構でございますわ」

禎子は、A氏の名前はむろん知っている。博士はT大教授で、当代の有数な社会評論家であった。室田夫人が知事夫人といっしょにA博士と対談するのは、夫人が、日ごろから、この地方の名流婦人であるためであろう。

禎子が受けた室田夫人の印象は、この地方の名流婦人にふさわしいイメージである。おだやかで、いつも、もの静かである。それでいて、話をしても、頭の回転が早く、その知性と教養が思われた。夫人が、この地方を代表するインテリ文化婦人とされるのも、もっとものような気がした。

禎子は、室田社長に挨拶《あいさつ》して立ちあがった。社長は、ドアの傍まで見送り、

「今日は、お話を聞いて、ただびっくりしました。この次、お目にかかる時までには、新聞にも、もっと詳しい報道がされるでしょうし、真相も分かるだろうと思われます。どうか、また、いらっしゃってください」

社長は禎子に、ていねいに言った。その表情には、微塵《みじん》も禎子を疑わすものはなかった。が、それがどこまで実際かは分からないのである。室田社長は、田沼久子の逃亡のことは少しも唇《くちびる》から出さないのだ。

5

禎子が、しばらく街を歩いてから、ある喫茶店にはいったのは、六時前ごろだった。なんとなく、まっすぐ宿に帰る気がしなかったのだ。外は暮れていた。昼間の黒い雲がそのまま夜になった感じで、冷えこみがひどかった。

その喫茶店は小さかった。狭い店をえらんだのは、いまの禎子の気持からである。落ちついた場所がほしかった。ありがたいことに、店にテレビがなく、レジの横でラ

ジオが鳴っているだけだった。

禎子は暖かいコーヒーをのみながら考えた。

〝杉野友子〟が田沼久子の偽名であることは、もう動かすことのできない事実だ。その久子が本多を殺した理由は、本多の彼女への追及が急だったからであろう。本多は、久子のどのような秘密を握ったというのか？

本多がそれを知ったのは、彼が憲一の行方を探している途上であった。憲一の失踪《しっそう》の跡を追っている時に、田沼久子がその線に登場し、それで本多が、彼女の秘密に触れたと言えそうである。そのために本多は殺された。

一方、義兄の宗太郎も、弟の憲一の捜索の途中に殺されている。これも、そのとき、車中でいっしょにいたパンパンふうの女のことから、久子の仕業《しわざ》と考えてよいのではなかろうか？　久子の使うパンパン英語、宗太郎の横にいたパンパンふうの女、この二つの線は、ぴたりと合うのである。

すると、田沼久子によって殺された本多も宗太郎も、その知りえた秘密というのは、田沼久子の暗い前身に関係があったのではないか？　もちろん、田沼久子が、単に戦後の混乱期の特殊な女であったというだけでは解決にならない。それだけの秘密が知られたからといって、まさか殺人までするわけはない。が、少なくとも、彼女の前身が、殺人の動機に、なんらかの影を落としているような気がする。

禎子は、前に立川の警察署を訪ねたとき、そこで会った葉山警部補を思いだした。葉山警部補は、かつての、警察官時代の憲一の友人であった。田沼久子と夫の憲一――一人は戦後の混乱期の特殊な職業の女であり、一人は、それを取りしまる風紀係の巡査であった。この二人の間にどのような接触があったか、もちろん、禎子には推察はできない。ただ、本多も宗太郎も、ある程度、憲一につながる久子のもっと深い秘密に近づいたのではなかろうか？　それが、彼らの殺された原因でもあるような気がする。

そうだ、と禎子は思った。立川に行って、葉山警部補にもう一度会ってみよう。立川署の、夫の旧同僚にきけば、夫の過去の何かが聞けそうであった。

そのとき、ラジオが、六時のニュースを伝え、そのあと、座談会のアナウンスをした。禎子は思わず聞き耳を立てた。室田社長の話を思いだした。高名なA博士をかこんで社長夫人と、現知事夫人の座談会がはじまろうとしている。

その座談会の、室田夫人の声は、なまの声で聞いているのとそっくりだった。なかなか活発な発言をしているし、A博士の巧《たく》みな座談に、けっしてひけを取らないように思えた。むしろ、連れの現知事夫人のほうが遜色《そんしょく》があると感じられるくらいである。

座談会は十五分ぐらいであった。地方婦人の問題をテーマにした、現代第一線の評論家であるA博士の話だけに、聞いていて興味があった。が、禎子に興味があるのは、話の内容よりも、室田夫人の声であった。やはり、知った人の声をラジオで聞くのは、普通よりも興味があるものである。

その座談会の放送がすんだとき、ふと、横のテーブルで話している会話が耳にはいった。

「室田佐知子も、すっかり、この辺の名流夫人になったな」

禎子がその方を見ると、話しているのは三人の男で、みんな三十前後のサラリーマンふうの男たちだった。

「まあ、ほかにいないからね。室田佐知子というのは、頭が切れるだけに、一応の水準に達しているね。あれくらいだと、東京に出しても立派に通用するな」

と別な男が言った。

「なに、東京の女だって、たいしたことはないよ。環境とチャンスに恵まれたら、よほどのばかでないかぎり、名士は勤まるものだよ」

「そうすると」

別の年嵩《としかさ》の男が言った。

「地方にいるということは、ずいぶん、損なわけか」

「そういったところだ。第一、地方にいると、ジャーナリズムが騒がないからね。なんといっても、中央にいる者は得をしているわけだ」

「とにかく」

と別な一人が言った。

「室田夫人というのは、今や、この辺のピカ一だね。文化婦人団体を牛耳っていることだし、会自体も、あの人が会長になってから、ずいぶん、活発になったじゃないか」

他の一人が言った。

「まあ、当世の才女だろうな」

禎子は、室田夫人の噂話《うわさばなし》を、そこまで聞いて、喫茶店を出た。水気のない、さらりとした粉雪が降ってくる。こんな雪が降るのは、やはり、雪国だった。喫茶店にいるうちに降りだした雪が、もう屋根に薄く積もっているのである。

宿に帰ると、座敷の炬燵《こたつ》に火がはいっていた。

「お帰りなさいませ」

女中が出てきた。

「お夕食はいかがでございますか?」

禎子は、何か、今日は胸につかえるようで、空腹を感じなかった。それで、今はほしくない、と断わると、

「さようでございますか」

と女中は雨戸を引きはじめた。それで気づいたのだが、暗い闇《やみ》の中に遠い街灯が寂しく見える、その明かりのあたりの松の枝に、雪が載《の》っていた。

女中は雨戸を引きおわると、膝《ひざ》をついて、

「あの、奥さま、お洗濯物《せんたくもの》がございましたら、どうぞ、ご遠慮なくお出しくださいませ」

と言う。禎子の滞在が、もっと長引くと思ったらしかった。

「いえ、結構です。ずいぶん、お世話になりましたけれど」

と禎子が言った。

「もう、明日あたり、東京に帰ろうと思っています」

「あら、そうですか」

女中は、禎子の顔を見て、

「そうでございますね。もう、あと三日でお正月ですから、いろいろと御用がござい

ますでしょう」

宿の女中たちは、禎子の滞在が、何か普通でないことを感じとっていた。警察から刑事が来たり、本多がたびたび訪ねてきたりすることで、むろん、ただの遊覧目的の客でないことは気づいているのであろう。

女中に、あと三日と言われて、禎子は、なるほど、もうそうなったかと思った。なんだか無意味に、この北陸の都市に長逗留《ながとうりゅう》したような気がする。夫の憲一の跡を求めてやってきて以来、さまざまのことはあったが、事実は、無意味の堆積《たいせき》のような気がした。東京に帰ろう――。急に母の顔が見たくなった。

が、洗濯物はないか、と、女中が言ったことで、禎子は、ふと、思いあたることがある。それは、義兄の宗太郎が金沢市内のクリーニング屋を探しまわっていた姿であった。本多の報告で、禎子はそれを知った。このときも、なぜ、宗太郎がクリーニング屋を探していたか、よく分からなかった。が、宗太郎の目的が憲一の洗濯物を探すことであったのは分かっている。分からないのは、その意味である。そのことも、何か同棲者《どうせいしゃ》の田沼久子に関係がありそうに思えた。そして、宗太郎がそのようなふしぎな行動をとったことで、彼も、ある程度まで、久子の生活の秘密と憲一の行方を探りえた、といえそうである。

6

禎子は、宿の部屋でラジオを聞いていた。ガラス障子から、兼六園のあたりの山が真白だった。雪はやんでいるが、曇った空が重い鉛色に凍りついていた。

ラジオが十二時のニュースを報じた。東京のニュースで、母も、この同じ声を聞いているかもしれないと思った。禎子は今晩にでも、すぐに帰りたくなった。

東京のニュースがあったあとに、地方の出来事を伝えていた。そのとき、禎子の耳をとらえた声が聞こえた。

「石川郡鶴来《つるぎ》町の崖下《がけした》で女の変死体が発見されました。――今朝七時ごろ、鶴来町××の農業山田恭子さんが付近の崖上を通行中、崖下に横たわっている女の死体を発見、所轄署に届け出ました。所轄署ではただちに係官が現場に急行、検視したところ、死体は三十二三歳ぐらいの婦人で、頭部に打撲傷と裂傷があり、状況から判断して、現場の上の、十五メートルの手取川断崖《てどりがわだんがい》上より投身したと思われます。所轄署で詳細に調べたところ、死後約十三時間を経過しており、二十八日の午後六時ごろ死亡したと見られています。服装はグレイのワンピース、オレンジがかった赤いオーバー、白のネッカチーフ。所持品は、現金二万円と化粧品のはいったハンドバッグで、オーバーの裏に〃田沼〃というネームがあり、遺書はありませんが、覚悟の自殺と見られます。なお、金沢署では、死体の人相や服装が、東京警視庁より手配の本多良雄さん殺しの犯人に似ているので、調べています」

禎子は、息をのんだ。思わず身体《からだ》がふるえて、硬《かた》くなった。

田沼久子が死んだ。——

ラジオが報じたのは、確かに田沼久子である。オーバーの裏のネームに〃田沼〃とだけあったというが、彼女以外に誰《だれ》があろう。覚悟の自殺らしいというのも、本多を殺したことで分かるのである。

禎子はすぐに支度をした。女中が来て、

「お出かけでございますか?」

ときく。禎子は、鶴来に行く順序をきいた。

「鶴来でございますか?」

女中は外を見て、

「あちらは、雪が深いかも分かりませんよ」

と道順を話した。

白菊《しらぎく》町の駅まではタクシーで行った。途中で、金沢の警察署に寄ってみることも考えたが、死体の発見されたのは鶴来である。死体は、鶴来に置いてあるに違いないし、そこでしか詳しい事情は分からないはずであった。とにかく、そこへ行ってみることだった。

白菊町から鶴来の町までは、電車で四十分ぐらいかかる。禎子はそれに乗って、義兄の鵜原宗太郎が乗ったのも、この電車だと思った。

電車は薄化粧した野を渡って行く。沿線には小さな駅のほか建物はなく、駅と駅の中間ほどの位置に二十ばかりの墓の聚落《しゆうらく》が、右側や左側に点在していた。

女中が心配してくれたが、積雪は、さほどでもなかった。しかし、山は、乗っている電車の中が明かるくなるほど真白に輝いていた。

鶴来で死んだ女が田沼久子に間違いない、と考えたのは、オーバーの裏のネームからだったというが。……

禎子は、あっと思った。宗太郎が、金沢市内のクリーニング屋を訪ねて、憲一の上着を洗濯《せんたく》した店を探していた、その意味が、今はじめて分かったのである。

あれは、宗太郎が〝鵜原〟のネームのついた憲一の洋服を探していたのである。

憲一は、東京に帰るときと、田沼久子の家に行くときとは、洋服を着替える必要があった。

鵜原のネームのある洋服で、田沼久子の家に帰るのは、困るのである。彼は、久子の前では、あくまでも〝曾根益三郎〟の名前で通さねばならない。

そこで憲一は、久子の家に行くときには、〝鵜原〟のネームのついた上着をクリーニング屋に預け、前に洗濯に出していた〝曾根〟の上着と代えていたのではなかろうか?

反対に、東京に帰るときは〝曾根〟の上着を預けて、〝鵜原〟の上着を受けとって着たのであろう。つまり、クリーニング屋は、二つの洋服の交換所であった。

鵜原宗太郎は、このことだけでも、憲一の裏の生活を知っていたわけである。憲一が失踪《しっそう》したのは、田沼久子の家にいた時であるから、金沢市内のクリーニング屋には、〝鵜原〟のネームのついた上着が残っているはずである。だから、宗太郎は、その洋服が来ていないかと金沢市内のクリーニング屋を探しまわったのである。彼は憲一から、そのクリーニング店の名前を聞いていなかったのだ。

禎子は、憲一の二重生活を、今さらのようにまざまざと見る思いがした。

鶴来の駅は、寂しい町にあった。駅できくと、警察署はすぐ近くだった。小さな建物の玄関をはいると、すぐ受付だった。係りの巡査に、禎子が、なにかきこうとしたとき、

「おや、奥さんじゃありませんか」

という声が聞こえた。禎子が驚いて見ると、それは、本多のことで宿に知らせにきてくれた、金沢署の刑事であった。

禎子は、目をみはった。

中年の刑事は驚いた顔をして、

「奥さんは、また、どうしてここへ見えたのですか？」

と禎子を覗《のぞ》きこんだ。

「お昼のラジオのニュースで、本多さんを殺した犯人が、この鶴来で自殺したと聞いたんです」

禎子は答えた。

「ああ、そうですか」

刑事は、二三度うなずいて、

「早いものですね、ラジオでもう知らせたのですか」

と言い、気づいたように、

「まあどうぞこちらへ。ここでは話になりませんから」

と、自分で先に立って案内した。

そこは、外来の客のために使っているらしい部屋で、簡素な応接室になっていた。禎子とその刑事とは向かいあった。

「ラジオでお聞きになったら、だいたいのことはお分かりになったでしょう」

刑事は話しだした。

「われわれは、警視庁の通報で、本多さんを殺した犯人が、上野駅からこちらに向かって汽車に乗った形跡があると知らされました。それで、今朝から、駅などを警戒していたのですが、そこへ鶴来署から、この自殺事件の報告があったんです。それが、警視庁手配の人相や服装にピッタリなものですから、あわてて駆けつけてきたようなわけです」

そこに巡査が茶を持ってきたので、話は、ちょっととぎれた。

「ところが、警視庁の手配による女の名前は、〝杉野友子〟となっていました。この自殺死体のオーバーの裏のネームは〝田沼〟となっています。そこで、〝杉野友子〟というのは偽名で〝田沼〟というのが本当ではないかと思ったんです」

刑事は推定を言った。

「その死体のハンドバッグの中に、『室田耐火煉瓦《れんが》株式会社』という社名入りの空封筒が、一枚、はいっていました。そこで、われわれは、室田耐火煉瓦にききあわせて、田沼という社員はいないかとたずねたわけです。すると、会社の庶務係では、田沼久子というのは自分のところの社員で受付係をしている、と言いました」

これで、〝杉野友子〟が田沼久子であることが決定的になった、と禎子は思った。

「われわれは、室田社長に事情を聞きましたよ」

と刑事は話をつづけた。

「ところが、社の話では、この田沼久子は、二十五日の晩に、突然アパートからいなくなったというのです。それが、どうやら東京に行ったらしいというので、いよいよ、本多良雄さんを殺したのは田沼久子だと確信しました。人相もピッタリなのです。死体の顔写真は、まだ室田さんに見せてありませんが、ほとんど間違いないと思います。

われわれの推定では、田沼久子は、二十五日の夜行で東京に行って、二十七日に訪ねてきた本多さんを殺し、すぐにこちらに逃走してきたと思うんです。たぶん、久子は、本多さんを殺したことで警察の追及が迫っていることを知って、自殺したのだと思います」

「奥さんは」

刑事は言葉をついだ。

「この間うかがったことを、もう一度おたずねするようですが、田沼久子と本多さんの関係を、本当にごぞんじないんですか?」

「本多さんのことは、この間も申しあげたとおり、主人の友だちというだけで、私生活のほうは、まったくぞんじあげておりません」

禎子は答えた。

「ですから、田沼久子さんというひとのことは、全然、私は知らないのです」

「そうですか」

刑事はうなずいて、

「本人の遺留品には、遺書もなにもないので、本多さんと田沼との関係は明瞭《めいりよう》でないわけです。しかし、本人が自殺したのは、本多さんを殺したことが原因になっているのは間違いないので、これは問題でないと思います。まあ、当人が自殺したのですから、われわれも、これ以上追及することはありません」

「田沼さんが、この鶴来に来たのは、いつですか?」

「それはですね」

と刑事は説明した。

「昨日の午後です。この鶴来の町に〝野田屋《のだや》〟という宿屋がありますがね、久子は、そこに十二時ごろに来て、ずっと休んでいたそうです。〝野田屋〟の女中の話では久子は何かおどおどして、落ちつかない様子だった、と言っています。顔色も悪く、食事を出してもあまり食べないで、とにかく、心配そうな様子だったと言っていました。それから考えると、久子は、警察からの追及を恐れていたと思われますね」

禎子はそれを聞いて考えた。

田沼久子は、なぜ、この鶴来の町にわざわざ来たのであろうか？

それは、禎子に思いあたることがあるのだ。鵜原宗太郎がこの鶴来の町で殺された日に、北陸鉄道の電車の中で彼といっしょにいたと思われる若い女が、一見、パンパンふうであったと目撃者は言う。

今や、それが田沼久子であることがはっきりと分かった。なぜかというと、彼女は、そのときから、この土地に経験があったからである。

あの日、田沼久子は、鵜原宗太郎を、この鶴来の町に誘った。彼女は、電車では宗太郎といっしょだったが、鶴来の駅におりてからは宗太郎と別れている。想像するに、久子は、はじめ宗太郎を、「憲一の所に案内する」と言って、この寂しい町に誘ってきたのであろう。駅からの途中で彼と別れたのは、憲一の都合をきいてみて、待合せの加能屋に連れてくるから、と言ったに違いない。そうでなくては、宗太郎が、知らない旅館で、誰《だれ》かを待ちあわせていると言って、徒《いたず》らに落ちついているわけがないからである。

別れるとき、久子は、青酸カリのはいったウィスキーの小瓶《こびん》を宗太郎に渡したのだ。たぶん、「これでものんで待っていてください」と言ったのであろう。酒好きの宗太郎は、疑いも挟《はさ》まずに、それを受けとり、加能屋に着くと、そのウィスキーを水割りにしてのんだのである。

宗太郎を殺したのも、この鶴来である。田沼久子が自殺したのも鶴来の町はずれである。人間はふしぎに、一度罪を犯した所に戻ってくるというが、田沼久子の場合も、この心理に当てはまりそうだった。

要するに、彼女の素性といい、あのとき、鵜原宗太郎の横にいたという女の服装といい、宗太郎と、彼女が死んだ鶴来の町といい、すべてが、田沼久子の犯罪に指をさしている。

現に、宗太郎のときの服装もけばけばしかったというが、今、死体となっている彼女の服装も、年齢とは少し不似合いなくらい、派手なオーバーの色である。

しかし、警察では、田沼久子と、鵜原宗太郎の傍《そば》に目撃された女とが、同一人物とは、まだ知っていないのである。

しかし、禎子は、今は、そのことを、この刑事に話す気にはなれなかった。

「田沼久子さんが」

　と禎子はきいた。

「その宿を出たのは、何時ごろなんでしょう？」

「女中の話では、だいたい、五時過ぎだったと言っています」

　と刑事は言った。

「なんでも、そのときも、ひどく落ちつかない様子で、ちょっと、その辺まで行ってくるから、と言いおいて、出て行ったそうです。もっとも、宿では、田沼久子がはいってきたとき、〝今晩、お泊まりですか〟ときいたところが、〝どうなるか分からない〟という返事だったそうです。それで、そのときも、この鶴来の町に誰か知人でもあって、そこにでも行くのかと思っていた、と言います」

「田沼さんが墜落した現場は、寂しいところなんでしょう？」

　と禎子がきいた。

「そうです。ふだんそこは、よそから来た人にはあまり用事のないような場所です。この鶴来の町から村道があって、別の部落に行くのですがね、その途中で断崖の上に、道がついているのです。道と断崖の端とが約五メートルぐらいあり、その端まで行って身を投げたのですから、これは、覚悟の自殺というほかありません」

「その部落に、田沼さんは、用事があって行ったのではないでしょうか？」

禎子はきいた。

「それは、われわれも、一応は、考えたのです。ところが、部落といっても、家数はわずか十二三戸しかなく、そこの人たちにきいても、死んだ久子を知っている者は一人もいなかったんですよ。ですから、どうしてもこれは、自殺と考えるほかはありません」

と刑事は、残りの茶をのんで言った。

「もっとも、昨夜から雪が降りましてね、その辺一帯は十センチぐらい積もっていました。雪がなかったら、田沼久子が、その辺を一人で歩きまわって悩んだ跡も分かるわけですが。……というのは、自殺者の場合、たいていは死の前に懊悩《おうのう》するもので、男の場合だと、煙草《たばこ》の吸殻《すいがら》が一ぱいに散らかっていたり、女だったら、そのまわりを、うろうろした跡があるんですが、夜中から降った雪が、すっかりその跡をかくしてしまっています」

刑事の説明は終わった。

田沼久子が、本多を殺した罪におびえて、みずから命を断《た》ったことは、これで、一応明瞭となった。しかし、禎子には、まだ、はっきりしないところがある。

なるほど、田沼久子は本多を殺した。が、その殺しの原因が、禎子には、まだ納得できないのである。

何度も考えるとおり、本多は、鵜原憲一の失踪を調査しているうちに、田沼久子の存在に遭遇した。本多は、そこで久子の前身を知り、憲一との内縁生活関係を探りえたのであろう。が、その秘密を知られて、久子が本多を殺したとするには、あまりにその原因は薄弱ではないだろうか？　もっと深いもの、もっと殺人の動機となるような深いものがなくてはならない。そのことが、禎子には、まだ、分からないのである。が、しかし、それはこの刑事に言うべきことではなかった。

「遺体は、もう焼場に運んであります。室田さんに連絡をとって、遺骨は、ひとまず、室田さんの所でひきとることに、話がきまりました」

なるほど、田沼久子は独身であった。親兄弟もなく、親類縁者もないことも分かっている。室田氏が最後の世話をしてくれるのであろう。

禎子は、刑事に礼を言って立ちあがった。

鶴来の町に出て、駅までの間、肩の上にも心の中にも寒い風が吹いているみたいだった。

駅の構内にはいって、電車がくるまでには、まだ十分ばかりあった。待合室には、ストーブをかこんで、乗客がすわっている。この辺の風習として、年配の婦人客は、角巻《かくまき》をかぶって長靴《ながぐつ》をはいていた。禎子ひとりが目立ち、まわりからじろじろ見られた。

たぶん、田沼久子も、この駅におりて、そのように目立ったであろう。いや、前に鵜原宗太郎といっしょにおりたときにも、それだからこそ、乗客たちの注意を惹《ひ》いたのであろう。あのときの話では、その女は、金沢からここに来て、帰りには、今度は別の電車に乗って寺井方面に行ったという。その寺井は、金沢から福井方面に向かって五つ目の駅だった。

禎子は、なぜ、田沼久子が寺井なんかに行ったのか、といま思うのである。

鵜原宗太郎を殺した久子は、金沢にそのまま帰ればよさそうだった。なぜ、金沢より西寄りの方に行ったのだろうか、あるいは、往復とも同じ線を利用するのは目立っていけないからとの工夫《くふう》からとも思われるのだ。が、どうもそれでは、心がどこか落ちつかなかった。

なぜ、田沼久子は、鶴来から寺井の方に行ったのか？　なぜ、金沢より西の方の駅に出たのか？

7

禎子は金沢へ帰った。

室田社長にもう一度会わなければならないのだ。それは田沼久子のことを、今度はもっと突っこんで質問する必要があったからである。

禎子は、最初、電話をして先方の都合をきいて訪ねようと思ったが、駅の構内を出たところですぐにタクシーがあったのでそれに乗った。社長はたいてい社にいるはずである。何かさしつかえがあっても、すむまで、待つ覚悟だった。

室田耐火煉瓦《れんが》の本社に着いて、受付できくと、社長は、東京に出張した、という返事だった。禎子は、あっと思った。

「どちらさまですか?」

田沼久子と代わった、新しい顔の受付嬢が、禎子の名前をきいた。

〝鵜原〟だと言うと、ちょっとお待ちくださいませ、と言って、受付嬢は総務課の人を電話で呼んだ。

受付に中年の社員が出てきた。係長ということだったが、禎子を見て頭をさげ、

「鵜原さまですね。社長が出張する前に、あなたがお見えになったら伝えてくれと言

うので、お話しします。まあ、どうぞこちらへ」

総務課の係長は、禎子を応接室に通した。

――室田氏が東京に行った！

禎子は、足もとが揺らいだ思いだった。昨日までは、その素振りもなかった室田氏が、なぜ、にわかに東京に行ったのか？

社用出張というのだから、むろん社の仕事のことであろう。社長だし、いつ、突発的な社務が起こって東京に出張するか分からないのは当然であろう。しかし、時が時なのである。田沼久子が投身した直後に、室田社長が東京に行ったのは妙な感じだった。

鶴来署で聞いた刑事の話によると、少なくとも今朝までは、室田氏は金沢にいたのである。室田氏が刑事から久子の投身自殺について事情を聴取されたのち、倉皇《そうこう》として東京に発《た》ったのはなぜか？

「社長は、急に用事があって東京に出張することになりましてね、今朝、十時前の汽車で発ちました。それで、社長が申しますには、鵜原さんがお見えになったら、自分は東京からはすぐに用事をすまして帰るので、そうお伝えしてくれということでした」

室田氏は、なぜ、そのようなことを、わざわざ禎子に断わらせたのであろうか。室田氏は田沼久子のことを禎子に特に話したいつもりで、そう言ったのか。禎子が室田氏にききたいことがあると同様に、室田氏のほうでも彼女に話したいことがあるのであろうか。

すると、応接室のドアをノックする者がいた。係長が返事をすると、ドアを少しあけて、ひとりの老紳士が顔を覗《のぞ》かせた。

「失敬。お客さまだね?」

係長のほうで少しあわてたように椅子《いす》を立った。禎子には、ちょっと失礼します、と断わった。

ドアの外へ出た係長は、すぐそこで老紳士と話をはじめた。

話声は、禎子のいる所に筒抜けに聞こえた。老人の声が大きいのである。

「社長の東京出張はなんだね!」

「僕らにも、それがよく分からないんです。東京支社に顔を出すことは確かなんですが」

係長は答えていた。

「君たちによく分からない用件というと、たいしたことではないんだな。この忙しい時に、ちょっとのんびりしてるな」

話の様子では、老紳士は重役の一人らしかった。

「そうなんです」

係長は、それでも、留守《るす》の社長に気を兼ねたように答えた。

「僕らのほうでも、社長にいろいろ連絡をとることが多いのに、ちょっと弱ってるんです」

「なんだそうだね、昨夜だって、労務担当のH君に聞くと、労組との団交が険悪になったので、社長に報告して相談しようと思ったが、五時前から社長の姿が見えないので困ったそうじゃないか」

「そうなんです。社長のいどころが、いくら探しても分かりませんでした」

禎子は、はっとした。昨日の午後五時前から室田社長はどこかに行ったというと、禎子が社を出た一時間ほどあとのことになるが、田沼久子の自殺推定時間の午後六時は、室田氏の行方不明の時間の中にはいっているわけである。

「社長も、会社の緊急事態の、大事な時に困ったもんだね。少しどうかしているんじゃないか」

「社長が労組問題で頭を悩ましていたのは事実です」

総務課の係長は、重役に言いわけするように答えた。

「それはそうだろうが、ちょっとおかしいぜ。まさかノイローゼになってるわけじゃないだろうな」

重役は少し笑った。

「社長はいつ東京から帰ってくる予定だね？」

「三十一日の朝、帰ると言っていました」

「今朝の汽車は早かったのかね？」

「十時ちょっと前でした」

「妙な時間に行ったもんだね。それじゃあ東京は夜の八時ごろじゃないか。あまり能率のいい出張時間じゃないな」

老重役はずけずけと言っていた。

ドアをへだてて、その話声を聞いて禎子も、それに気がついた。重役の言葉どおり、夜おそく東京に着いたのでは、仕事をする時間はないはずだ。普通、社用出張の場合は、夜行で発って朝、東京に着くのが順当である。

総務課の人が、社長の出張は内容がはっきりしないと答えたことといい、変則な汽車の出発時間といい、禎子には、室田氏の行動が腑《ふ》に落ちなかった。

「社長が留守ではしようがない。僕はこれで帰るよ」

重役の少し不機嫌《ふきげん》な声が聞こえた。

「どうも申しわけございません」

係長は詫《わ》びていた。

重役の靴音《くつおと》が歩み去ると、係長は応接室にはいってきた。すこし疲れた顔をしていた。

「どうも失礼しました」

係長は禎子に会釈《えしやく》した。しかし、彼女はもうここに長居の必要はなかった。

「どうも、いろいろありがとうございました。社長さんがお帰りになったころに、またおうかがいさせていただきます」

禎子は係長に礼を言って社を出た。

外は冷たい風が吹いている。雪はなかったが、どんよりと曇った日であった。北国の空は、冬になるといつもこうなのであろう。

禎子は、タクシーに乗って、室田夫人の家に行った。

電話をかけて都合を聞きたいと思ったが、そのときの気持は、まっすぐに夫人に会いたい心だった。社長に会えなかったその空隙《くうげき》を、夫人に会うことで満たしたかったせいかもしれない。

その通りは、前に本多と来たことで知っている。町から少しのぼった高台の、閑静な邸町《やしきまち》である。車で二十分とはかからなかった。

長い塀《へい》がある。和洋折衷の瀟洒《しょうしゃ》なその文化住宅に、見覚えがあった。禎子は、そこでタクシーをおりた。

その庭にも特徴のあるヒマラヤ杉《すぎ》があり、棕櫚《しゅろ》があり、梅の木があり、垣根《かきね》には枯れたバラの蔓《つる》が這《は》っている。見覚えがあるというのは、前に本多と来たときよりも、もっと以前の記憶であった。

本多と初めてきたときも、思わず息をのんだが、今でも、その記憶は少しも変わっていない。夫の憲一が、洋書の間に挟《はさ》んでいた写真に、まさに符合する建物であった。

禎子は、玄関のベルを押す前に、あらためてその家を見守るのだった。この建物の塀、屋根、壁、窓、それに付随したさまざまの植込み——その一つ一つが、あの写真の細かな部分をそのまま拡大して、目の前にあった。

憲一は、なんのためにこの建物を撮《と》ったのであろう？　おそらく、室田耐火煉瓦に、得意先として出入りするうち、室田社長に仕事のこと以外に目をかけられ、そのため、何度か、この自宅を訪れている記念にもと思って撮ったのであろう、というのが前から考えていた解釈であった。

が、もう一枚の農家ふうの写真が、田沼久子の能登半島の家だと分かった今は、禎子は、この室田氏の自宅の写真も、以前の単純な解釈ではすまされぬものを感じた。はっきりとそれを表現することはできないが、なにかもっと因縁《いんねん》のあるもの、根深いもの、といったものを感じるのである。

室田社長が、奇怪な対象として禎子の目に映ってきた今では、その漠然《ばくぜん》とした直感も、誤りがなさそうに思えるのである。

夫の二枚の写真の、一つは能登半島のわびしい農家、一つは、金沢の高台にある豊かな文化住宅である。この、まったく対照的な二つの建物の間に、何か共通点みたいなものがあるような気がした。

しかし、今は、その感じを解明することができない。

近所の人らしい女性が二三人、そこに佇《たたず》んでいる禎子をじろじろ見ながら通った。それに圧《お》されたように、禎子は、室田家の玄関のベルを鳴らした。

玄関までの光景も、前に本多と歩いたときの通りであった。ただ、あのときより、芝生の色は、もっと枯れていた。

しまっていたドアの内側に音がして、ドアがあいた。覗《のぞ》くようにして顔を出したのは、女中であった。

この女中にも、本多と来たときに、禎子は、会っているが、女中は禎子を見て、

「どちらさまでしょうか？」

と忘れたように、頭をさげて、きいた。

「鵜原という者ですが、奥さまにお目にかからせていただきたくて、おうかがいしました」

禎子が言うと、

「せっかくでございますが」

と女中はていねいに断わった。

「奥さまは、ただいま、お留守でございます」

留守かもしれないという予感はあったが、禎子は、その言葉を聞いて当惑した。なんだか今日は、夫人に会いたくて仕方がないのである。

「お帰りはおそうございますかしら？」

と思わず困ったように、女中にきいた。

「はい、夜になるよう申しておりました」

女中は、少し気の毒そうに答えた。

「遠くにいらっしゃいましたの？」

「はあ、なんですか、新聞社の主催で、大学の先生方とごいっしょに座談会があるとかで、出かけました。そのあと、もう二つばかり会があって、そのため、帰りがおそくなると申しておりました」

室田夫人は、この地方の名流夫人として忙しいのである。帰りが夜になると聞いて、禎子は、出直す気持を失った。彼女は、今夜の汽車で東京に帰る決心をしていたので、時間はないのである。その帰京の前に、夫人には一度会いたかったのだが、仕方がなかった。

禎子は、室田夫人の印象を好もしく思っていた。きれいな人だし、落ちつきがあり、知性があった。夫の室田氏のほうは、今の彼女の疑惑の対象だったが、夫人によって、自分の動転している気持を、少しでもしずめたかった。室田夫人は、そのような雰囲《ふんい》気《き》を持っている女性だった。

禎子は、奥さまがお帰りになったら、よろしく伝えてください、と言って、門を出た。

外に出ると、道は坂になっていて、下町に向かっている。そこからは、遠くの海岸線まで見渡せた。遥《はる》かに湖水らしいものがあり、雲のかぶさった果てには、陰鬱《いんうつ》な海の色も見えた。いつぞや、この坂の途中で、彼女は、本多から愛の告白のこもっているらしい強い凝視《ぎようし》をうけて狼狽《ろうばい》したのだった。その場所に来て、禎子は、そのときのことを思いだした。

禎子は、その晩の夜行で金沢を発《た》ち、朝、東京に着いた。東京は晴れていた。着くとすぐ、世田谷の家に帰った。久しぶりなので、母は喜んでくれた。

母との間には、いろいろの話があった。たとえば、宗太郎の死んだことや、青山の嫂《あね》のその後の様子など、話題にきりはなかった。

母の話だと、宗太郎の葬式は、こちらで盛大に行なわれたという。その後、あれほど明かるい性格だった嫂が、打って変わって沈んだ女になり、ときどき訪ねて行く母も、慰めようがないと言っていた。

が、母との話を、いつまでもしているわけにはいかなかった。禎子は、一刻も早く、立川に行きたかった。

「おや、また、お出かけかい?」

母は、多少、不満そうに言った。

「ええ、すぐ、帰りますから」

別に、行先は言わなかった。むろん、用件も言わない。彼女のハンドバッグの中には、たたんだ新聞の切抜きが入れてあった。それは金沢地方の郷土紙である。

ほぼ、一時間半の後、禎子は、立川署の前に着いた。

受付で、葉山警部補に面会を申しこんだ。〝鵜原〟と通じておいたので、葉山警部補は、すぐ出てきてくれた。この前会ったときと、警部補は、少しも変わらない感じである。

「やあ、先日はどうも」

警部補は禎子の顔を見て、旧友の妻に頭をさげた。

「さあ、どうぞ」

この前と同じ、傍《そば》の小さな応接室に通した。

「このあいだは失礼いたしました」

禎子は挨拶《あいさつ》した。

「いや、こちらこそ」

警部補は、歳末のことで、仕事がたいへんに忙しいとこぼしていた。そのような世間話が一とおりすむと、禎子はハンドバッグの中から新聞紙を取りだした。

「また、つかぬことをおうかがいいたしますが、前に葉山さんが主人の憲一とごいっしょだったころ、つまり、昭和二十四五年ごろのことですが、そのころ、この辺の米兵相手の特殊な女の人をご存じだったでしょうか？」

禎子はきいた。

「ええ、それは知ってます。なにしろ、ここが基地ですから、そりゃあ大変でしたよ。僕も交通係という職でしたが、ときどき狩込みを手伝わされたものです。鵜原君なんか、ずいぶん、大変だったはずですよ」

警部補は答えた。

禎子は新聞の切抜きを出した。それには、鶴来で自殺した田沼久子の記事がのっており、楕円形《だえんけい》の枠《わく》の中に、彼女の顔写真があった。

「この人ですが」

と禎子は警部補に見せた。

「この顔に、葉山さんは、見覚えはありませんかしら？」

葉山警部補は、切抜きを取りあげた。が、写真をちらと見ただけで、彼は奇妙な顔をした。一瞥《いちべつ》しただけで、その表情が変わったのである。

禎子は、おやっと思った。一目見ただけでその女の誰《だれ》であるかを、警部補が鑑別したのかと思ったが、次に警部補の吐いた言葉は、彼女を驚かせた。

「この、同じ写真を」

警部補は言った。

「つい、一時間ぐらい前に、持って見えた方がありましたよ」

「えっ」

禎子は、息をのんで、あとの声が出なかった。

「そうですね、名刺を貰《もら》いましたが、どこかの会社の社長さんという方でした。やはり、あなたのように、この写真を見せて、この女に見覚えはないか、と言うんです。

……待ってください」

警部補は、ポケットから名刺入れを出した。

禎子は、自分で顔色が変わる思いだった。名刺の名前が誰であるかを、葉山警部補が言わなくても、その当人は分かっていた。

はたして、警部補が名刺を探しだして言った。

「そうそう、この人です。室田耐火煉瓦《れんが》株式会社社長、室田儀作とあります」

ゼロの焦点

1

葉山警部補は、訪問者の名刺を禎子に渡した。名刺の活字は、室田儀作の名前と肩書を、きれいに組んであった。

禎子は言ったが、胸の中は騒いでいた。

「はあ、そうですか」

室田社長が不意に東京に出張したことは、金沢の本社で聞いた。あの時の話では、会社の総務課の人も、社長の出張の用事が何か、内容をはっきり知らなかったくらいである。が、ここではじめて、室田氏の上京の目的が、会社の業務ではなく、立川署に来て田沼久子のことをきくためだと知った。

しかし、なぜ、室田氏は大急ぎで立川署に現われたのであろう？　なぜ、田沼久子のことを立川署に直結したのであろう？　社長は、それだけでも、田沼久子の素性を、ある程度知っていたと考えられるのである。それには、社長と久子との間に、何かの関係があったように思われる。禎子は、前から、そんな気がしていたのだ。

「その社長さんは」

禎子は、警部補にきいた。

「どういう、ご質問だったでしょう？　こういうことをうかがっては、悪いかもしれませんが」

「いや、それはかまわないです」

警部補は、快活に答えた。

「別に、捜査上の秘密でも何でもありませんからね」

警部補は顔に微笑を浮かべた。

「その社長さんは、写真のこの女の人が、終戦後、この基地にいた、米兵相手の特殊な職業の女性ではなかったか、と、きかれたんです」

その室田社長の質問は、禎子が用意してきた質問と、同じであった。すると、室田氏は、田沼久子の前身を、はっきりとは知らないのである。

つまり、室田氏が久子を知った時期は、彼女が、その特殊な生活から脱け出てからの後であろう。そのときは、久子は、社長に自分の前身を明かさなかったに違いない。

だからこそ、室田氏は、今度久子の前身に疑問を起こして、ここに来たのであろう。

室田社長は、では、どうして、彼女の前身がGI相手のパンパンと気づいたのか？

その手がかりは何であったか？

禎子が、田沼久子を、その職業の女だったと感じたのは、あの特殊な、スラングの多い米語だった。しかし、室田社長は、彼女の米語のことだったら、禎子よりもっと前に気づくはずである。彼が、久子の前身を推測したのは、もっと具体的なほかの事実からに違いない。それが何かは禎子には分からない。

「それで、警部補さんは、ご存じだったんですか、この女の方を？」

「いや、写真だけでは分かりませんがね」

葉山警部補は答えた。

「もっとも、当時、あなたのご主人の鵜原憲一君といっしょに、そういう職業の女を、かなり面倒をみたものですよ。僕《ぼく》は交通係だったから、鵜原君ほど専門ではありませんでしたがね。それでも、街頭にたむろしている彼女たちを、交通違反という名目で狩込んだものですよ。ところで、この新聞の写真の女の顔ですが、どうも見覚えがあるようです」

「ご記憶があるんですか？」

禎子は、警部補が写真を見つめている顔に問うた。

「はっきりしたことは言えません。しかし、僕の記憶が間違いでなかったら、こういう顔の女を見かけたことがあります。僕がウロ覚えに知っているくらいだから、この辺では古顔のほうだと思いますね」

「その名前は、ここに書かれたとおりですか？」

「いや」

警部補は、禎子が切り抜いた新聞写真の下についている〝田沼久子〟の活字を見て、

「この名前とは違っていたようです。しかし、それが何だったかは思いだせません。ただ、僕の考えている女だったら、当時、その女が下宿していた家を訪ねてゆかれると、よく分かると思います」

「それは、どこでしょう？」

禎子は胸をはずませてたずねた。

「ここから、一キロばかり南に行った方です。ちょっと街からはなれて、今は百姓家ばかりになっています。しかしそこに、本当の農家とはちぐはぐな、洋館めいた家が見えるはずです。それが、当時の彼女たちのたむろしていたハウスなんですよ。大隈《おおくま》さんという家です。そのおかみさんが、当時、そういう連中を世話して、下宿させて

いましたから、その人に会うと、よく分かるでしょう」

警部補は、そういう教え方をした。

この葉山警部補に会えば、たちまち、田沼久子の過去が分かると思ったのは間違いだった。彼が、風紀係ではなく、交通係だったことが、その知識をとぼしくさせているのである。しかし、新しい聞きこみ先を教えられたのは、やはり、ここまで来た甲《か》斐《い》があった。

ただ、ここで思ったのは、当然、室田氏も警部補から同じ家を教えられたに違いないことだった。警部補にたしかめると、思ったとおりだった。警部補は、その家も社長に教えているのである。

「しかし、奥さん」

警部補は首を傾《かし》げ、

「さっきの方は、手札型の写真をお持ちでしたが、お二人が、揃《そろ》いもそろって、この女を追うのは、どういうわけですか?」

と不審そうな目をした。

2

葉山警部補に教えられたとおりの場所に行くと、それは、この前、禎子が来たときに通りかかった所だった。

防風林の中に、百姓家がある。前面は広々とした田圃《たんぼ》だった。なだらかな丘陵が遠くに見える。武蔵野台地もこの辺が北の端だった。この前来たときは、この近所から、赤い洋服を着た女が、外国兵と連れ立って出てゆくのを見たものだった。

大隈という家は、葉山警部補が言ったように、半分は昔ながらの百姓家の古い構えだが、その横に、妙な、外国風をまねた建物がくっついていた。安物の建築だから、建ってから十年とは思われないほどに古びている。壁のペンキのはげているのも無残だった。

禎子が案内を乞うと、その家の主婦がすぐ出てきた。五十四五の小太りの女で、目の縁《ふち》も頰《ほお》も、たるんでいた。

禎子が写真を出すと、主婦のほうでは、すぐに、彼女の用件を察した。やはり、室田社長が先まわりしてきいているからである。

「あなたで、二度目ですよ」

と彼女は言った。だから禎子は、簡単に先方の返事が聞けた。

「前に見えた方にも、話したことですが」

と小太りの主婦は言った。

「たしかに、これは、うちにいた女です。田沼久子とは言いませんでしたよ。移動証明を貰《もら》っていたんですが、名前も何も覚えていません。ここでは本名を呼びませんからね。しかし、こういう名前でなかったことはたしかです。GIの間では、あの子は〝エミー〟と言われていました。あまりパッとした性格ではなく、どちらかといえば地味なほうでしたが、その内気なところがGIの気に入って、それなりの人気があったようです。うちには一年ばかり、いましたよ」

おかみさんは、鈍《にぶ》い目をして話してくれた。

「いったい、こうした女たちは、同じ所に尻《しり》が落ちつかなくて、一年もいたというのは珍しいほうです」

「その方から」

と禎子がきいた。

「ここを出たきり、便りがありませんでしたか?」

主婦は、ちょっと妙な薄ら笑いをした。

「ああいう女たちは、こちらでどんなに世話をしてやっても、出たらそれっきりで、礼状一本よこさないのが普通ですよ。でも、エミーからは、たしか、はがきを一枚もらったような覚えがあります」

「そのはがきは、お宅にございますかしら？」

「古いことですよ。探しても分からないでしょう」

主婦は、少しめんどくさそうに答えた。

禎子は、なんとかして、そのはがきを探し出してもらいたかった。それさえあれば、田沼久子のはっきりした身もとが分かるのである。おかみさんの記憶では、ただ写真の顔が、エミーという女に似ているというだけの断定なのだ。

はがきが来たのは古いことだという。なるほど七、八年は経《た》っていよう。それを今、探してくれとは、禎子は頼みかねた。

「その、エミーさんの故郷《くに》は、どこだったでしょう？」

禎子は、そうきくよりほか、仕方がなかった。

「さあ」

おかみさんは、また考えた。

「なにしろ、当時は、入れかわり、立ちかわり、うちには女たちが来ていたので、誰《だれ》がどこの生まれやら、さっぱり覚えていません。さあ、エミーはどこだったかな?」

おかみさんは、鈍い目を閉じて、考えるような顔をした。百姓家の主婦とは思えないくらい、顔色の悪い、不健康そうな中年女だった。そのような女たちの世話をしてきただけに、もしかすると、このおかみさん自身が、ある特殊の商売あがりの女ではないかと想像されるくらいである。

「北海道だったかな?」

おかみさんは、口の中で呟《つぶや》いた。

北海道というと、まるで違ってくるのだ。しかし、おかみさんが、北海道と呟いたことで、禎子は思いあたった。たぶん、それは、雪のことが関係しているのではなかろうか? 田沼久子が、何かの話のついでに、自分の国は雪が多い、と言ったのを、おかみさんが微《かす》かに覚えていて、北海道だと勘違いしているようにも思われた。

禎子は、瞬間に考えついたことを、おかみさんに言った。

「そうですな」

顔色の悪いおかみさんは、また、冴《さ》えない目をあげて禎子を見た。

「あんたの言うとおりかも分かりませんよ。たしかに、雪が深くて、冬はなんにもできないと、エミーが言ったことを覚えています」

「私の考えでは、この人は、石川県の人だと思うんですけど」

禎子が言った。

「そのようなことを話したことはありません?」

「石川県?」

おかみさんは、口の中で言いながら考えていた。

「そういえば、はがきはそっちの方からだったようにも思いますよ。何か、石川県という住所があったようにも覚えています。ちょっと待ってください。今、見つかるかどうか分からないが、そのはがきを探してみましょう」

おかみさんのほうから言いだしたのは好都合だった。禎子は、ぜひ、そうしてくれと頼んだ。

禎子は、おかみさんが家の中にはいっている間、冬の穏《おだ》やかな日射しの庭に立った。垣根《かきね》の傍《そば》の藪《やぶ》には、南天が赤い実をつけていた。近くから餅《もち》つきの音が聞こえている。突然、空気を裂いて、爆音が響いた。米空軍の基地が近いだけに、飛行機の発着が頻《ひん》繁《ぱん》だった。昔ながらにのんびりした餅つきの音と、耳をうつ爆音とは、妙に現代的な取りあわせだった。

餅つきの音を聞いていると、いよいよ正月だという感じがする。鵜原憲一と結婚したのは、十一月の半ばだった。禎子には、あれから一カ月半とは考えられないくらい、長かったように思われた。その間、不可解な夫の失踪《しっそう》を中心にして、彼女は夢中に引きずりまわされたような気がする。義兄の宗太郎も、本多も、田沼久子も、なにか、見えない黒い渦《うず》に巻きこまれて生命をほろぼしたとしか思えない。短い期間だったが、何年もかかっているような、異常な時間の内容であった。

二十分ぐらいして、小太りの主婦は、暗い奥から出てきた。片手にはがきを握って、ゆるんだ笑い方をしていた。

「お待ち遠さま、やっと、見つかりましたよ」

そのはがきは古くなって、紙も茶色がかっていた。

「すみません」

よかった、というのが、禎子のその時の気持だった。やっとここまで来た甲斐《かい》があったのだ。

禎子は、すぐ差出人の名前を見た。それは、たぶん、当人が、はっきり自分の住所を知らせたくなかったのであろう。ただ、〝石川県羽咋郡《はくいぐん》〟と、してあるだけだった。名前は、エミーとしてあった。しかし、それが田沼久子に違いないことは、石川県羽咋郡だけで明瞭《めいりょう》だった。久子は、自分の現在の住所を知らせたくなかったのである。

本名も、別の生活に変わってからは、はがきにも書きにくかったに違いない。

禎子は、裏を返した。

ずいぶんお世話になりましたが、私は都会を離れて自分の故郷に帰りました。ママさんには、たいへんよくしていただいて、ありがとうございました。どうぞ元気にお暮らしください　お礼まで。

簡単な文面だった。が、エミーが田沼久子であることがはっきりした。

「こんなはがきを寄こすだけでも、エミーは気立てのいい子なんですよ」

主婦は、禎子の顔を見て、そう言った。

「ほかの女たちは、箸《はし》にも棒にもかからないのが多かったんですよ。そのなかでも、エミーだけは別で、GIにも、世話女房みたいなところがあって、気に入られたもんですよ。あちらさんは、そういう日本的な親切な女をよろこぶんですね」

主婦は笑った。禎子は、念のためエミーの人相をきいてみた。新聞写真は、かなりぼやけている。禎子はいつか会った時の久子の顔をはっきりと覚えている。主婦の言う特徴は、禎子の印象にそのままであった。

「ありがとうございました」

禎子は、はがきを主婦に返した。

このはがきを見たのは禎子だけである。むろん、室田社長も知っていない。しかし、それは問題ではないのだ。室田社長も、田沼久子の前身を、ここに来て確かめて帰っている。ただ禎子は、それを証拠で、はっきり確認しただけなのだ。

禎子は、駅の方に向かった。予想していたことだが、田沼久子が、かつての米兵相手の夜の女だと確かめた今は、暗い気持だった。北国の海岸に建っている久子の家が、禎子の目に浮かんだ。そこで、ひっそりと百姓をしている久子の姿と、原色ずくめの派手な身なりをして、米兵と腕を組んで歩いている久子とが、彼女の頭に交錯した。

3

禎子が家に帰ると、近所の餅屋《もちや》でついた正月の餅が届けられていた。もう夜にはいっていて、電灯の光の下で、餅の白さが光っていた。

餅を見るたびに、禎子は、幼い時の気持にかえる。立川で聞いた餅つきの音が、また耳によみがえった。

「どこに行ってたの？」

母はたずねた。

「ちょっと、お友だちを訪ねてきました」

禎子は、実際のことを言わなかった。余分なことを母に言っても仕方がない、というのが本音だった。話すのには気分が重い。母も、禎子が友だちの家を訪ねたというのは、嘘《うそ》だと思っているらしい。しかし、それ以上には何もきかなかった。夫を失った娘が、今、何を考え、何をしようとしているか、母は母なりに想像しているようだった。

禎子は、自分の部屋にはいった。もう〝自分の部屋〟と呼ぶことはないと思った部屋である。鵜原憲一の失踪が、彼女をまた、もとの自分の家に戻したのだ。母の心づかいで、アパートから引き取った道具の一部が、娘時代の通りに並べてある。しかし、やはり、以前の空気とは違っていた。どこかで、それは断《き》れているのである。この切れた線は、そのまま、鵜原憲一の失踪とつながる断層だった。

室田社長は、今ごろ、どうしているであろうか。禎子は、火鉢《ひばち》の炭火を見ながら考えている。

室田社長は、昨日の朝、金沢を発《た》ち、昨夜、東京に着いたはずだ。そして今日になって立川に行き、禎子と同じコースを先に歩いた。今ごろはまた汽車に乗って金沢に帰ってゆく途中か、それとも社の用事をしているか――禎子は、さまざまな想像をした。

が、やはり室田社長が、黄昏《たそがれ》どきの東京の街を、田沼久子の足跡を求めて、さまよい歩いているような気がしてならなかった。

室田氏は、田沼久子と、どの程度の交渉があったのか？　彼は、久子と憲一との関係を、はたして知っていたのであろうか？

憲一が久子と同棲《どうせい》していたことは、もう疑うことのできない事実だが、室田社長は、それを承知のうえで、久子に近づいていたと思える。

なぜかというと、憲一が死んでのち、室田氏は、田沼久子を自分の会社に引き取った。憲一が死んで、急に久子を知るわけがないのだから、久子との関係は、憲一が生きている間からのことに違いない。すると、当然、室田氏は、田沼久子と憲一との同棲を知っていたことになるのである。

この場合、室田氏の位置を、どう設定していいのか。

普通の、いわゆる三角関係だとすると、室田氏は、しばしば、田沼久子に会っていなければならない。しかし、久子は、能登の西海岸の家にひっそりと暮らして、金沢に滅多に出られないはずである。しじゅう忙しい室田氏と彼女との、会う機会はないはずだった。

では、どうして二人の間に特別な交渉が成立していたのか。金沢を中心として活躍している室田社長と、寒い漁村で、しじゅう家に閉じこもっている久子とを考えると、時間的にも空間的にも、一致する点は見いだせなかった。

すると、室田氏と久子の関係は、憲一が久子と同棲する以前にさかのぼらなければならない。久子が立川から身を退《ひ》いたのは、見せてもらったはがきの日付が示すように、七年も前である。だから、憲一が久子と知りあう以前に、久子が室田氏と知りあった一時期があったと考えるのが自然である。

その時期とは、久子が、能登の実家にこもる前に、金沢に出て生活していた頃《ころ》があったのではなかろうか？　そうでなければ、室田氏と出あう機会は絶対にないと思われるのである。

順序を立てて考えると、久子は、立川から自分の家に帰って一年か二年を過ごしたのち、金沢に出てきた。その時に室田氏に出あった。そこで、何らかの交渉ができ、それがしばらくつづいた。その後、久子は、A広告社の金沢出張所主任となっていた憲一との交渉がはじまり、室田氏のほうとは遠ざかって、憲一と同棲した。

しかし、やはり、前の関係から、室田氏は、久子の生活を知っていた。知っていたという考え方は、この場合、久子のほうが、ときどき室田氏に会っていた、ということになりそうだ。室田氏のほうでは、久子のことが諦《あきら》めきれずに、憲一が死ぬと、すぐに、彼女を自分の社に引き取り、金沢に住まわせるようになったのではあるまいか。

こういうふうに考えなければ、室田氏と久子との間は分かりようがないのである。憲一の失踪を追っていた本多は、この関係をどの程度知っていたであろう？

彼は、禎子には、ほとんど自分の考えを述べたが、ある部分は隠していた。あの晩も、おそくなってから旅館に電話をかけてきて、今夜はおそいからうかがわないが、例の受付の女のことで、ちょっとおもしろいことが分かりそうですよ、と言った。そして、はっきりしたことは明日にならないと分かりません、とも言った。

本多は、その翌日会った時に、田沼久子の履歴書などを見せた。その時は、彼女の夫、〝曾根《そね》益三郎《ますさぶろう》〟のことを話したが、禎子に会った最初は、本多も、履歴書のとおり、信じていたに違いない。しかし、禎子があとで気づいたようなことを、本多は、もっと先に知っていたのではなかろうか？　つまり、憲一が〝曾根益三郎〟であり、久子が室田社長と何らかの交渉があったことを探りだしていたと思うのだ。

本多としては、その調査の途中、全部を禎子に話しにくかったのであろう。ことが、禎子の夫の憲一にかかわる暗い事実だけに、言いにくい分は、後の調査を総まとめして、裏づけをしたうえ、打ちあけようという気持があったと思う。

ところが、本多は、その追及の途中で、東京に出て、〝杉野友子〟と変名した田沼久子に殺された。それは、彼女の秘密に、本多が、あまりに近づきすぎたためである。何度も考えたとおり、彼女には、本多を殺さねばならぬ秘密があったわけである。

これが、禎子には、どうしても分からない。

かりに、田沼久子が、その前身がＧＩ相手のパンパンであり、室田社長と秘密の関係があったとしても、そのことが暴露《ばくろ》したくらいでは、彼女に、それほどの打撃とは思えない。むろん、女性としては不面目である。けれども、本多を殺すほどの動機にはなりそうにない。

それほどに彼女が、自分を防衛しなければならないものがあるとすれば、それは、いったい、なんであろう？　思考は、前にかえり、堂々めぐりをする。

禎子は、前に、久子が本多と宗太郎を殺したのは、憲一の急死にかかわっていると考えたことがある。それは、もし、憲一の死が他殺だとすると、その真相に迫った宗太郎も本多も、その発覚を恐れた犯人、つまり、久子の手によって消されたとも考えられるからである。

だから、憲一の死は、自殺でなく、誰《だれ》かの手で殺され、自殺をよそおわされたと考えたことがあった。しかし、自分で考えたその推定は、自分で打ち消したのだ。

何よりの壁は、憲一の自殺の状況には、どこから見ても他殺の線が出ないということである。彼は、死の直前に、環境を整理していた。警察署の調書を見ても、現場では、自分の遺品を整理し、遺書を書きのこして死んでいる。巧《たく》みな他殺では、犯人が遺留物を自殺の状況に整理することはありうる。しかし、本人の自筆で遺書を書くことは、絶対にできないのである。

「いろいろ考えることがあって、生きてゆくのが辛くなった。くわしい事情は何もおまえに知らせたくない。ただ僕《ぼく》は、この煩悶《はんもん》を抱いて永遠に消えることにする」

という遺書の文句を、今でも禎子は、はっきりと思いだすことができる。

しかし、禎子は思うのである。

憲一は、同僚の本多に、十一日の三時ごろ、今日は高岡に行って、明日金沢に戻り、東京に帰る、と言いのこしている。これも、憲一の擬装であろうか？　そうは考えられないのである。その言葉が、憲一の本音だったと思う。それに、現に禎子は、十二日には戻るからという絵はがきを憲一から受け取っているのである。彼は新妻の禎子を愛していた。その禎子にまで嘘《うそ》を言ったとは信じられないのだ。

それに新婚旅行で信州に行った時、彼が示した愛情に偽《いつわ》りはないと禎子は今も信じている。彼は、金沢の出張所主任から東京の本社に呼び帰されたことを、心から喜んでいた。東京で禎子と家庭を持つことを、あれほどたのしんでいた憲一である。自殺の理由は考えられないのである。

彼の投身自殺が、かりに、久子との長い同棲生活を清算することができず、煩悶の末、衝動的な精神錯乱から突発的に行なわれたとしても、あのような遺書があるのは、不自然である。そのような場合は、遺書も残さずに死ぬのが普通ではなかろうか。

——この壁が、禎子の前に、びくともしないで突っ立っていた。が、ここでもまた考えるのだ。本多は、この壁を打ち破っていたのではなかろうか？　そういえば、本多の推測は、いつも禎子よりは一歩前を歩いていた。だから本多が、禎子の壁をすでに突破していたと考えても不自然ではない。かえって、その壁を破ったために、彼は久子に殺されたことにはならないか？

禎子は、ここまで考えて、思わず胸が昂《たか》ぶってきた。

それなら、久子が憲一を殺したのだ！

そう考えなければ、久子が、本多を殺す理由がない。また、本多と同じような追及の線を先に歩いていたと思われる義兄の宗太郎をも殺す理由がないのである。二人が殺された原因は、追及の共通からであった。

たとえば、久子が憲一を殺したと考えると、その仮定のもとで、理由はそれなりに成り立ちそうである。なぜかというと、憲一の心は、新妻の禎子を得て、久子から離れていた。久子は憲一を自分から放すまいとした。このまま、彼が東京に帰ってしまえば、彼女との生活は、永遠に消えてしまうのである。彼女は、憲一の本名を知らず、あくまで曾根益三郎と信じていた。したがって、憲一がA広告社の社員であることも知らず、ましてや、彼が東京で新しく結婚したことも知らない。しかし、とにかく曾根益三郎が彼女の前から消えることは、永遠の別離であることを知っていた。久子は、それが我慢できなかった。

彼女は、憲一を誘って能登の断崖《だんがい》上に立ち、海に突き落として殺し、自殺をよそおわせたのではないか？　それならそれなりの理由がつくのである。

しかし、やはり、それも不自然である。なぜなら、それでは憲一があのような遺書を書くわけがないのだ！

またしても、遺書のことが、壁となって、彼女の前に突っ立っている。

4

母が、のぞきに来て、ひとりですわっている禎子に、餅《もち》が焼けたから食べにこないか、と誘った。

「ええ、ありがとう。でも、あとでいただくわ」

禎子は静かに断わった。

母も、それなりにすすめようとはしない。暗い電気の下で、つくねんと火鉢《ひばち》に手をかざしながら考えている禎子の姿を見て、あとの言葉をのんで去った。

とにかく、本多は、禎子よりもずっと先に事件の追及の核心にはいっていた。その本多が、久子に殺されたのだが、彼は、久子が東京に行ったらしいことを洩《も》らしていた。だが彼は、久子の居所をどうして知ったのであろう？　本多には、それを調べる時間はなかったはずではないか。

久子が、アパートを出て行方をくらましたのは、二十五日の夜である。本多が、そのアパートに行って、久子の失踪《しっそう》を知ったのは、翌二十六日の朝だった。その晩に、本多は、東京の本社に社用があると言って、夜行で発《た》っている。それは、禎子が金沢駅に見送ったことであった。

すると、本多の時間は、久子の失踪を知った二十六日の朝から夜行で発つまでの、数時間にすぎない。その間に、本多が、久子の東京でのアパートの住所を知り、さらに、〝杉野友子〟という久子の仮名を、どうして知ったか？

なるほど、本多は、禎子が知らないことをたくさん知っていたと思う。それにしても、久子が失踪した直後に、本多が、その東京でのアパートの所在と仮名を探りだす余裕はなかったはずである。

万一、その時間的な余裕があったとしても、それは、どのような調べ方によったのであろうか？　それは、やはり、本多が、調べたうえで、それを知ったという考え方よりも、彼が、第三者から、久子の行方を教えてもらったと、考えたほうが自然ではなかろうか？　それなら、時間的に余裕がなくても可能だし、めんどうな調査の手間もいらないはずである。

今にして思えば、本多が、二十六日の晩、あわてて、社用ができたといって東京に行ったのも不自然である。むろん、何かの社用はあったであろう。が、それは、彼の目的からいえば従属的なもので、実際の狙《ねら》いは、田沼久子の捜索にあったに違いない。急遽《きゆうきよ》、彼女の失踪を知ったその晩に発ったことも、本多が、誰《だれ》かから彼女のことを聞きだしたからではあるまいか。

本多は、ホームで、出発前に禎子に語った。

「三日もしたら、僕は帰ってきます。たぶん、その時には、田沼久子のことも、もっと、はっきりすると思います。帰ったら、さっそく、この事件を追及します」

――その時の表情は、自信に満ち満ちていた。禎子を、ただ慰めるためだけとは思われない。

その時、本多は、こうも言った。

「久子は、昭和二十二年から二十六年まで、東京の東洋商事という会社に勤務していたと履歴書にある。それで、僕《ぼく》は、まず、東洋商事という会社に行ってみるつもりです」

禎子は、その時、本多が、広い東京でどのようにして田沼久子の所在を突きとめるのかと考えたが、本多は、その商事会社から手がかりをつかむ、と言っていたのである。その時は納得したが、今は、それがナンセンスであることが分かった。本多は、東洋商事などは問題にしていなかったのである。そのほうが分かれば、それを一つの裏づけとして使うつもりだったかもしれないが、すでに、彼の頭の中には、まっすぐに、東京のアパートの〝杉野友子〟のところに行く予定が立っていたのであろう。そのことを禎子に隠して打ちあけなかったのは、本多は全部を確実に知ったうえで話したかったのである。

では、誰が、本多に、〝杉野友子〟の仮名と、彼女の住所とを教えたのか。

考えるまでもなかった。室田社長以外にない。室田氏こそ、久子にもっとも親しい人物であり、彼女をもっともよく知っていた男である。室田氏が、彼女に逃走の指図をし、アパートを指定し、〝杉野友子〟の仮名を命じた。だから、本多は、何らかの手段でそれを聞きだしたのであろう。

室田氏が本多に話したという理由は、久子が室田氏に、本多の追及を打ちあけたからだと思う。久子が追及されることは、同時に、室田氏にとっても共同の危機であった。

本多は〝杉野友子〟と名のった久子の所に行き、馳走《ちそう》に出された、毒入りのウィスキーを飲んで死んだ。この時、室田氏のほうでは、本多に久子の居所を教えたことで、当然、本多が久子を訪問することを予期していたのだ。これは、室田氏が本多に示唆《しさ》を与えて、久子のところへ行かせる計画だったのだ。

そこで、室田氏は、あらかじめ、毒入りのウィスキーを用意して、出発する久子に与え、もし、本多が訪ねてきたら、その接待に、これを飲ませよ、と言ったとする。久子は、それが、毒入りのウィスキーであったとは知らなかったであろう。彼女は、室田氏の指図どおり、東京のアパートに訪ねてきた本多を接待するのに、そのウィスキーを用いた。本多は、久子の目の前で倒れたのである。

久子は、目の前で、突然おこった本多の死を見て驚いた。彼女は、あわててアパートを逃げだし、その日のうちに汽車に乗って金沢に戻ったのだ。

この場合、久子と室田氏が共謀していて、ウィスキーに毒がはいっていることを、久子が知っていたという見方もあるが、久子の狼狽《ろうばい》した逃走ぶりが、それを否定させるのである。もし、久子に、毒入りのウィスキーだと分かっていれば、もっと手際《てぎわ》のいい殺し方ができそうである。

東京のアパートには、彼女の持ちものも置きっぱなしであった。その晩に久子が、あわてて金沢に戻るのも不自然である。毒入りを予知し、計画的な殺人だったら、彼女は、金沢に戻るよりも、もっと別な方向に逃げるのが自然ではなかろうか。つまり、久子としては、思いがけなく目の前に本多が倒れたことで、室田氏から持たされたウィスキーに毒のはいっていることをはじめて知り、室田氏の所にあわてて駆けつけた、という解釈が自然であろう。そのときの彼女の気持は、複雑だったに違いない。

一方、室田氏は、久子が、色を失って、あわてて金沢に帰ってくることを予期していた。

その時の準備が、室田氏のほうにはできていたのである。

かねて、久子と室田氏との連絡は、必ず、金沢市内のある場所が使われていたと思う。久子は、東京から戻った時に、いつも使う連絡の場所に着いたであろう。そこから、電話で室田氏を呼びだす。

その時、室田氏は、どう行動したか。

室田氏は予期したように久子の連絡を受け、金沢に久子が姿を現わしては危険であるから、すぐに、鶴来《つるぎ》の方に行け、と指示したのであろう。久子は、気持も動転し、ことに、自分の出したウィスキーで本多が倒れたので、極度に警察の追及を恐れている。こうなると、彼女は、室田氏の指図に、ただ、黙って従うよりほかなかった。

久子は、その隠れ場所から北陸鉄道に乗り、鶴来の町におりた。そこでも、室田氏は、待ちあわせる場所を指定したに違いない。

しかし、その待合せ場所は、旅館などではなかった。金沢と違って、鶴来のような田舎では、外来者は土地の人の注意をひく。室田氏が人目につきやすい場所を選ぶような愚かなことはしないはずである。室田氏は、いつも金沢に居住しているから、近くの鶴来の土地は、十分に知識がある。久子もその辺の地理は経験がある。二人は、もっとも人目につかない、共通のある場所を選んだに違いなかった。たぶん、日が暮れて、村人の通らない寂しい場所が指定されたと思う。

そして、久子がまず先に行って待ち、あとから室田社長がひそかに、その場所に行った。こう考えるのは不自然であろうか。

実証はあるのである。たとえば、本多は、青酸カリのはいったウィスキーで死んだ。鵜原宗太郎も、同じく青酸カリ入りのウィスキーで殺されている。この毒薬入りのウィスキー瓶《びん》を用いたことは、両方とも、全く同じやり方である。

そういえば、もう一つの共通点がある。田沼久子は、鶴来の町はずれの断崖《だんがい》の上から手取川に落ちて死んでいる。憲一は、能登の西海岸の断崖の上から海中に転落して死んだ。二つの死の相似《そうじ》が、二つとも、一人の人間の手口を指向しているのである。

禎子は、ここまでの考えを整理してみた。

鵜原憲一は、その最後の状況から見ては、自殺であるが、禎子の直感としては、他殺のような気がする。むろん、そう考えるには、いろいろな矛盾があるが、これはあとで解決するとして、とにかく、彼の自殺には、何かの謎《なぞ》が含まれていた。

やがて、鵜原宗太郎が、弟の憲一の死の真相を調査に来た。彼は、ある程度まで、弟の金沢における二重生活を知っていた。したがって、憲一の死の真相を嗅《か》ぎつけた。これを、誰かが――ここでは、かりにXと呼ぼう――そのXが、彼を鶴来におびきよせて殺した。

この時、宗太郎といっしょにいたという女は、まず、田沼久子と考えて間違いはないであろう。したがって、久子とXとは、共犯関係にあったか、もしくは、久子のほうが、Xの手先に使われていたかもしれないのである。

宗太郎は、なぜ、うかつに鶴来に久子といっしょに行ったか。宗太郎は、まだ憲一の死を確認できず、生死については半信半疑であった。久子は、憲一が鶴来にいると言って誘ったと思う。このときは、憲一は能登から鶴来のかくれ家に移っていると、久子は嘘《うそ》をつき、宗太郎に信じこませた。宗太郎は、憲一に会わせてくれと言った。

そこで久子は、彼と鶴来に行き、憲一を呼んでくるからと言って、宗太郎を旅館「加能屋」に待たせた。そのときに、青酸カリ入りのウィスキー・ポケット瓶を与えたのである。

宗太郎が宿の者に「人を待っている」と言ったのは、この事情で解釈がつく。久子のこれらの工作は、すべてXの企画であったと思う。

Xは、宗太郎を殺したが、次に、追及してくる本多がいた。宗太郎を殺したと同じ理由で、次の殺人をしなければならなかった。つまり、Xとしては、久子が本多から怪しまれていたことを幸いに、彼女を東京に逃走させた。本多は、Xから示唆《しさ》を受け、久子の東京における住所と仮名を知り、その後を追った。Xは、それを計算に入れていた。久子を東京に逃がす時に、本多の来ることを予期して、接待用に毒入りのウィスキー瓶を持たせた。この場合、Xは、本多がウィスキーをたしなむことを知っていた人物である。

久子は、毒入りのウィスキーとは、知らされていなかったので、彼女は、本多が目の前で倒れたのを見て、あわてて、その善後策を打ちあわせるために金沢に逃げ帰った。一つは、Xがウィスキーに毒を入れたことに対しての詰問であり、一つは、官憲の追及から逃がれるため、彼の保護を求めたのであろう。

Xは、常に、久子と連絡場所を持っていた。久子は、そこからXに電話をした。Xは、久子に、北陸鉄道で鶴来に行って待つように言った。それらも、ことごとく、久子を東京にやる時から、彼のプランにあったことである。

打ちあわせた場所に、Xは行った。たぶん、時間的にいって、それは、夜だったに違いない。あの辺の寂しい所は、滅多に人通りもない。二人は、人目にふれずに、現場にさしかかった。この時、Xは、久子を次のように説得したに違いない。

本多殺しの疑惑が久子にかかっているから、当分、おまえは、この辺の田舎に身をひそめているがよい。知った家があるから、そこに連れて行く、とでも言ったのであろう。久子はそれを信じた。

二人は、手取川岸の断崖の上の村道を歩いた。この時、Xは、久子を引きたてて、断崖の上に引きずり、突き落としたのであろう。突き落としたとすると、投身したと同じ状況になるのである。

ここまで禎子は考えた。そして、自分で唇《くちびる》が白くなるのを覚えたのである。ハッと思った。

憲一は、能登の西海岸の断崖から身投げをした。身投げをしたあとの状況は、後ろから誰かに突き落とされたと同じである。これは、あとの久子の場合と、全く条件が一致している。そうだ、夫の憲一は、誰かに後ろから突き落とされたのである！

憲一が自殺の遺書を書いた現場には、靴《くつ》も揃《そろ》え、手帳や、その他の所持品がきちんと置いてあった。誰が見ても、現場は、自殺の証拠がそろっている。犯人は憲一自身をその状態にさせておいて、憲一を断崖上から突き落としたのである。

禎子は、その能登の断崖の上に立っている鵜原憲一の横に、一人の男を想定している。

それは、室田儀作氏だ。憲一と室田氏との間は、単に、得意先と広告取扱店の社員との間柄《あいだがら》ではない。禎子は前に、本多から、このようなことを聞いたことがある。

「室田さんは、鵜原さんがよほど気に入ったらしく、一年ぐらい前から、広告の出稿量が、急にそれまでの二倍にふえています。それも、鵜原さんの努力で開拓したのです」

　と言い、また、——

　鵜原さんは、室田さん夫婦とも親しくしていた、それは、外交というものは、それくらいの食いこみがないと、理想的な手腕とは言えない、という意味も言った。

　禎子は、その時、憲一にそれほどの手腕があったのかと、ちょっと驚いたくらいである。禎子の知っている憲一は、おとなしくて、どちらかといえば、陰気なほうであった。決して、明かるい社交型ではない。やはり、男というものは、職業については、女が知らない別の面を持っているのであろうと、驚嘆したものであった。

　それを、今、思いだしている。その素朴な驚きとは別な理由を、彼女は憲一に持っている。

　商売上の外交手腕で、憲一は、室田氏と結びついてはいなかったのだ。憲一と室田氏との間には、他人の知らない、何かの深いつながりがあったと思う。そのために、室田氏は憲一に、前任者の時よりも二倍の広告出稿をした。

　そのつながりとは何か？　禎子は、それを田沼久子を間に置いて考えている。その複雑な、深い結びつきがあるのだから、憲一が、死を覚悟して断崖の上に立ったとしても、その背後に室田氏がいる、と考えるのは不自然ではない。何かが、この二人をその場所にいっしょに立たせたのだ。

その結びつきとは、おそらく、憲一が金沢に赴任してから、室田氏との間にできたものであろう。なぜなら、禎子は、義兄夫婦から、それまで、一度も、室田氏についての話を聞いたことがなかった。東京でできた関係なら、それほど深いまじわりをしている室田氏のことを、一口ぐらい、義兄《あに》なり嫂《あね》から洩れるはずであった。実際、嫂を連れて金沢に行っても、室田氏のことを、嫂は知らなかったではないか。宗太郎も一口も言わなかったではないか。宗太郎が室田氏夫妻の存在を知ったのは、憲一捜索の途上であったと思う。

だから、憲一と室田氏との、ひそかな関係は、憲一が金沢に来てからの結びつきであり、義兄夫婦は、そのことを知らされていなかったことになる。

憲一は、室田氏のみならず、その家庭に出入りして、夫人とも親しかった。室田氏夫妻は、憲一とよほど昵懇《じっこん》だったらしく、禎子が憲一の失踪後、夫のことをたずねに行っても、親身になって心配してくれている。

夫人は、知的な、美しい人であった。金沢の名流夫人を牛耳っているだけの、知性と積極性を持っているのは、禎子にも、ちょっと会っただけで分かった。

夫人は、それなら、憲一と室田氏との関係を知っていたのであろうか。夫人が憲一を歓待したのは、単に、夫の関係で儀礼的にもてなしていたのか。

禎子は、ふと思った。

あれほど利口な夫人だから、あるいは、夫の室田氏と憲一との間を気づいていたのではなかろうか？　室田氏が、それを夫人に打ちあけたとは思われない。しかし、夫人の聡明《そうめい》さは、夫と憲一の間に介在している田沼久子を知っていたとも考えられるのである。

夫人が、あれほど、親身になって、禎子のことを気づかい、憲一の失踪に関心を持っていたのは、彼女が何かを、夫の態度から知り得ていたからではなかろうか。夫人の聡明さを思うと、禎子は、そう考えるのである。

夫人は、社長とは、年がかなり違う。本多の話によると、夫人は、室田耐火煉瓦《れんが》会社の東京での取引先の、ある会社で働いていたという。当時、前の夫人は病身であった。室田氏は、今の夫人を、愛人として身辺におき、先妻が亡くなってから、正式に家に入れた。室田氏が、夫人を深く愛していることは、禎子にもその様子で分かるのである。

が、社長は、一方では、田沼久子とも関係を持っていた。そのことは、同じ久子と、憲一と禎子自身の関係にも相似しているのである。

5

大晦日《おおみそか》になった。

明日は新しい年である。義兄の家は喪中《もちゅう》なので、年始の礼はない。禎子も、憲一のことがあるので、暗い正月を迎えねばならなかった。寂しい正月だ。

が、とにかく、母のすすめもあり、年始に行かないかわり、禎子は、嫂《あね》のところに挨拶《あいさつ》に行くことにした。

青山の家も、久しぶりであった。金沢の駅で別れて以来、嫂に会うのははじめてだった。

会った時の嫂は、思ったより元気だった。金沢で受けた彼女の打撃も、時間とともに、多少は薄れたようである。

金沢で別れた時の嫂の悲嘆から推《お》して、彼女は、やりきれない気持で来たが、嫂の顔は、思ったより明かるかった。嫂は、持っている本来の性格に戻った感じであった。

「やっと、落ちついたのよ」

嫂は、禎子に言った。

「あれから、お葬式だの、後始末だの、それは大変だったの」

「すみませんでした」

禎子は詫《わ》びた。

「お義兄《にい》さまのお葬式にもうかがえないで」

「いいえ、そんなこと。あなたはあなたなりに大変なんですもの。どう、その後、憲一さんのことは？」

「まだ、はっきりしません」

禎子は、目を伏せた。これまでの経過を、詳しく嫂に話す気にもなれない。

「そう、それは、困ったわね」

嫂も、眉《まゆ》をよせて、憂鬱《ゆううつ》な顔をした。彼女も、憲一がすでに死亡していることを、予想しているようだったが、今は、それを、口に出すのを遠慮しているふうだった。

「今日は、ゆっくりしてらして、いいんでしょう？」

嫂は禎子を置きたそうにした。

「ええ」

禎子は、明かるい陽射しにぬくもった座敷《ざ》を見まわした。暮の掃除もすんでいるらしく、その辺はきれいに片づいていた。

「坊やたちは?」

禎子がきくと、子供二人は遊びに出ている、という返事だった。

嫂も、これからは大変である。生活のこともあるし、子供の養育のこともある。禎子は嫂の姿を見まもった。今、それを口に出すには心が重かった。その話にはふれないで、今日はただ、この嫂を相手に、ひとときをのんびり過ごそう。そのほうが、嫂の気持もまぎれ、お互いが助かると思った。

嫂はいろいろなご馳走《ちそう》を出してくれた。年始の客は受けないが、やはり、正月の料理は作られていた。

しばらく二人の間に、金沢の話がつづいた。嫂にとっては、悲しいが、はじめての土地だったので、今は、何かそれをなつかしむような気持のようだった。

そのうち、玄関に来客があった。嫂が出て、戻ると、

「主人の会社の人なんです。禎子さん、悪いけど、テレビでも見て、待っててくださらない?」

「ええ、いいわ。どうぞ」

「悪いわね、あとで、ゆっくりね」

嫂は、そう言って玄関に引き返した。来客を、別な座敷に通す声が聞こえている。

静かな住宅街の一角なので、外からの人の声はなかった。畳の上に、半分、うらうらと明かるい陽が当たっていた。

禎子は、テレビのスイッチをひねった。チャンネルは、そのままにしていたのだが、画面は、中年の婦人が二人と、男一人が、テーブルを囲んでの座談会であった。婦人二人は、新聞雑誌などで見覚えがある。一人は評論家で、一人は小説家であった。ある新聞社の婦人問題の論説委員が司会をしている。途中から聞いたのだから、よく分からないが、なんでも、テーマは、『終戦直後の婦人の思い出』といったものらしかった。

「終戦後、もう十三年になりますが、十三年といいますと、〝十年ひとむかし〟の、ひとむかし以上になるわけです。もう十代の人など、終戦直後のことを、よく知らないと思うんです。で、この辺で、垣内《かきうち》さんに、当時の婦人のことを、少しお話ししていただきましょうか」

司会者は言った。婦人評論家は、それに答えた。

「そうですね。あの頃《ころ》は、アメリカの軍隊が来るというので、婦人たちは、みんな、戦々恐々《せんせんきようきよう》としていましたね。しかし、局地的には相当のトラブルもあったようですが、だいたいにおいて、恐れたようなこともなく、無事だったように思います。それに、アメリカ兵が、紳士的、というよりも、非常に女の人に親切だということが、当時の婦人には、ちょっとした驚きではなかったでしょうか？」

「そうですね」

女流小説家はうすい唇《くちびる》を動かして発言した。

「それが、当時の女の人に、逆に、ある自信をつけたと思うんです。それまでは、日本の男性は、非常に横暴で、勝手なことをしていた」

と少し笑って、

「ところが、アメリカの兵隊を見て、女の人たちの、男性にたいする見方が変わってきたんですね。いわば、それまで、男性の前に卑屈だった女性が、急に自信を取りもどした、とは言えないでしょうか」

「そうですな」

と司会者は相槌《あいづち》をうった。

「当時、男性がだらしなくて、すっかり、敗戦によって自信を喪失《そうしつ》していましたからね。その点では、女性のほうが、男性より潑剌《はつらつ》としていましたよ」

「その点は」

と評論家がひきとった。

「終戦後の三四年間というものは、日本の男性の自信喪失期だと思うんです。それにかわって、日本の女性が、アメリカ占領軍の前面に押し出て、勇ましく太刀打ちしたと言えますわ」

「たしかに、女の方は、今までとは見違えるように、行動的だったようですね。それは、一つは男性が意気消沈していたことからも言えますが、一つは、あのモンペの憂《ゆう》鬱《うつ》な時代が過ぎて、急にアメリカ的な、花やかな原色を身につけたことが、心理的に、活発な行動性を持たせたと思うんです」

「それは、そうですね」

と司会者はうなずいた。

「僕《ぼく》らから見ても、盲縞《めくらじま》か絣《かすり》の古をモンペにしていた暗い服装の婦人たちが、一ぺんに、赤や、黄や、青の、目のさめるような洋服を着たことは、たしかに、新鮮でしたよ」

「それは」

と小説家は、赤ん坊のような、くくれた顎《あご》を動かして言った。

「日本にはまだ衣類がなかったし、彼女たちの着たものは、アメリカのお仕着せだったんです。ですから、一部の、GI相手の女たちがあやつった怪しげな米語と同じに、洋服のほうも、アメリカの感化をうけた。そのことが、彼女たちの今までの女性観念を叩《たた》きつぶしたと思いますね」

「経済的な理由もありますわ」

評論家は、言った。評論家は痩《や》せ、小説家は肥《こ》えていた。

「戦時中は物資がなく、戦後は、ほとんどのお金持や、中産階級が売り食いだったでしょう。そういった急激な環境の変化から転落していった女性が、ずいぶんあります。でも、当時は、あんがい、転落という気持は、彼女たちにはなかったのじゃないでしょうか。少なくとも薄かったのではないかと思います。

一つは、親切なアメリカ兵が、女性の憧憬《どうけい》だったような気がします。今まで威張っていた日本の男性が、だらしなく、無気力になっていたので、その反発も、大いにあったと思います。ですから、のちに職業化した売春婦は別として、その頃は、そうした女の中に、良家の子女が多かったこともうなずけます」

「そうですね」

と司会者は言った。

「かなり教養もあり、相当な学校も出たお嬢さんが、アメリカ兵のオンリーになったという話は、僕、ずいぶん聞きましたよ。あれから十三年も経《た》った現在、当時、二十《はた》歳《ち》ぐらいの彼女たちも、もう三十二三です。今、どうしているんでしょうね？」

「私は」

と評論家は言った。

「あんがい、立派な家庭におさまっている方が多いんじゃないかと思いますわ。それは、その転落の状態で、ずるずると暗い生活におちこんだ人もあるでしょうが、その半面、自分を取りもどして、今は立派にやっている人も多いと思うんです」

「それは、考えられますわね」

と評論家が言った。

「あとになると、そういう、いわゆるパンパン連中は固定されましたが、終戦直後は、かなりな女性も混《ま》じっていましたからね。女子大を出た人も、かなりいました。でも、そういう人たちは、みんな、立派に更生していると思いますわ。もう、年配も三十五六ですから、おっしゃるように、あんがい、幸福な結婚をして、落ちついた生活を送っているように思いますね」

「しかし、どうでしょう？　そういう時に、結婚した相手に、自分の前身を打ちあけるでしょうか？」

司会者がきいた。

「それは微妙な問題ですね」

　太った小説家は、細い目をちかちかさせて言った。

「平和な結婚生活のためには、それは、言わないほうがいいんじゃないでしょうか。そういう職業にはいってすぐ結婚した人は別として、一度足を洗って、まともな職業につき、そこで知りあった男性と結ばれた場合は、たいてい秘密にしていると思いますね。でも、この秘密は許されていいと思います」

「そうですね、それはそうですね」

　評論家は、相槌を打った。

「まあ、当時の日本は、敗戦直後で、全体が悪夢のような時代ですから、その人たちにとっては気の毒なことです。でも、自分の努力で、あとの生活がつくられていたら、その幸福を、そっと守ってあげたい気がします」

「そうですね」

　同時に、ほかの二人がうなずいた。

「いま見ても、一般に相当派手な服装が多いんですが、当時の名残りはありませんね」

　司会者が言った。

「そうですね、やはり、物資が豊かになり、衣類が豊富になって、自分自身の色合をこのむことができる状態になったからでしょうね。それと、当時から見て、女性が、流行をすっかり自分のものに消化して、それぞれの個性を出すようになったと思うんです。前にもおっしゃったように、当時は、向こうのお仕着せでしたからね」

「でも、今でも、ときどき、あの頃とそっくりな服装の女性に会いますよ」

「それは、やっぱり、その職業の人でしょう」

と評論家が言った。

「現在、その世界から遠ざかった人は、かえって、そんな服装から離れたものを着ていると思うんです」

座談会の話題は、それから、いろいろとつづいている。最近の服装の傾向といったことから、男女関係のあり方といったものが、にぎやかに話題を延ばしていった。

禎子は、そのあとのほうは、もう耳にはいらなかった。聞いていた今の座談会の話の途中で、彼女の顔色が変わっていたのだった。

6

禎子は、朝、金沢に着いた。

元日で、駅前の食べもの店だけは開いていたが、街は正月らしく戸を閉めていた。薄い雪が積もっている。

金沢に来たのも、これが三度目であった。空は、灰色の雲が切れたり、つづいたりしていた。陽《ひ》の加減で、街の屋根の一部に陽射しが移動していた。

駅は混雑していた。ほとんどが正月客で、スキー客も大勢まじっていた。昨夜の汽車の中でも、東京からのスキー客の騒ぎで、半分は眠れなかった。

禎子は、なかなか拾えないタクシーをやっとつかまえて、室田氏の家に向かった。例の高台の坂道にも雪があった。どの家の前にも松飾りがあって、古い城下町らしい気分が出ていた。禎子は、元日というのに、暗い用事で駆けつける自分が哀れになった。

室田氏の家の玄関でブザーを鳴らすと、女中が出てきた。正面には、名刺受けが飾られてある。この前と同じ女中だったが、今日はやはり、お正月らしいきれいな服装をしていた。

「社長さんにお目にかかりたいんですけど」

禎子が言うと、女中はていねいにおじぎをしたあとで答えた。

「あの、旦那《だんな》さまは、昨日からお留守でございますが」

「どちらにお出かけでございましょうか？」

禎子は、室田氏が、また東京に行ったのではないかと思った。が、そうではなかった。

「毎年の例で、和倉《わくら》温泉にお出かけでございます」

和倉というのは、金沢から汽車で二時間あまりの距離で、能登半島の東側の中央部にあった。室田氏の工場がある七尾の近くだった。前に、久子のことで、本多が訪ねていったのもその工場であった。

「それでは、奥さまはいらっしゃいましょうか？」

禎子がきくと、

「奥さまも、ごいっしょでございます」

と女中は気の毒そうに答えた。夫妻で、例年、越年のために、その温泉に行っているのであろう。帰りは、二三日後かもしれない。禎子がそのことをきくと、女中は、四日でないと帰ってこない予定だと言った。

「あの、お宿は、分かっていますか？」

これから、すぐにその宿に行って、室田氏夫妻に会うつもりだった。

「はい、分かっております」

女中は、前に禎子が訪ねてきて顔を知っているので、素直に、宿の名前を言った。

室田氏の家を出てから、禎子は、また、金沢の駅に向かった。昨日、雪が降ったので、その台地から見える白山《はくさん》系の山が、薄黒い雲を背景に、白く浮き出ていた。

金沢から汽車に乗り、禎子は和倉温泉に向かった。このローカル線も、正月客でいっぱいであった。ほとんどの客が和倉温泉に向かうらしいのである。この線に乗るのも、禎子は三度目であった。最初は、自殺死体があるという警察からの連絡で、この線で、西海岸の高浜に向かったものだった。二度目は、その高浜の町はずれに、田沼久子の家を探していった。二度とも、途中の羽咋《はくい》の駅で乗りかえたが、今日はそのまま乗りつづけて、北の方に向かうのである。

途中で、寒そうな湖が見えた。次の駅で窓から覗《のぞ》くと、湖水から獲《と》れた魚を籠《かご》に入れて、汽車に乗りこむ人があった。

見覚えのある羽咋の駅を過ぎると、千路《ちじ》、金丸《かねまる》、能登部《のとべ》と、小さな駅に次々と停《と》まる。この辺まで来ると、片側に大きく山が迫りはじめる。見知らぬ小さな駅を過ぎるのが、何がなし悲哀があった。ホームの雪の中で、助役がタブレットの輪を振って、動きだす汽車を見送っていた。ホームから駅の方に歩いて行く女たちは、たいてい、ほとんどが黒い角巻《かくまき》をまとって、背をかがめていた。その群れの中には、どの駅でも魚の行商人が交じっていた。禎子は、窓の外をぼんやり眺《なが》めながら、これから会う室田氏夫妻のことを考えている。

青山の嫂《あね》の家で聞いたテレビの座談会の話から、彼女に、ある思考がはじまっていたのだ。座談会は、終戦直後、アメリカ兵相手の特殊な職業に堕《お》ちた女たちの中にも、今は立派に更生して平和な家庭におさまっている者も少なくない、というような話をしていた。これが、禎子の目を開かせたといえる。今まで、彼女の前にふさがっていた厚い壁が、その話を聞いた瞬間、崩れ去った。

崩れた壁から、姿をはっきりと見せたのは、田沼久子がその一人であった。それは、久子だけではない。禎子は、もう一人の女性を見た。その存在は、今まで、まるで考えてもみなかったのである。

禎子は、今まで、室田儀作氏を犯人だと考えていた。が、それは誤りだったのだ。室田氏のかわりに、夫人の佐知子を置きかえたのである。すると、すべてが、すらすらと解決できた。

夫の憲一は、以前、同僚の葉山警部補に、「GI相手のパンパンには無知な者が多いが、中には、しっかりしたのがいる。かなりな教育を受けた頭のいい女もいる。だんだん接触していると、顔なじみになったりして、彼女たちの素質がよく分かる」

と言ったという。禎子が、葉山警部補を訪ねた時に、彼から聞かされた話であった。その頭のいい、しっかりした女を、禎子は、室田夫人、佐知子に当てはめたのである。佐知子の前身は、よく分かっていない。彼女は、室田氏の二度目の妻である。東京のある会社に女事務員として働いていた時、取引上のことで訪れた室田氏と会い、室田氏に見そめられて、その愛人となった。室田氏の先妻が死んでから、正妻に直されたと聞いた。

憲一は、立川署の風紀係の巡査をしていた。その頃《ころ》、彼は、多くのその種の女性を扱い、彼女たちを知った。しかし、なかには、ただ、顔なじみというだけで、名前も素性もろくに知らない者も少なくなかったであろう。その一人が田沼久子であり、別の一人が室田佐知子である。

――と、禎子は考えている。

憲一が、A広告社の金沢出張所主任となって北陸地方をまわっている時、偶然に、立川時代に知った久子と出会った、と思う。この時、久子は、憲一の顔は知っていても、実際の名前は知らなかったであろう。でなければ、〝曾根益三郎〟の憲一の偽名工作は成立しない。まだ禎子との結婚話の持ちあがらない前の憲一は、久子と邂逅《かいこう》したことで、独身生活の環境から彼女との同棲《どうせい》生活にはいったのである。

この場合、憲一にも、久子と結婚する意思は、はじめからなかったのだ。だから、彼は、久子には自分の氏名も職業もいつわって、ある会社の外交員と称し、名前も〝曾根益三郎〟になっていたのである。

ところが、憲一は、一方、その仕事上の外交から室田氏と知りあい、その信用を得て夫人の佐知子とも出会った。それは、たぶん室田夫人が夫の会社に立ち寄った時であろう。

この時、憲一と室田夫人は、顔を見あわせて、その再会に、心の中でどのように驚いたことであろう。が、その驚愕《きようがく》がしだいに恐怖に変わったのは、夫人の佐知子のほうであったのだ。

夫人の佐知子は、前歴を隠して室田氏と結婚し、現在では、金沢地方の有数の名流婦人となっている。彼女は、自分の暗い過去を知っている人間に、突如再会したことで、不安と恐怖に駆られた。

しかし、憲一は、室田夫人にたいして、何らの特別な意識はなかった。おそらく、彼は、更生した彼女、いや、名流婦人となっている彼女を見いだして、その幸福を祝福したに違いない。立川時代の二人は、一警官と一売春婦の関係に過ぎなかった。いわば、久子と同じように、顔なじみの程度であったのであろう。だが、再会したあとの二人の関係は、それほど簡単ではなかった。

室田夫人は、憲一に、特別の意識、たとえば、彼女の前身を人に言いふらすとか、脅迫するとかの悪意のないことを知って、やや、安心したに違いない。が、そのために、憲一には、特別な好意を見せねばならなかった。名流婦人となっている、かつての売春婦は、憲一の口から自分の前歴が暴露《ばくろ》されることを、死よりも恐れていた。だからこそ、彼女は、夫の室田儀作氏を動かして、憲一の仕事に助力を与えたのである。室田耐火煉《れん》瓦《が》会社の、A広告社に対する出稿量が、憲一が着任してから急に二倍になった秘密が、ここにある。

室田社長は、もちろん、何も知らなかった。だから、妻の佐知子が、外交員の鵜原憲一に好意を寄せていることを単純に解釈して、彼も、憲一に好意を見せた。独身だった憲一が、昼飯や晩飯に、ときどき室田邸に招《よ》ばれていたのは、この理由からである。

夫人としては、自分の前歴の洩《も》れるのを防ぎたいばかりに、その好意で、憲一を防衛したつもりであった。憲一には、はじめから、その気持がない。にもかかわらず、佐知子としては、絶えず、不安感に蒼《あお》ざめていたことであろう。

彼女は、今では、人にも羨望《せんぼう》される幸福な生活を築きあげ、地方でも女流名士として、輝かしい地位を持つまでになっていた。この栄誉と幸福を、彼女は決して失いたくなかった。だから、憲一の存在は、絶えず、彼女の心に、青空に浮かんだ一つかみの黒い雲を見るような危惧《きぐ》を投げかけていたのである。

しかし、憲一自身にも、一つの憂鬱《ゆううつ》があった。それは、最初から、結婚の意思なしに同棲した、田沼久子との関係である。

彼は、金沢の出張所主任としての在任が、一年か二年で終わることを知っていた。だから、あ久子とも、はじめから、その期間だけの同棲生活を考えていたのである。

との面倒がないように、自分の姓名さえ偽《いつわ》っていたのだ。したがって、立川時代の風紀係巡査鵜原憲一は、久子とは、ただ単に、顔を知られているだけの間で、たがいに名前も素性も知らなかった。そうでないと、彼の偽名は困難である。

ここで禎子は思うのである。

憲一と久子の同棲生活は一年半にわたった。田沼久子は、ひたすらに、同棲者の〝曾根益三郎〟に愛情を深めていったであろう。彼女は、その〝内縁の夫〟に貞節をつくし、心から仕えたと思う。その間には、憲一の東京転勤の話が幾度かあった。彼は、それをたびたび断わっている。なぜ、せっかくの本社転勤を断わってきたか。その秘密が、今にして分かるのである。

憲一は、田沼久子の奉仕的な愛情にほだされて、その同棲生活を振り捨てることができなかった。はじめ憲一は計画どおり、転勤の任命があったら、すぐにでも、〝曾根益三郎〟を失踪《しっそう》させ、鵜原憲一に返って東京に戻るつもりだったのだが、久子のあまりのひたむきな愛情にひかされて、逃げることができなかったのである。

しかし、ついに、憲一に、久子と別離の決心をさせる機会が来た。それは、禎子自身との結婚である。

7

憲一から相談を受けた室田夫人は、彼に〝自殺〟を教えた。自殺することによって、久子のいっさいの追及が終わると教えたに違いない。むろん、それは擬装の自殺で、実は東京に帰るように企《たくら》んだのである。

この場合、幸い、久子と同棲した憲一は〝曾根益三郎〟という変名を用いて〝別の人物〟になっていた。したがって〝曾根益三郎〟が死んでも、一方の鵜原憲一が疑われることはないわけである。事実、久子も、憲一を、あくまでも〝曾根益三郎〟であると信じていた。夫人はこれが一番いい方法だと、憲一に助言したのであろう。

憲一が、あの遺書を書いた秘密がここにあった。彼は、〝曾根益三郎〟としての遺書を書き、すべての遺品をきちんと現場に残して、断崖《だんがい》上から飛びおりる状態をつくったのである。

憲一は、かねてから、久子の家に行く時には〝鵜原〟のネームのついた洋服を着なかった。

彼が〝曾根〟のネームのついた洋服を着るのは当然の配慮であったと思う。だから、金沢から能登の西海岸の久子の家に帰る時は、憲一は〝鵜原〟のネームのついた洋服を金沢市のクリーニング屋にあずけ、〝曾根益三郎〟用の洋服と、そこで交換していたのであろう。

憲一は月のうち、十日は東京の本社に事務連絡に帰っていた。つまり〝曾根益三郎〟が〝出張〟した期間である。あとの二十日は金沢の事務所にいたり、北陸路を外交してまわっていた。〝曾根益三郎〟が久子の家に帰っていた時期である。

それを知ったのは、義兄の宗太郎であった。だから、憲一は、自分の二重生活の秘密を、ある程度、宗太郎に打ちあけていたと思える。

さて、憲一は、室田夫人のすすめによって、あるいはその指示によって、いっさいの〝自殺行為〟を準備した。それは、彼が後任者の本多に、「今夜は帰れないが、明日、金沢に戻って帰任するつもりだ」と言いのこして別れた日である。そのとき、憲一は、いったん、久子のところに帰り、その夜、久子の家とあまり距離の遠くない、あの断崖の上に立ったのである。

このとき、憲一の傍《そば》に、一人の人物がいた。その人物こそ、憲一の自殺の条件設定の助言者であり、介添人である室田夫人、佐知子であった。

佐知子は、憲一からその相談を持ちかけられた瞬間、彼女に一つのチャンスが来た、と思ったに違いない。すべての条件を〝自殺〟によそおわせて憲一を殺せば、少しも他《ほか》から疑われることはないわけである。ことに、断崖上に憲一を立たせ、不意に、その身体《からだ》を海に突き落とせば、これは、誰《だれ》が見ても、自殺としか見えないのである。殺人として、これくらい、うまい方法はなかった。

憲一の口を永久に封じてしまえば、彼女は、その地位に少しも不安を感じることなく、生涯《しょうがい》を送れるわけである。その計画が、憲一から相談をかけられた時に起こったか、あるいは、その夜、暗い断崖上で、憲一がいっさいの〝自殺の条件〟を完了した時に、不意に彼女の心に起きたか、それはさだかに判断はできない。おそらく、夫人が、その気持を起こしたのは、あとの場合であるような気がする。最初の示唆《しさ》は、実際に、憲一の立場に立っての助言であったろうが、そのうち、それが彼女の唯一《ゆいいつ》のチャンスだと気づいたとき、佐知子に、憲一を、その擬装の条件の中で、実際に消す決心が起こったのであろう。

こうして、憲一は、すべての自殺の条件を揃《そろ》えておいて、佐知子によって海中に突き落とされたのである。発見された死体は〝曾根益三郎〟として警察官に確認され、久子に引き取られた。

警察への届け出も〝曾根益三郎〟であり、役場の手つづきも、田沼久子の〝内縁の夫・曾根益三郎〟として処置を完了した。すべてが合法的に、この世から〝曾根益三郎〟を、いや鵜原憲一を、完全に消したのであった。

この時、久子には、夫の〝曾根益三郎〟の原籍地が不明であった。が、内縁の夫の原籍地が分からないという例は、最近ではひどく多いのである。役場では、久子に、原籍地が分かったときには、それを届けてほしいということを請求しただけで、あとは〝法律にしたがって〟埋葬を完了したのである。

禎子は、金沢に夫を尋ねて来た時、警察署に出頭して、家出人や変死人のことをたずねた。その時に、自殺が三件、傷害死が一件と変死者の数を教えられた。だが自分の尋ねる鵜原憲一が、その自殺者の数の中にはいっていようとは、少しも気づかなかったのである。

禎子は、今まで、室田儀作氏を犯人と考えていた。第一の宗太郎殺しも、第二の本多良雄殺しも、第四の田沼久子殺しも、犯人は、すべて、室田儀作氏であると考えていた。が、その想定を佐知子に置きかえてみる。すると、室田氏の場合に考えていた条件が、そのまま、佐知子に当てはまるのであった。

たとえば、憲一の失踪につき、ほぼ真相にふれかけた宗太郎を殺したのも、彼女である。今までは、久子が宗太郎を誘いだして、鶴来の町にいっしょに行ったとばかり思っていた。だが、それは違っている。あの北陸鉄道の電車の中で目撃された、桃色のネッカチーフと赤いオーバーの女こそ、実は佐知子である。

佐知子は、禎子も見て知っているように、日ごろから洗練された服装をしていた。いつも趣味のいい和服だった。それだけに、あの原色の洋装をしていた女を、久子に錯覚したのであった。

佐知子は、なるべくその秘密の前身から、遠ざかった服装を選んだに違いない。が、宗太郎殺しの場合にだけは、ふたたび、もとの職業に近い服装を、一日だけ使ったのである。

金沢の駅から鶴来の町に宗太郎といっしょに乗ってきた佐知子は、禎子が前に考えたとおり、その付近に憲一が久子と同棲《どうせい》しているから、そこへ案内しよう、と言って連れてきたのであろう。そして、宗太郎がすぐに憲一に会うのは、何かとまずいから、自分が呼びだしてくる、と言って、途中で別れた。待合せ場所として、宗太郎の死んだ旅館、加能屋が指定された。宗太郎は、それを信じて、加能屋にはいり、佐知子から貰《もら》ったウィスキーを水割りにして飲んで、青酸中毒で倒れたのである。

宗太郎が佐知子を知ったのは、憲一の捜査をしているうちに、憲一が、ひどく室田夫妻に親しかったことを知り、それをききあわせに行ってからである。憲一は、能登の寂しい海岸での久子との生活を、ある程度、話したであろうが、室田夫人のことにはふれなかった。それは、彼が、夫人の名誉のために、その前身を語りたくなかったからである。したがって、宗太郎が夫人を知ったのは、今まで考えたとおりの順序であったと思える。

鶴来の駅から、佐知子が同じ線を帰らなかったのは、彼女が金沢に着いた時、ふたたび、室田夫人にかえる必要があったからであろう。つまり、鶴来の町から、別の寺井行きの線に彼女は乗った。これは、まっすぐに金沢へ帰るよりも、たいへんな迂回《うかい》である。迂回することによって、彼女は時間と場所を稼《かせ》いだ。おそらく、本線に乗ってから金沢に着くまでの間、佐知子は、列車の手洗室かどこかを密閉し、けばけばしい服装を脱いで、もとの夫人にかえったのである。あの時の目撃者が言った、赤いオーバーの女は、スーツケースを持っていた、という証言の理由が、ここにありそうである。つまり、スーツケースの中には、着替え用の、室田夫人としての服装が用意されてあったわけである。

佐知子夫人は、しかし、宗太郎を殺しても、まだ、不安があった。それは、第二、第三の宗太郎が現われることを警戒したのである。いつかは、誰かが、ふたたび、田沼久子のところに訪れるかもしれない不安である。そのために、彼女は久子を、その住所から隠さねばならなかった。

室田夫人は、夫の儀作氏に頼んで、久子を会社の受付係に採用させた。秘密を保つために、久子に因果を含めて、室田耐火煉瓦《れんが》の本社に就職したことを、近所には黙っているように言ったのである。

久子は、そのいっさいの事情を知らなかった。彼女は、室田夫人の好意に感謝し、そのすすめのままに就職した。この場合、おそらく、室田夫人と久子とは、立川時代に、同じ夜の女として、顔を知りあっていたかもしれない。そうだ、そういえば、夫の憲一がひそかに隠し持っていた、あの二枚の写真は、憲一が金沢に来て、二人とめぐり合った当初に写されたものであろう。写真の裏に薄く記された番号が、単なるDP屋《デポー》の心覚えにすぎないのか、それとも佐知子と久子の暗い時代につながる意味のある数字なのか、憲一以外には知る由もない。しかし、あの二枚だけを憲一がほかの写真と区別しておいたのは、それが、共通の、ある意味を持っていたゆえからだと、禎子は今思うのである。

さらに夫人は、夫の儀作氏に言って、工作した。それは、本多の追及が激しくなって、室田耐火煉瓦にききあわせに来るような形勢になったからである。もともと、途中から、久子を受付係にしたのだから、その入社には、何らかの口実を設けねばならなかった。それが、久子の夫が工場の工員だった、という設定である。

が、本多の調査がすすめば、その嘘《うそ》もばれてしまう。たとえば、彼が直接に、七尾の工場に行って、工員係か労務係に問いあわせれば、すぐに擬装が暴露《ばくろ》するのである。そのような工員はいなかった、という返事で、いっさいは無駄になる。

佐知子が室田氏に、人が訪ねてきたら、久子の夫は、たしかに室田耐火煉瓦工場の工員であり、死亡した時に退職金を支払った、と答弁させるように頼んだに違いなかった。室田氏としては、深いことは分からず、愛妻の言葉のままに、それを部下に命じたのであった。この場合、田沼久子は佐知子の知人となっていたであろう。

本多が七尾の工場を訪ねた時、係りの者は、〝曾根益三郎〟という工員は、たしかに死亡している、と言いながら、本社に問いあわせてみると、会計からは退職金の伝票が出ていないようだったということの矛盾《むじゅん》は、この秘密からである。つまり、さすがの室田夫人も、そこまで、うっかりして気づかなかったわけである。

本多良雄の追及は、いよいよ急を告げた、と室田夫人は感じた。今度は、室田耐火煉瓦本社から、久子を消さねばならなかった。本多の急追は、いつ、久子の正体を暴露させるか分からない。この時、佐知子は、久子を呼んで、いそいで東京に行くよう、指示したに違いない。この時、夫人が、どのような理由を久子に言ったか、今となっては、それは、直接に夫人から聞かねば分からない。

とにかく、何も知らない久子は、それまで、すべて、佐知子によって自分の生活が保証されると信じていたので、そのとおりに、佐知子の指図にしたがった。

この時、前に考えたとおり、いずれ、本多が訪ねてゆくだろうから、来たら、接待用としてこれを飲ませておくがよいと、ウィスキーの瓶《びん》を、久子に与えたのであろう。おそらく、そのウィスキーの瓶は、口があけられ、少し減《へ》ったウィスキーだったと思う。でなければ、青酸カリを入れようがないからだ。

久子は、少しも疑わずに受け取り、はたして、早くもその翌日訪ねてきた本多に、佐知子から持たされたウィスキーを与えたのである。

本多が、なぜ〝杉野友子〟と名のった久子の、東京での住所を知ったか？　前に、室田社長として考えたことを、ここでも佐知子に置きかえればよい。彼女は、本多に、久子の行先を示唆《しさ》したのだ。

　本多は、事件のすべてが明確に分かった時に、いっさいを禎子に告げるはずであった。だから、彼の東京行きは、禎子に一部分を黙っていたことで、不幸な事態を起こした。もし彼が、それまでに知り得た知識を、全部、禎子に話していたら、禎子はもっと早く、室田夫人に焦点を当てたに違いなかった。そうすれば、あるいは、久子の死だけでも、食い止めえたかも分からなかったのである。

　予定のとおり、久子のウィスキーによって本多は倒れた。久子は、事の意外に動転して、東京から金沢に逃げかえり、室田夫人に電話で連絡した。夫人は、久子に、鶴来の町で落ちあって話すことを指示した。それは、前に室田儀作氏がそれをした、と考えていた構想を、そのまま使っても、少しも差しつかえないのである。

　が、禎子は、ふと、目を宙に向けた。

　何か、引っかかるものがある。どこか、それでは合理的でない部分があるような気がした。

　それは、彼女が、かつて室田社長を訪れた時、耳にした夫人の電話の内容である。

　氏は夫人の電話を取りついで、禎子に、夫人が、その夕方六時ごろから、金沢の放送局の座談会に出席するために、禎子に会うのを失礼する、と言った、その言葉であった。

実際、その放送を、禎子は街の喫茶店で聞いたのである。室田夫人と、現知事夫人の、東京から来たT大学の教授との対談であった。その時、近くの席にいた土地の人らしい客が室田夫人の噂《うわさ》をしていたことまで覚えている。

それが、午後六時ごろだった。解剖で分かった田沼久子の死亡時刻も、まさに午後六時ごろである。金沢で六時に放送している佐知子が、電車で五十分もかかる鶴来の町まで行き、さらに歩いて現場まで行く時間は、とうてい、ないわけである。放送によって、佐知子の現場不在証明がなされたと同じことであった。これは、どうしたことであろうか。

汽車は和倉駅に着き、雪の積もったホームに乗客が待っていた。

8

禎子は、和倉の駅からタクシーを飛ばした。この辺は、観光地だけに、道路は立派だった。島があり、その島の向こうに、白い山脈が薄く見えた。ここからは、立山《たてやま》が正面に見えるのである。海には小舟が浮いていた。

「あれは、海鼠《なまこ》を獲《と》るんですよ、お客さん」

東京から来た客と見て、運転手は説明した。どこの温泉場もそうだが、ここも、道の両端に雪洞灯《ぼんぼり》が見えてきた。旅館街にはいったのである。

禎子は、室田家の女中から、夫妻の宿を聞いていた。その宿は、温泉場で一番大きな家である。玄関にはいって、すぐに、帳場の人を呼んでもらった。室田氏に会いたいと言うと、出てきた番頭は、

「ただいま、お留守でございますが」

と、気の毒そうに言った。

「では、奥さまはいらっしゃいませんか？」

禎子はきいた。

「はい、奥さまもお出かけでございますが」

「どこにおいでになったか、分かりませんの？」

「奥さまのほうは、なんでも、羽咋《はくい》の方に行くとかおっしゃって、車でお出かけでした」

番頭は話した。

「ちょうど、旦那《だんな》さまも、こちらの工場の方が見えて、座敷でお話の最中でしたが、奥さまがお出かけと聞いて、すぐにハイヤーを呼ばれたので、たぶん、あとで、ごい

っしょになられたのではないかと存じます」

するど、室田夫人のほうが先に車で羽咋に行き、主人の儀作氏は、それを知らなかったわけである。それを聞いて、氏は、夫人のあとを追ったというのであろう。

佐知子夫人が羽咋に出かけたと聞いた時、禎子はハッと思った。

いうまでもなく、羽咋の町と憲一が自殺した場所とは、同一のコースである。線路は、羽咋から乗りかえる高浜行きの支線が、そこから分かれている。自動車道路も、ここからは、一度羽咋の町に南下して、それから、海岸沿いに福浦《ふくら》の方面に向かうのである。その途中に、憲一が死んだ、切り立った断崖《だんがい》があった。つまり、東海岸にあるこの和倉と、憲一が死んだ西海岸との間には、南北に走っている山脈があり、そこに行くには、この山岳地帯をさけて、羽咋町を迂回《うかい》しなければならないわけである。

「それは、いつごろでしょう?」

禎子はきいた。

「さようでございますね」

番頭は膝《ひざ》を揃《そろ》えて、首を傾《かし》げた。

「奥さまは二時間ぐらいになりましょうか、旦那さまは一時間半ぐらい前でございます」

何か急に、迫ったものが、禎子の胸に来た。不安が、彼女に打ちあげてきた。室田氏夫妻の行手に、見えない黒い雲が、待ち受けているような気がする。室田夫人佐知子が、それに向かって、ひとりで、一直線に進んでいったような気がする。室田氏は、あわてて夫人のあとを追跡したのであろう。

「どうしても、すぐに、室田さんにお会いしたいんです。すみませんが、こちらに、すぐにハイヤーを呼んでいただけませんか?」

番頭は、禎子の表情で察したのか、すぐに承知してくれた。電話をかけて、車が来るまでの時間が、彼女にはどれだけ長かったか分からない。

旅館の玄関は広かった。正面に、この辺の特産物が、ガラスケースの中に飾られてある。九谷焼《くたにやき》や輪島塗《わじまぬり》などが並んでいた。

知らない土地に来て、知らない旅館の玄関にぽつねんと立つのは、うらがなしい気分である。この九谷焼を眺《なが》めているうちに、本多と話した喫茶店の唐獅子《からじし》や皿《さら》の模様を思いだした。

あれほどあこがれていた北の国に来たが、あとで、さまざまな悲しい思い出が残ることであろう。

温泉に来ている旅の越年客が、廊下をたのしそうに歩いていた。室田氏夫妻も、よそ目には仕合せそうに見えたに違いない。

陽《ひ》はようやく暮れなずみ、鈍《にぶ》い光線が道路の雪の上に照ったり曇ったりした。

ようやく、自動車が来た。

禎子は、運転手に、持ってきた地図を見せた。それは、これから羽咋の町を迂回していったのでは、佐知子夫人に間に合いそうもないので、近道を相談したかったのである。

とにかく、一刻も早く、夫人の佐知子に会わなければならなかった。すでに、二時間も前に彼女が出発しているのなら、もっと早い距離を、もっと早い時間で追いかけなければ、間に合わない。

「ここから、まっすぐに、西海岸に出る道はありませんか?」

彼女は、運転手にそうきいた。

「そりゃあ、ないこともありませんがね、昨日、雪が降ったんで、山越えは無理でしょうね。近道というのは、ほれ、このとおりです」

と、運転手は地図に指を当てた。

拳《こぶし》のように突き出ている能登半島の中央に、縦《たて》に山脈が走っている。和倉温泉から西海岸の福浦という古い港まで、その山脈を横断する道がついているわけである。運転手は、その道が、雪で危険だからと、ためらったのだ。

「すみません。とてもいそぐ用事なんです。あの、料金のほうは、いくらでも割増しして差しあげますから、なんとか、この道を行ってくださいな」

運転手は、割増料金で動かされたわけではないが、禎子のせまった顔色を見て、承知してくれた。

「とにかく、行ってみましょう」

彼は、禎子を乗せた。途中で、そのガレージに停《と》まると、奥からタイヤに巻く鎖《くさり》を取りだした。

その操作の間、別のタクシーが通りかかった。運転手は、かがんだ背をのばして、声をかけた。

「おい、これから山越えで福浦に行くんだが、どうだい、向こうの道は？」

通りがかりのタクシーの運転手は、窓から首を出して答えた。

「さあ、バスは先月から動いていないし、よほど用心せんと、危ないかもしれんぜ」

その運転手は、乗っている禎子のほうを見ながら言った。

危険でも、禎子はかまわないと思った。とにかく、室田夫妻の破局に追いつかなければならない。必死の気持だった。彼女自身が、今、室田氏夫妻に会い、そこで、今までの事件のすべての解決を、夫人の口から直接に聞かなければ承知できぬ、極限に追いこまれた心理状態であった。

「お客さん、用意ができました。さ、行きましょう」

チェーンをタイヤに巻きおわった運転手は、ハンドルを握った。

しばらくは、なだらかな七尾湾の海を右に見ながら走ってゆく。陽は、前よりは翳《かげ》った。どんよりと重い雲の上から洩《も》れた陽射しが、寒い海の上に、だいだい色を混ぜていた。海鼠《なまこ》獲りの小舟が、相変わらず、同じ位置に停《と》まっている。

その海岸とも、やがて離れた。道は、山岳地帯に向かって走ってゆく。いくつかの寂しい部落を過ぎた。道は、いよいよ狭くなってゆく。雪も、この辺になると、しだいに厚くなってくる。

山は、ほとんど、松、杉《すぎ》、檜《ひのき》ばかりであった。雪の積もった道に轍《わだち》のないことで、このハイヤーの前に、一台の車も通っていないことが分かった。山にはいるにつれて、いよいよ、あたりは暗くなってゆく。

この道も、春と夏のシーズンには、和倉から福浦の港に行く見物客のためにつけられたもので、うねうねと山あいをめぐっていた。

「お客さん、退屈でしょう?」

運転手は、禎子に話しかけた。

「これから一時間ばかり、こういう山ばっかりですよ。ラジオでもつけましょうか?」

禎子は、ラジオを聞く気にもなれなかったが、親切な運転手の申し出を断わるのもどうかと思ったので、黙ってうなずいた。

スイッチを入れると、どこの放送局か知らないが、花やかな流行歌が流れてきた。

「ちょうど、いいところがはいりましたね」

運転手は喜んでいた。見ると、まだ、子供気の抜けない顔だった。

荒涼《こうりょう》とした山の中と、花やかな流行歌の声とは、妙な対照だった。

放送は東京からのもので、この地方の放送局で中継している。歌は、男性と女性の歌手が交互にうたった。それも、一人ひとり、歌手が代わっている。炭焼小屋が見えたり、伐《き》り倒した木が積んである狭い道を、運転手は車を転がしながら、肩で調子をとりそうにしていた。

「私は、三橋美智也が大好きでね。早く三橋の歌が出ないかな。そういえば、さっき、私がこの車を運転して出る時、三橋の歌が放送されていましたよ。それは、別の局からですが、よく、ほうぼう、かけ持ちでやれるものですね」

運転手は、禎子に話しかけた。

「それは、きっと、ナマじゃありませんわ。前に録音をとって、それを放送しているんだと思うわ」

そう言ってから、禎子は、ハッとした。

そうだ、録音——汽車の中で疑問に思ったことが、思わず出た自分の言葉で解決したのである。

午後六時に、金沢の喫茶店で聞いた室田夫人の声は、ナマ放送ではなかったのだ。室田社長が電話で聞いた時の夫人の言葉は、これから放送局へ行きます、と、いうことだったが、あれは、たぶん、三時半ごろだったと思う。録音は、きっと四時半ごろに行なわれたに違いない。それが、六時に放送されたのである。

室田夫人が、田沼久子を手取川に突き落とした午後六時に、夫人の声が金沢の放送局から放送されていても、少しもふしぎはなかったのである。

禎子は、これで、疑問が、ことごとく解決したと思った。

室田夫人を犯人としても、少しも矛盾はない。ただ、彼女が、立川のＧＩ相手の特殊な女性だったという裏づけは何もないのだが、おそらく、この推定には錯誤《さくご》はないだろう。

室田氏が、いま佐知子のあとを追っていったのも、昨夜和倉温泉の宿に着いてから、必ず何かあったのであろう。佐知子が、突然、羽咋の町に車で出かけたのは、前夜に、室田氏にいっさいを気づかれて、問いつめられ、罪を告白した結果ではなかろうか。室田氏は東京へ出て、妻の前身を確かめて帰ったに違いない。そのため、佐知子自身が、生きる望みを失い、あの、わが手で憲一を墜落させた断崖の上に立ちに行ったのであろう。室田氏は、それを三十分後に知り、妻の意志を直感して、そのあとを追っていったのだ。

禎子は、時計を見た。

和倉を出て、四十分を過ぎていた。相変わらず、山の中である。車は、まだ登り道をつづけていた。

ところどころに伐採した木が積まれてある以外、この山中の道には、人間の気配のあとはなかった。

雪のため車も思うように進まない。禎子は、一人でいらいらした。こうしている間にも、佐知子と室田氏との間に、何かが起こっているような気がする。そして、それは、非常な速力で、破局に進んでいるような気がしてならなかった。

間に合うように、間に合うように、と、彼女は、心の中で祈りたい気持だった。

それにしても、佐知子夫人の気持を考えると、禎子も哀れでならなかった。夫人の生い立ちは、禎子には分かっていない。しかし、かなりの家庭に育ち、かなりの教育を受けた人に違いなかった。

あの敗戦後、あらゆる破壊が日本に行なわれたころ、彼女の家庭にも、その打撃がおよんだのであろうか。家庭の廃滅が、彼女自身の心の荒廃になったとも思える。一つの運命が、彼女を、あの種の職業の女の世界に、一時期、引き入れたのではあるまいか。

すれば、そのあと、彼女は見事に立ちなおったのである。そのあとの生活で室田氏の偶然に差しのべた手が、彼女の幸運のいとぐちとなった。一段と高い生活の安定を得て、佐知子は、その才能を思うままに伸ばすことができた。そして、社長夫人として、地方の名流婦人とまじわるようになった。それが、彼女の才能のぞんぶんな開花となった。

地方の上流社会に足を踏み入れた彼女が、ただ、夫の地位だけに安住している平凡な婦人たちの間に、見事に頭角《とうかく》を現わしたのは当然である。彼女はたちまち、その世界で実力を認められ、特異な存在となった。あの喫茶店の客が話したように、わずかの間に、室田佐知子は、この北陸の古い都の、新しい婦人指導者となったのである。そこに、はからずも、ある日、鵜原憲一が現われた。鵜原憲一にとっても、佐知子夫人にとっても、それは、いまわしい過去につながる、めぐりあいであった。

佐知子夫人の気持を察すると、禎子は、かぎりない同情が起るのである。夫人が、自分の名誉を防衛して殺人を犯したとしても、誰《だれ》が彼女のその動機を憎みきることができるであろう。もし、その立場になっていたら、禎子自身にも、佐知子夫人となる可能性がないとはいえないのである。

いわば、これは、敗戦によって日本の女性が受けた被害が、十三年たった今日、少しもその傷痕《きずあと》が消えず、ふと、ある衝撃をうけて、ふたたび、その古い疵《きず》から、いまわしい血が新しく噴《ふ》きだしたとは言えないだろうか。

あたりが、少し明かるくなった。それは、空が晴れたのではなく、車が、森林の多い山岳地帯を抜け切ったからである。いつのまにか下《くだ》り道にかかり、屋根に雪をかぶった部落が見えはじめた。

時計を見ると、すでに、和倉を発《た》って一時間以上たっていた。

和倉から羽咋まわりで、あの現場に到着するのには、三時間はかかるというから、この道で行けば、半分ですむわけだった。が、前面には、まだ、山がいくつも重なっていた。

「まだ、遠いんですの、運転手さん？」

禎子は、声をかけた。

「あと三十分もしたら、着きますよ」

運転手は、背中から答えた。

道は、下りからしだいに平坦《へいたん》になった。雪は、山を越す前の和倉側よりも、もっと深かった。風の強いことが木の揺れ方で分かるのである。山を越しただけで、あたりの景色まで、一度に違って見えた。ここは、ほとんど、風景にやさしさがなく、荒々しさだけが陰鬱《いんうつ》な色で目立った。

福浦町に出たのは、運転手の言葉どおり、三十分後であった。中国が宋《そう》といったころから開かれている古い港である。荒い風をさけてか、民家はことごとく戸を閉ざし、防風のために簀子《すのこ》のようなものを表に張りめぐらしていた。

岬《みさき》に抱かれた港の一部が見えた。冷たい水の上に漁船がかたまっている。そこから見える沖の一部には、白波が立っていた。

「お客さん、これから、どっちへ行きます？」

運転手がきいた。

禎子は、地図の上で、だいたいの現場の見当をつけていた。

「高浜の方に行ってくださいな」

福浦の港から、車は南に向かった。今度は、絶えず、日本海の荒れた海を右側に見て、走るのである。重い雲が空に垂れこめ、閉ざされた太陽がその裏側で、海に落ちかけているのが、鈍《にぶ》い雲のその部分の光で分かった。

海の水平線は、しだいに下の方に沈んでゆく。道がそれだけ高い勾配《こうばい》を登っているのだ。ところどころ、海に突き出た奇岩が現われてくる。禎子は、一心にその景色の変化を見つめた。いつか来たあの風景を、彼女は、走っている車の窓から待ち受けていた。

ついに、それが見えた。

禎子が、いつか高い断崖の上で海の詩を思いだしたあの場所が、運転手の肩越しに、前方に見えだしたのである。

おりから、陽《ひ》はいよいよ沈み、蒼茫《そうぼう》とした景色があたりを閉じこめかけた。海の色はくろずみ、白波だけが沖で牙《きば》をむいていた。

あれだ。――

禎子は心に叫んだ。

道は、迂回《うかい》するたびに、その見覚えの場所を、さまざまに変化させた。が、彼女の凝視《ぎようし》は、その一点から離れなかった。

その場所こそ、憲一が突き落とされたところなのである。この前来た時、それと知らずにあの場所に立ったのも、何かの予感があったからであろう。今は、はっきりと、憲一の最後の場所を確認している。それは〝曾根益三郎〟の死場所を、地図と対照して調べたからであった。半月前、金沢に夫を尋ねて来たばかりの時、この場所に、身もと不明の男の死体を、胸をふるわせて実見にきた。それは、見たこともない、なんの由縁《ゆかり》もない人であった。だが、あの時、係りの老巡査は、こう言ったのである。

「つい最近も、投身自殺騒ぎが、この人と同じ場所で起こりましたがね、もっとも、これはすぐに身もとが分かって引取人が来ました……」

その引取人が田沼久子であり、その投身したという男が〝曾根益三郎〟の鵜原憲一であることは今はもう疑いようもない。

「ここで、いいわ」

禎子は車をおりた。運転手は驚いている。

あたりには、一軒の家もない。一方は断崖と海で、一方は迫った山であった。

「少し、待ってくださいな」

禎子は、運転手に断わって歩きだした。

風が強く、頬《ほお》に痛いくらいの冷たさが襲った。潮の音が急に高くなった。

その時、禎子の視角の中に、一人の人物が背中を見せて、黒い影で立っているのがはいった。

その男は海に向かって佇《たたず》んでいた。姿から察するまでもなく、室田儀作氏であった。室田氏は、近くに自動車の音がしたことも気づかず、断崖のほとんど突端に突っ立って、石のように動かなかった。室田氏の傍《そば》には、誰もいない。

それを見た瞬間、禎子は、すべてが終わったのだと思った。室田夫人の姿は、あたりのどこにも無い。凝然《ぎょうぜん》と烈風に叩《たた》かれている室田氏の姿だけが、暮れかけた海と対決している恰好《かっこう》だった。

「室田さん」

禎子は、忍び寄って声をかけた。

風が鳴り、海の轟《とどろ》きが極《きわ》まった。声がとどかぬのか、室田氏はすぐには振りかえらなかった。禎子は三度目を呼んだ。

はじめて、室田氏の姿勢が崩れ、顔がこちらを向いた。蒼《あお》く黄ばんだ沖の空を背景に、振りかえった室田氏の顔は、暗い翳《かげ》になって表情がよく分からなかった。

禎子は、室田氏に近づいた。

ひとしきり、見えない波が下で砕け、その音が、二人の足もとから地響きとなった。

「あなたも」

波の音の中で、室田氏が禎子を認めて声を出した。

「あなたも、とうとう、ここにやってきましたか」

禎子は、さらに二三歩すすんだ。髪が乱れ、頬に流れた。

「室田さん、奥さまは？」

室田氏は黙った。そして、ゆっくりと片手をあげた。その指先は蒼茫と暮れる沖を示した。

「家内は……」

室田氏は、かすれた声で言った。風と波の音のために、その声は消えそうだったが、禎子の耳には、はっきりと聞こえた。

「家内は、向こうに行っています」

指先がその方向を示した。禎子は、それを見つめた。重なりあった重い雲と、ささくれ立った沖との、その間に、黒いものが、ようやく一点、見つけられた。黒い点は揺れていた。その周囲に、目をむく白さで、波が立っている。

「あれが、家内です」

禎子は、いつか、室田氏と肩を並べていた。

彼女の息は、激しい風圧のためにつまりそうだった。が、それは、風だけではなく、彼女自身の激動が、自分で息をつめさせたのである。

「もう私からお話しすることはないでしょう。ここに来られた以上、あなたには、もう、すべてがお分かりになったと思います」

室田氏は、沖合を見つめながら言った。

その間にも、荒海の沖の黒い一点は、いよいよ小さくなって行った。

水平線に近い厚い雲間に、鈍くかたまっている黄ばんだ色も、あたりの黒ずんだ色と同じに、しだいに色を消してゆく。が、わずかに裂けた雲の一部分だけは、あたかも荒涼《こうりょう》とした北欧の古い絵を見るように、いつまでも黄色い光がのこっていた。

その淡い光線のために、黒い一点は、人間の目から、消え去らないでいた。

「私の気づきようが、おそかったのです」

室田氏は海を見たままで言った。

「昨夜、和倉に来て、家内を、私は問いつめました。家内は事実を告白しましたよ。もっと早く、私に打ちあけてくれていたら、こんな結果にはならなかったでしょう。

私は、あなたにお詫《わ》びしなければなりません。あなたのご主人と、ご主人の兄さんを殺したのは、家内です。私は、何も、家内の立場について弁解しません。ただ、私より先に宿を出た家内は、いつのまにか、舟を借りて、沖に出ていました」

室田氏は、声をつまらせた。

「言い忘れていましたが、家内は、房州勝浦《ぼうしゅうかつうら》の、ある網元《あみもと》の娘なんです。幸福な時代に育ち、東京で、ある女子大にはいりました。それから終戦が来たのです。得意だった英語が彼女にわざわいしたことも、敗戦後の日本の現象として、私はそう深く咎《とが》めません」

波が砕けるのには、ある間隔があった。その波の咆哮《ほうこう》が過ぎる間、室田氏の声は待っていた。

「私がここに駆けつけた時、家内は、私の手の届かないところに行っていたのです。あなたはご存じなかったのですが、私がここに立っているのが見えたとみえて、もっと近いところにいた家内は、舟の中から、私に手を振っていましたよ」

足もとの波が、また、砕けて轟《とどろ》いた。その間、室田氏は、その音の過ぎるのを待つつもりか、あるいは、気持が迫って声にそれが出るのを恐れてか、言葉を休んだ。

「奥さん、私も、手を振りました。そして、あなたが来られた時は、私に見えるのは、あの舟の小さな黒い点だけです。家内があれに乗っていることは分かっていますが、その姿は、もう見えません。沖へ沖へと、ああして漕《こ》いでゆくのです。この荒海では、舟は、まもなく転覆《てんぷく》するでしょう。いや転覆しないうちに、舟は乗り手を失うでしょう。あの黒点も、もうすぐ見えなくなります。私は……」

また、波が来た。その間、また室田氏は、言葉を休んだ。そして、言葉をつづけたときは、こう言った。

「私は、あの海の下に、家内の墓があると思っています。そして、毎年、今ごろ、私は、ここを訪れて来ようと思います」

禎子は、いつぞや、現在立っている場所と、百メートルと離れていない岩角に立って、心にうたった詩が、この時、不意に、胸によみがえった。

In her tomb by the sounding sea！

とどろく海辺の妻の墓！

禎子の目を烈風が叩いた。

解説

平野謙

戦争中の一時期、私どもは探偵《たんてい》小説の犯人当てというゲームに熱中したことがある。私どもというのは、当時《現代文学》という同人雑誌を出していた同人仲間のことで、坂口安吾《あんご》、大井広介《ひろすけ》、荒正人《あらまさひと》、私などがその常連だった。翻訳ものが多かったけれど、たいてい大井広介がどこかからテキストになる単行本を探しだしてきて、まずその解決編をひきちぎり、あとをバラバラにしてすこしずつ廻《まわ》し読みしたあげく、真犯人の名と犯行にいたる動機などを推理する、というゲームである。なにしろ一冊の本を読みあげるのだから、それもいい加減に読みとばすわけにはゆかぬのだから、どうしても徹夜ということになる。いつも千駄ヶ谷の大井広介邸に集まって、私どもは一晩中ワアワア口喧嘩《くちげんか》をともないながら、ゲームに夢中になったものである。

最初は口頭で真犯人の名とその動機など述べあっていたが、しまいにはなるべく詳しい答案を書き、あとで採点し、成績の一覧表をつくるというぐあいになっていった。

そうなると、最初は解決編もだいたいの見当をつけ、いい加減にちぎっていたのだが、精確を期するために、まず大井広介の奥さんに下読みしてもらって、ここからが解決編になるというところを糸で縫いつけてもらうことにした。果して誰《だれ》の成績表がいちばん優秀だったかは、いわぬが花というものだろう。閑話休題。

そこで、この『ゼロの焦点』のことになるのだが、もしこの『ゼロの焦点』を犯人当てゲームのテキストにするとしたら、いったいどこから解決編として縫いつけたらいいか、という問題をひとつ考えてみたい。そう思って、この『ゼロの焦点』をひっくりかえしてみると、どこからが解決編か、という問題が案外むずかしいことに気づくはずである。ひとつには、名探偵が最後に意外千万な真犯人を検挙したあと、おもむろに奇怪な謎《なぞ》を解きあかすというような段取りになっていない、ということがある。名探偵にしろ迷探偵にしろ、いわゆる探偵と名のつく人物がひとりも登場しないところに、本編の一特徴が存する、といえないこともないのである。

犯人当てゲームのためには、伏線としてバラまかれたデータをまとめて、合理的な筋をとおせば、真犯人が当るはずだというところまで、読者にデータを公開しなければならない。ところが、この『ゼロの焦点』の場合、どこで区切ればいいのか、なかなか見当がつけにくい。ということは、全体として犯人当てのための確たるデータがたいへん乏しい、ということでもある。だから、ここまで公開すれば、真犯人当てのデータとしては、必要にして充分だという見当がつけにくいのである。

そこで、無理を承知の上で一応区切ってみれば、やはり「ゼロの焦点」という小見出しをもつ最後の章の直前まで、ということになろう。実はここまででは、まぐれ当りに真犯人の名を当てることは可能でも、その動機ということになると、ほとんどその推理は困難だ、と私は思うものだが、かりに最後の章全体を解決編とみなして、それまでに読者はどんなデータを与えられているかを、ここで考えてみたい。

その前に、いつか私は志賀直哉《なおや》の『暗夜行路』を論じたとき、主人公時任謙作《ときとうけんさく》の年齢、職業や物語の発端が何年何月に当るかを推理してみたことがあるが、これがなかなかむずかしい。単に『暗夜行路』だけでなく、夏目漱石《そうせき》の『こころ』の主人公「先生」の年齢なども、見当がつけにくい。それにくらべると、松本清張の作品は、主人公の年齢、職業、物語の時代背景などがほとんどいつも明記されていて、気持がいい、ということを書いた記憶がある。本編の主人公たちも、登場するとすぐさま、その年齢、職業などが一目瞭然《りょうぜん》となる仕組みになっている。すなわち、主人公格の鵜原憲一《うはらけんいち》は三十六歳で、A広告会社の北陸地方の出張所主任という社会的身分である。その出張所は金沢にあって、一カ月のうち二十日間くらいを金沢に駐在し、あとの十日間くらいを東京本社へ連絡のため出張する、というのがその日常生活だ。A会社には入社して六年になり、六年で地方出張所の主任になるほどだから、優秀な人物といってい い、というのが仲人《なこうど》の口上である。縁談の相手は板根《いたね》禎子《ていこ》という二十六歳のOL、どうやら母ひとり子ひとりの身の上らしい。この二人が本編の主人公格の人物である。ただ物語の年代がすこし曖昧《あいまい》で、憲一は戦争のため大学中退のまま応召し、敗戦二年後に中国から帰還して、二、三の職を転々としたあと、A社に入社して六年になる、ということだから、現在の時点は昭和三十年前後かと思われるが、これはのちにもうすこし精確に修正される。

この二人が見合いののち、十一月なかばに結婚し、新婚旅行から東京へ帰ってまもなく、憲一は金沢から本社へ転勤することに決定して、事務ひきつぎのため後任の同僚と十二月初旬に金沢へ赴《おもむ》く。一週間くらいで帰ってくる予定だったが、十二月十一日に憲一の行方《ゆくえ》不明になったことが、十四日にいたって判明する。十五日夜、禎子は会社の人とともに金沢へ出発し、翌十六日に後任の本多良雄と相談の結果、警察へ捜索願いを出す。だいたいこれが本編の発端である。

以来、禎子に判明する主要なデータを列挙すれば、まず第一に、行方不明になるまでの憲一の金沢における下宿先がわからない。赴任した最初の半年間を除き、あとの一年半の下宿先を、出張所の誰も知らない。憲一は室田耐火煉瓦《れんが》株式会社の社長室田儀作に特にヒイキにされ、その家庭にも出入りしていた。室田の語るところによれば、禎子との婚約がととのってから、憲一は妙に元気がなくなったという。室田の妻佐知子《さちこ》もおなじような証言をする。憲一は次男で、長男の宗太郎が京都から出張の途中、金沢へ寄る。禎子には今朝到着したというが、どうやらそれより前に金沢へ来て、ひそかに憲一の行方を探した気配がある。あちこちのクリーニング屋をたずね、憲一の上着をあずかったことがないかと聞いてまわる。その宗太郎が禎子の帰京後、青酸カリで毒殺される。その前に、昭和二十五年から憲一が警視庁巡査となって、一年半立川署に配属されていたという前歴が判明する。風紀係でいわゆるパンパン、米兵相手の夜の女の取締りをやっていたという。そういう前歴が判明した直後、宗太郎死亡の電報が嫂《あによめ》のもとに届き、禎子は再び嫂と一緒に金沢へ赴く。宗太郎は十二月二十日鶴来《つるぎ》町という金沢郊外の旅館で青酸カリ入りのウイスキーによって毒殺された。鶴来町へゆくまで、宗太郎は若い女性を同伴していた。その女性の派手な恰好《かっこう》は、かつてのパンパン・スタイルに似ていた。しかし、その女性がウイスキーを与えたかどうかの確証はない。嫂が宗太郎の遺骨とともに帰京したのちも、禎子は金沢にとどまる。本多良雄と室田耐火煉瓦株式会社へ訪問したとき、新米の受付の女性がパンパン米語をつかうことを発見する。本多がその受付の女・田沼久子の履歴書を調べ、曾根益三郎《そねますさぶろう》という男の内縁の妻だったことがわかる。ところが、本多が調査を開始した途端に、田沼久子は東京へ逃亡し、それを追跡した本多は、東京世田谷のあるアパートの一室で、青酸カリ入りのウイスキーによって死亡する。それよりさき、田沼久子の本籍を役場に訪《たず》ねた禎子は、久子の内縁の良人《おっと》・曾根が十二月十二日夜、附近の断崖《だんがい》から飛びおり自殺したことを知る。死体検案書を書いた医師にも逢《あ》い、遺書の文面を聞いたり、上着のネーム「曾根」に舟虫が一匹はっていたことなども聞かされる。この自殺した曾根と憲一とが同一人物であることが、ようやく禎子に判明する。そういう憲一の二重生活の奥にある秘密のタブーにふれようとして、義兄の宗太郎も本多良雄も毒殺されたのだろう。毒殺したのが内縁の妻・田沼久子とすれば、二人までも毒殺して守らねばならぬ久子の秘密とは一体なにか？　もし久子が憲一を殺したとすれば、その秘密を死守するために、それに近づいた二人の男を毒殺することもあり得ようが、憲一は覚悟の自殺をしたものである。遺書の存在がそれを証明する。とすれば、なぜ二人の男が殺されねばならなかったか。その秘密の謎が解ける前に、禎子は田沼久子の投身自殺のニュースを聞かねばならなかった。田沼久子は十二月二十五日の夜東京へ逃亡し、二十七日に東京のアパートへ訪ねて来た本多良雄を毒殺し、二十八日には宗太郎の死んだ鶴来の崖《がけ》から投身自殺したのである。同時に、禎子は室田社長の東京出張を知る。そのあとを追うように帰京した禎子は、新聞に掲載された田沼久子の顔写真を立川署の警部補に確かめようとして、つい一時間くらい前に室田社長がおなじ用件で立川署に来たことを知る——。

だいたい以上が終章までの主要なデータである。自殺、他殺を含めて、すでに四人の男女が死んでいる。十二月十二日には憲一の投身自殺、十二月二十日には宗太郎、二十七日には本多がそれぞれ青酸カリで毒殺され、二十八日には田沼久子が投身自殺している。二十日間たらずの期間に、ほぼおなじ状況のもとに、四人の自殺、他殺がつづいている。もしも最初の憲一の投身自殺が妻久子の偽装工作だったら、その秘密に不用意に近づいた宗太郎や本多が殺されたのもやむを得ない。しかし、憲一にはハッキリした自殺の遺書が残されている。この壁を禎子はどうしても破れなかったのだが、遺書の文面を熟視すれば、覚悟の自殺の文面というより、むしろ久子に対する告別の辞ととれないこともない。禎子と結婚する気になった憲一は、内縁の妻久子に強引な告別の手紙を書くことによって、みずからの二重生活を清算しようとしたが、久子はどうしてもそれを肯《うなず》かず、十二日の夜、最後のデートの際、油断した憲一は、久子の偽装工作の前に屈して、もろくも断崖からつきおとされた。そういう解釈も成立しないでもない。問題は宗太郎と本多の二人がなぜ毒殺されたか、である。

金沢へ来て、ひそかにクリーニング屋を調べた宗太郎は、禎子との結婚に際して、ある程度憲一の二重生活を知らされていた。だから、最初は別れ話がこじれたのだと楽観していたのだが、あまり日時がたちすぎるので、自分で調査にのりださざるを得なくなった。そこでまずクリーニング屋を洗い、上着のネームから曾根という憲一の偽名を、宗太郎は発見したことだろう。そこで宗太郎は警察で最近の変死者のリストのなかから曾根という自殺者を発見し、田沼久子に接触したことだろう。憲一の遺書をみせられ、それが別れの手紙の一節だったことを看破したかもしれぬ。しかし、毒殺された状況をみれば、どうやら宗太郎は最後まで憲一の生存を信じていたあんばいである。とすれば、なぜ宗太郎は殺されねばならなかったか。その一点が最後までわからない。おなじことが本多良雄の場合についてもいえる。本多がはじめて田沼久子の存在について知り、彼女の履歴や彼女の内縁の良人の自殺について調査したのは、その当日か翌日のことである。どうして久子は本多の調査のことをいちはやく知り、たちまち逃亡し、東京で本多を毒殺せねばならなかったか。もともと禎子や本多が田沼久子という女性の存在を知った、その知りかたがたいへん不自然である。現実に、こういう知りかたは起り得ない。ところが、その久子がまた金沢へひっかえしたかと思うと、すぐ投身自殺してしまう。

ある点で、これは推理小説の常道ともいえよう。有力な嫌疑者《けんぎしゃ》が出現し、彼またはは彼女の犯行にちがいないと読者が思いこむ途端に、彼または彼女も殺されて、事件はふりだしに戻る、というのは、ある点で推理小説の常道ともいえるのである。だから、田沼久子が投身自殺することによって、かえって憲一も久子もなにものかによって巧妙に殺されたのだ、と推定されないこともない。青酸カリ入りのウイスキーによる毒殺という手口とおなじように、投身自殺という偽装工作の手口もまた全く同一である。となれば、いよいよ真犯人はだれかという解決編にはいってゆくのも必至となるわけである。しかし、その解決編を読みおわっても、なぜ宗太郎や本多は殺されねばならなかったか、という疑問に十全な解決が与えられているとはいいがたいのである。憲一と久子とが死ねば充分であって、宗太郎や本多を殺す必要はなかった、というのが私のひそかな意見である。

なぜこんなことをあえて書きとめておくかといえば、『ゼロの焦点』を一種の謎《なぞ》解き小説とみれば、その謎解きの構造は完璧《かんぺき》のものでない、というのが現在の私の意見だからである。つまり、いわゆる本格的な推理小説としては、『ゼロの焦点』は隙間《すきま》のある不完全な作品にすぎない、ともいえるのである。しかし、一個の文学作品としてみた場合、『ゼロの焦点』は失敗作かといえば、決してそんなことはない。推理小説としては多少の隙間があるとしても、一個の文学作品としてはやはり松本清張の秀作のひとつだ、というのが私の意見である。一口にいって、オキュパイド・ジャパンという未曾有《みぞう》の社会的混乱のなかから派生したひとつの社会的悲劇を、一見平凡な一会社員の失踪《しっそう》という事件に具体化した作者の着眼がすぐれており、その着眼を歩一歩と現実化してゆくプロセスもまたすぐれている。第一章における主人公の眉《まゆ》のあたりの憂鬱《ゆううつ》やだれかほかの女とくらべられたと思う女主人公の直観など、なかなかわるくない。「彼女は乱れて降ってくる雪のなかを、断崖の上に向かって歩いた。草は短く枯れている。雲も低い所にあった」という描写なども、わるくない。綜《そう》じて北国の冬という暗いムードが一貫していて、失踪事件やそれにつづく連続殺人事件も、そのムードによくマッチしているのである。ただ良人がかつてパンパンとよばれた女性と一年以上にわたって同棲《どうせい》したことや、自分がその女とみくらべられたことに対する女主人公の潔癖な嫌悪感《けんおかん》が、いささかも描かれていないのは片手落ちだろう。

最後に、この長編は昭和三十三年三月から三十五年一月まで《宝石》に連載されたと年譜にしるされてあるが、私の記憶によれば、筑摩書房から新しい型の綜合雑誌として創刊された《太陽》に連載され、《太陽》の廃刊とともに、《宝石》に移されたことを、書きとめておきたい。ということは、昭和三十二年から『ゼロの焦点』は発表されはじめ、したがって、作品の時点も昭和三十三年現在というのがいちばん妥当だろう、ということになる。作中に昭和三十三年現在のように書かれてあるが、私はやはり昭和三十二年現在を採りたい。同時に、私は《太陽》連載のときからこの作品を愛読し、《宝石》に移ってから、その掲載枚数があまりにすくないとき、なんとなく焦《いら》だたしく感じたことも改めて思いだした。その当時はまだ蒸発などという言葉はなかったが、新婚早々失踪した影のある男を追ってゆくうち、その過去のヴェールが一枚一枚はがされてゆく暗いムードを、私は愛読したものらしい。つまり、私は単行本『点と線』を松本清張の作品としてはじめて愛読したとながい間思いこんでいたが、その前に『ゼロの焦点』を愛読していたのである。そのことを最後に書きそえておきたい。

（昭和四十六年二月、評論家）

この作品は昭和三十四年十二月光文社より刊行された。

松本清張著 砂の器（上・下）

東京・蒲田駅操車場で発見された扼殺死体！新進芸術家として栄光の座をねらう青年の過去を執拗に追う老練刑事の艱難辛苦を描く。

松本清張著 Dの複合

雑誌連載「僻地に伝説をさぐる旅」の取材旅行にまつわる不可解な謎と奇怪な事件！ 古代史、民俗説話と現代の事件を結ぶ推理長編。

松本清張著 死の枝

現代社会の裏面で複雑にもつれ、からみあう様々な犯罪——死神にとらえられ、破滅の淵に陥ちてゆく人間たちを描く連作推理小説。

松本清張著 眼の気流

車の座席で戯れる男女に憎悪を燃やす若い運転手、愛人に裏切られた初老の男。二人の男の接点に生じた殺人事件を描く表題作等5編。

松本清張著 渦

テレビ局を一喜一憂させ、その全てを支配する視聴率。だが、正体も定かならぬ調査による集計は信用に価するか。視聴率の怪に挑む。

松本清張著 共犯者

銀行を襲い、その金をもとに事業に成功した内堀彦介は、真相露顕の恐怖から五年前に別れた共犯者を監視し始める……表題作等10編。

松本清張著

渡された場面

四国と九州の二つの殺人事件が、小さな同人雑誌に発表された小説の一場面によって結びついた時、予期せぬ真相が……。推理長編。

松本清張著

水の肌

利用して捨てた女がかつての同僚と再婚していた——男の心に湧いた理不尽な怒りが平凡な日常を悲劇にかえる。表題作等5編を収録。

松本清張著

天才画の女

彗星のように現われた新人女流画家。その作品が放つ謎めいた魅力——。画壇に巧妙にめぐらされた策謀を暴くサスペンス長編。

松本清張著

憎悪の依頼

金銭貸借のもつれから友人を殺した孤独な男の、秘められた動機を追及する表題作をはじめ、多彩な魅力溢れる10編を収録した短編集。

松本清張著

砂漠の塩

カイロからバグダッドへ向う一組の日本人男女。妻を捨て夫を裏切った二人は、不毛の愛を砂漠の谷間に埋めねばならなかった——。

松本清張著

黒革の手帖（上・下）

横領金を資本に銀座のママに転身したベテラン女子行員。夜の紳士を相手に、次の獲物をねらう彼女の前にたちふさがるものは——。

松本清張著

夜光の階段（上・下）

女は利用するのみ、そう心に決め、富と名声を求めて犯罪を重ねる青年美容師佐山道夫。男の野心と女の打算を描くサスペンス長編。

松本清張著

状況曲線（上・下）

二つの殺人の巧妙なワナにはめられ、追いつめられていく男。そして、発見された男の死体。三つの殺人の陰に建設業界の暗闘が……。

松本清張著

隠花平原（上・下）

迷宮入りとなった銀行員撲殺事件の陰には、新興宗教と銀行の密謀、そして底辺に蠢く人間の深い怨嗟が――巨匠最盛期の予見的長篇。

松本清張著

けものみち（上・下）

病気の夫を焼き殺して行方を絶った民子。疑惑と欲望に憑かれて彼女を追う久恒刑事。悪と情痴のドラマの中に権力機構の裏面を抉る。

宮部みゆき著

理由

直木賞受賞

被害者だったはずの家族は、実は見ず知らずの他人同士だった……。斬新な手法で現代社会の悲劇を浮き彫りにした、新たなる古典！

宮部みゆき著

模倣犯

芸術選奨受賞（一～五）

邪悪な欲望のままに「女性狩り」を繰り返し、マスコミを愚弄して勝ち誇る怪物の正体は？著者の代表作にして現代ミステリの金字塔！

吉村昭著　**漂　流**

水もわかず、生活の手段とてない絶海の火山島に漂着後十二年、ついに生還した海の男がいた。その壮絶な生きざまを描いた長編小説。

吉村昭著　**大本営が震えた日**

開戦を指令した極秘命令書の敵中紛失、南下輸送船団の隠密作戦。太平洋戦争開戦前夜に大本営を震撼させた恐るべき事件の全容——。

吉村昭著　**ポーツマスの旗**

近代日本の分水嶺となった日露戦争とポーツマス講和会議。名利を求めず講和に生命を燃焼させた全権・小村寿太郎の姿に光をあてる。

吉村昭著　**遠い日の戦争**

米兵捕虜を処刑した一中尉の、戦後の暗く怯えに満ちた逃亡の日々——。戦争犯罪とは何かを問い、敗戦日本の歪みを抉る力作長編。

吉村昭著　**ニコライ遭難**

〝ロシア皇太子、襲わる〟——近代国家への道を歩む明治日本を震撼させた未曾有の国難・大津事件に揺れる世相を活写する歴史長編。

吉村昭著　**プリズンの満月**

東京裁判がもたらした異様な空間……巣鴨プリズン。そこに生きた戦犯と刑務官たちの懊悩。綿密な取材が光る吉村文学の新境地。

城山三郎著
雄気堂々（上・下）
一農夫の出身でありながら、近代日本最大の経済人となった渋沢栄一のダイナミックな人間形成のドラマを、維新の激動の中に描く。

城山三郎著
官僚たちの夏
国家の経済政策を決定する高級官僚たち——通産省を舞台に、政策や人事をめぐる政府・財界そして官僚内部のドラマを捉えた意欲作。

城山三郎著
男子の本懐
〈金解禁〉を遂行した浜口雄幸と井上準之助。性格も境遇も正反対の二人の男が、いかにして一つの政策に生命を賭したかを描く長編。

城山三郎著
硫黄島に死す
〈硫黄島玉砕〉の四日後、ロサンゼルス・オリンピック馬術優勝の西中佐はなお戦い続けていた。文藝春秋読者賞受賞の表題作など7編。

城山三郎著
落日燃ゆ
毎日出版文化賞・吉川英治文学賞受賞
戦争防止に努めながら、A級戦犯として処刑された只一人の文官、元総理広田弘毅の生涯を、激動の昭和史と重ねつつ克明にたどる。

城山三郎著
指揮官たちの特攻
—幸福は花びらのごとく—
神風特攻隊の第一号に選ばれた関行男大尉、玉音放送後に沖縄へ出撃した中津留達雄大尉。二人の同期生を軸に描いた戦争の哀切。